EL LIBRO de LOS AMIGOS PERDIDOS

EL LIBRO de LOS AMIGOS PERDIDOS

Traducción de Patricia Sebastián

● UMBRIEL

Argentina · Chile · Colombia · España
Estados Unidos · México · Perú · Uruguay

Título original: *The Book of Lost Friends*
Editor original: Ballantine Books, un sello de Penguin Random House LLC, New York
Traducción: Patricia Sebastián

1.ª edición agosto 2021

Copyright © 2020 by Wingate Media LLC
All Rights Reserved
© de la traducción 2021 *by* Patricia Sebastián
© 2021 *by* Ediciones Urano, S.A.U.
   Plaza de los Reyes Magos, 8, piso 1.º C y D – 28007 Madrid
   www.umbrieleditores.com

ISBN: 978-84-16517-45-9
E-ISBN: 978-84-18480-05-8
Depósito legal: B-11.941-2021

Fotocomposición: Ediciones Urano, S.A.U.
Impreso por Romanyà-Valls, S.A. – Verdaguer, 1 – 08786 Capellades (Barcelona)

Impreso en España – *Printed in Spain*

*A Gloria Close, por ayudar a las familias de hoy en día
a encontrar hogares seguros.*

*A Andy y a Diane, así como a los abnegados conservadores
de la Colección Histórica de Nueva Orleans.
Gracias por preservar la historia.*

*A los Amigos perdidos, allá donde estéis.
Que vuestros nombres no se olviden jamás y que vuestras
historias nunca dejen de contarse.*

Nota de la autora acerca de la forma de hablar de los personajes y del uso de la terminología histórica

En un mundo dividido, en el que los aspectos sensibles en relación con la raza, la clase económica y los dialectos geográficos son muy variados, la adaptación de las cuestiones históricas se ha convertido, sinceramente, en todo un reto. Esperemos que eso signifique que somos más conscientes de la realidad que nos rodea, aunque también corremos el riesgo de suprimir lo que ocurría y lo que todavía ocurre, con el fin de lograr un estándar genérico artificial que, por naturaleza, no respeta a esas personas sobre las que escribimos. Esas personas, tanto del pasado como del presente, son individuos. Cada una de ellas posee un discurso y un modelo de pensamiento únicos basados en la experiencia, el lugar y la época. Como escritora, creo que es importante respetar las voces y las representaciones auténticas de períodos históricos, en vez de manifestar que la historia de una persona no merece ser escuchada a menos que la gramática utilizada sea la misma que encontraríamos en un artículo académico.

Siempre que ha sido posible, he intentado ser fiel a las diversas formas de hablar en Luisiana y Texas, a los relatos que dejaron los hombres y las mujeres que vivieron durante el período histórico en el que transcurre la novela y a la terminología racial y étnica que Hannie habría experimentado durante su época. Podemos aprender mucho de la historia. Esa fue una de las razones por las que incluí en el libro los anuncios auténticos de los Amigos perdidos. Son las historias de personas reales que vivieron y lucharon, y que casi sin querer dejaron estos pequeños fragmentos de sí mismas para la posteridad. Su historia me ha enseñado más de lo que jamás podré expresar, y estaré siempre agradecida por esas arduas lecciones.

Prólogo

Una mariquita aterriza con delicadeza en el dedo de la profesora y se aferra a él, igual que una piedra preciosa viviente. Un rubí con lunares y patas. Antes de que una ligera brisa aleje a la visitante, una canción infantil aflora en la mente de la profesora.

> *Doña mariquita, ve volando al nido,*
> *las llamas crecen y tus hijos se han ido.*

Las palabras dejan tras de sí un rastro amargo al tiempo que la profesora posa la mano sobre el hombro de una estudiante y nota la húmeda calidez bajo el áspero vestido de calicó de la chica. El cuello cosido a mano cuelga torcido sobre la piel marrón ambarina, pues la prenda resulta demasiado grande para la chica que la lleva. Una cicatriz abultada se asoma por uno de los holgados puños del vestido. La profesora reflexiona un instante acerca de su origen, y se resiste a que su mente comience a divagar.

¿De qué serviría?, piensa.

Todos tenemos cicatrices.

Echa un vistazo al improvisado lugar de encuentro bajo los árboles: los toscos bancos de madera están abarrotados de chicas a punto de convertirse en mujeres y de chicos ansiosos por adentrarse en el mundo de los hombres. Leen sus trabajos, inclinados sobre las mesas torcidas llenas de plumas, papel secante y tinteros, articulando las palabras sin emitir sonido alguno, concentrados en la importante tarea que tienen por delante.

Todos excepto esa chica.

—¿Estás lista? —pregunta la profesora, e inclina la cabeza hacia el trabajo de la chica—. ¿Has ensayado leyéndolo en voz alta?

—No puedo. —La muchacha deja caer los hombros, dándose por vencida—. No... no delante de toda esta gente.

Con una expresión abatida, vuelve su rostro juvenil hacia los curiosos que se han congregado en los extremos del aula al aire libre: hombres adinerados con trajes hechos a medida y mujeres ataviadas con vestidos carísimos, que se abanican de forma petulante con los folletos impresos y abanicos de papel sobrantes de los apasionados discursos políticos que han tenido lugar por la mañana.

—No lo sabrás hasta que lo intentes —le aconseja la profesora. Qué familiar le resulta esa inseguridad juvenil. Hace apenas unos años, la profesora era igual que aquella chica. Estaba llena de dudas, abrumada por el miedo. Paralizada, más bien.

—No puedo —gime la chica, agarrándose el estómago.

Tras recogerse las faldas y las engorrosas enaguas para que no se llenen de polvo, la profesora se agacha y mira a la chica a los ojos.

—¿Cómo conocerán la historia si no se la cuentas tú? La historia de la chica a la que separaron de su familia; que tuvo que escribir un anuncio con la esperanza de hallar algún rastro de sus seres queridos, que tuvo que ahorrar cincuenta centavos para poder publicarlo en el periódico *Southwestern* y así llegar a todos los estados y territorios cercanos. ¿Cómo entenderán la imperiosa necesidad de saber, por fin, si su familia sigue ahí fuera, en algún lugar?

La chica endereza sus delgados hombros, pero se desanima de inmediato.

—A esta gente le trae sin cuidado lo que yo tenga que decir. Nada cambiará.

—Puede que sí. Las tareas más importantes siempre conllevan riesgos.

La profesora es consciente de ello. Algún día, ella deberá emprender también un viaje similar, uno que entrañe riesgos.

Hoy, sin embargo, lo importante son sus alumnos, la columna de los «Amigos perdidos» del periódico *Southwestern Christian Advocate* y todo lo que esta representa.

—Por lo menos, debemos contar nuestras historias, ¿no te parece? Y dar a conocer los nombres. Hay un antiguo proverbio que dice: *Morimos por primera vez cuando exhalamos nuestro último suspiro. Y volvemos a morir cuando se pronuncia nuestro nombre por última vez.* Somos incapaces de controlar la primera muerte, pero podemos intentar evitar la segunda.

—Si usted lo dice —conviene la chica, tomando aire débilmente—. Pero prefiero hacerlo enseguida, antes de que me dé por echarme atrás. ¿Puedo ser la primera en leer?

La profesora asiente.

—Si empiezas tú, estoy segura de que los demás sabrán seguir el ejemplo.

Da un paso atrás y estudia al resto de la clase. *Todos tienen una historia que contar*, piensa la profesora. *Y todas ellas están plagadas de personas a las que separa una distancia imposible, que se encuentran alejadas unas de otras por culpa de la falsedad humana y la crueldad. Personas que deben soportar la terrible tortura que supone la incertidumbre.*

Y aunque preferiría no hacerlo —daría lo que fuera por evitarlo—, se imagina su propia cicatriz. Una que se oculta bajo su piel, donde nadie puede verla. Piensa en la adorada persona que ha perdido. Está ahí fuera, en algún lugar. Pero desconoce su paradero.

Un murmullo de impaciencia apenas disimulada recorre la multitud mientras la chica se pone en pie y se abre paso a través del pasillo que forman los bancos; su postura, rígida, adopta un extraño porte regio. El movimiento frenético de los abanicos de papel cesa y el revoloteo de los folletos se reduce por completo cuando ella se vuelve para leer su relato, sin mirar a la izquierda ni a la derecha.

—Me... —La voz se le quiebra. Examina a la multitud al tiempo que aprieta y afloja los dedos, agarrando gruesos pliegues de su vestido de calicó azul y blanco. El tiempo parece vacilar entonces, al igual que la mariquita, que no sabía si posarse o seguir su camino.

Por fin, la chica levanta la barbilla en un gesto de firme determinación. Su voz se aleja de los estudiantes y alcanza al público,
exigiendo que le presten atención, y acto seguido, pronuncia un
nombre que nadie silenciará hoy.

—Me llamo Hannie Gossett.

AMIGOS PERDIDOS

Rogamos que los pastores lean desde los púlpitos las peticiones publicadas a continuación e informen de todos los reencuentros de amigos y familiares que se produzcan gracias a las cartas difundidas a través del *Southwestern*.

Señor editor:

Busco información sobre mi familia. Mi madre se llamaba Mittie. Yo soy Hannie Gossett, la mediana de nueve hijos. Los demás se llamaban Hardy, Het, Pratt, Epheme, Addie, Easter, Ike y Rose, y, hasta el momento de nuestra separación, eran todos los hijos que tenía mi madre. Mi abuela se llamaba Caroline y mi abuelo, Pap Ollie. Mi tía Jenny estuvo casada con mi tío Clem hasta que él murió en la guerra. La tía Jenny tenía cuatro hijas: Azelle, Louisa, Martha y Mary. Nuestro primer amo se llamaba William Gossett y era el dueño de la plantación Goswood Grove, donde nos criamos y permanecimos hasta que el patrón quiso trasladarnos, durante la guerra, desde Luisiana a Texas, con la intención de refugiarnos allí y establecer una nueva plantación. Antes de poder llevar a cabo sus planes, nos topamos con una dificultad: Jeptha Loach, un sobrino de la señora Gossett, nos secuestró. Nos llevó desde Old River Road, al sur de Baton Rouge, hacia el noroeste, a través de Luisiana, en dirección a Texas. Mis hermanos y hermanas, mis primas y mi tía fueron vendidos en cada una de las paradas: Big Creek, Jatt, Winfield, Saline, Kimballs, Greenwood y Bethany, hasta que llegamos, finalmente, a Powell, Texas, donde se llevaron a mi madre, a la que nunca volví a ver. Ahora soy adulta, y la única del grupo a la que su comprador, un hombre de Marshall, Texas, rechazó y devolvió a los Gosset, después de que quedara demostrado que eran mis auténticos propietarios. Estoy bien, pero echo mucho de menos a mi madre, por lo que agradecería cualquier información relativa a su paradero o al paradero del resto de mi familia.

Rezo para que todos los pastores y buenas personas a las que les llegue esta petición tomen en consideración el grito desesperado de un corazón desgarrado, y me envíen un mensaje al economato de Goswood Grove, en Augustine, Luisiana. Agradeceré cualquier información que se me pueda facilitar.

Capítulo 1

El sueño interrumpe mi apacible reposo, igual que ha hecho muchas veces, me arrolla como si fuera polvo. Me alejo flotando hasta retroceder unos cuantos años y mi cuerpo, que es casi el de una mujer, se transforma en el de una niña de seis años. Aunque no quiero, veo lo que mis ojitos infantiles vieron entonces.

A través de los huecos del corral hecho con troncos, veo cómo los compradores se apelotonan en el patio de venta. Estoy sobre la tierra gélida, una tierra que muchos otros pies han pisado antes que yo. Pies grandes como los de mamá, pies pequeños como los míos, y diminutos, como los de Mary Angel. Dedos y talones que han dejado surcos en el húmedo suelo.

¿Cuántas personas más han estado aquí antes que yo?, me pregunto. *Personas con el corazón martilleándoles en el pecho y los músculos anquilosados, pero sin ningún lugar al que huir.*

Puede que cientos de centenares. Muchos pares de talones y muchas decenas de dedos. No sé contar más allá de eso. Cumplí seis años hace unos pocos meses. Ahora estamos en *febero*, una palabra que nunca me sale bien. La boca se me tuerce y yo digo *fe-be-be-be-bero*, como una oveja. Mis hermanos y hermanas siempre me han tomado el pelo por eso; los ocho, incluso los más pequeños. Normalmente, nos peleábamos si mamá estaba trabajando en los campos o había ido al hilandero a hilar lana o a tejer algunas prendas simples.

Nuestra cabaña de madera se mecía y crujía hasta que, por fin, alguno de nosotros se asomaba por la puerta o la ventana y se ponía a berrear. Entonces aparecía la vieja Tati, vara en mano, y nos decía: «Os daré una zurra como no os estéis quietos». Nos arreaba en el trasero y las piernas de forma juguetona y nosotros salíamos pitando como si fuéramos cabritas. Nos metíamos debajo de las camas e intentábamos escondernos, golpeándonos las rodillas y los codos en todos lados.

Ya no podemos hacer eso. Se han llevado a todos los hijos de mamá, de uno en uno o de dos en dos. También a la tía Jenny Angel y a tres de sus cuatro hijas. Las vendieron en patios como este, desde el sur de Luisiana hasta llegar casi a Texas. Cada día quedamos menos, y yo me esfuerzo por llevar la cuenta de todos los lugares donde hemos estado, mientras marchamos por detrás del carro de Jep Loach; los adultos llevan las muñecas amarradas con cadenas que tiran de ellos, y a los niños no nos queda más remedio que seguir adelante.

Pero las noches son lo peor de todo. Siempre rezamos por que el whisky y la jornada de viaje dejen a Jep Loach fuera de combate. Cuando se queda despierto les pasan cosas malas a mamá y a la tía Jenny, y ahora solo a mamá, porque la tía Jenny ha sido vendida. Solo quedamos mamá y yo. Nosotras y la hija menor de la tía Jenny, la pequeña Mary Angel.

Siempre que puede, mamá me susurra las mismas palabras al oído: a quiénes se han llevado, cómo se llaman las personas que los han comprado en las subastas y a dónde se los han llevado. La tía Jenny y sus tres hijas mayores son las primeras de la lista. Les siguen mis hermanos y hermanas, desde el mayor al más pequeño. A Hardy lo ha comprado en Big Creek un hombre llamado LeBas, de Woodville. Het se ha quedado en Jatt con Palmer, un hombre de Big Wood…

Prat, Epheme, Addie, Easter, Ike y la pequeña Rose, a quien arrancaron de los brazos de mi madre en un lugar llamado Bethany. Rose se puso a llorar y mamá se resistió y suplicó y dijo: «Tiene que estar conmigo. No está destetada, es una bebé…».

Ahora me avergüenzo de ello, pero me aferré a las faldas de mi madre y grité:

«¡No, mamá! ¡No, mamá! ¡No!».

Empecé a temblar y mi imaginación echó a volar, desenfrenada.

Tenía miedo de que se llevaran también a mamá y nos quedáramos mi primita Mary Angel y yo solas cuando el carro se pusiera en marcha.

Jep Loach pretende llenarse los bolsillos con todos nosotros, pero solo vende a uno o a dos en cada pueblo, para poder seguir adelante cuanto antes. Dice que su tío le ha dado permiso, pero no es verdad. El amo y la señora querían que hiciera lo que está haciendo la gente por todo el sur de Luisiana desde que los cañoneros del norte consiguieron abrirse paso por el río desde Nueva Orleans: llevarse a sus esclavos al oeste para que el Ejército Federal no pudiera liberarlos. Ocultarlos en el terreno que los Gosset tienen en Texas hasta que la guerra acabara. Por eso nos dejaron en manos de Jep Loach; pero en vez de obedecer, se ha quedado con nosotros.

«El amo Gossett vendrá a por nosotros en cuanto descubra que Jep Loach se la ha jugado», me prometía mamá una y otra vez. «Y dará igual que sea el sobrino de la señora. Lo obligará a unirse al ejército. La única razón por la que no lleva el uniforme gris todavía es porque el amo ha estado rascándose el bolsillo para que no vaya a la guerra. Pues eso se acabó y nosotros nos vamos a librar de él de una vez por todas. Ya verás. Por eso repetimos los nombres, para saber dónde recoger a los demás cuando el viejo amo vuelva. Apréndetelo bien, así podrás avisar si eres la primera a la que encuentran».

Pero mis esperanzas se han vuelto tan tenues como la luz invernal que se filtra a través de los bosques del este de Texas, de modo que me acuclillo en el interior del recinto hecho con troncos que está en el patio de venta. Solo quedamos mamá, Mary Angel y yo, y hoy se llevarán a una de las tres. Por lo menos a una. Jep Loach se llenará aún más los bolsillos, y la que se quede sin vender seguirá deambulando en su carromato. Él se pondrá a beber enseguida, encantado de haberse salido con la suya una vez más, robándole a su propia familia. Todos los miembros de la familia de la señora —todos los Loach— son manzanas podridas, pero Jep se lleva la palma, es peor incluso que la señora. Ella es un demonio y él, también.

—No te alejes tanto, Hannie —me dice mamá—. Ponte a mi lado.

De pronto, la puerta se abre y un hombre toma a la pequeña Mary Angel del brazo; mamá se aferra a ella y llora desconsolada mientras le susurra al mozo del comerciante, un hombre gigantesco y con la piel tan oscura como el tizón:

—No es nuestro amo. Nos ha robado de la plantación Goswood, que pertenece al amo William Gossett y está al sur de Baton Rouge, bajando por River Road. Nos ha raptado. Nos ha... Nos...

Se arrodilla y se inclina sobre Mary Angel, como si quisiera esconderla en su interior.

—Por favor, se lo ruego. Este hombre ha vendido ya a mi hermana Jenny. Y a todas sus hijas, solo queda esta pequeña. También ha vendido a todos mis hijos salvo a mi Hannie. No deje que nos separen. Dígale a su amo que la bebé está enferma y nos tiene que vender juntas. A las tres. Tenga piedad, por favor. Dígale a su amo que pertenecemos a William Gossett, de Goswood Grove, bajando por River Road. Somos mercancía robada. ¡Nos ha robado!

El hombre profiere un quejido exhausto y envejecido.

—No puedo hacer nada. Ni yo ni nadie. Lo único que consigues así es ponérselo más difícil a la niña. Estás empeorando las cosas. Tengo que llevarme a dos. En dos tandas. Una primero y luego otra.

—No. —Mamá cierra los ojos con fuerza y luego los vuelve a abrir. Levanta la mirada hacia el hombre y vierte a la vez palabras, lágrimas y saliva—: Avise a mi amo William Gossett cuando venga a buscarnos, dígale a dónde nos han llevado. Dele el nombre de la persona que nos haya comprado y dígale a dónde nos dirigimos. El amo Gossett nos encontrará, nos llevará a todos a Texas, para que nos refugiemos allí.

El hombre se queda en silencio y mamá se vuelve hacia Mary Angel y saca un trozo de tela marrón que arrancó del dobladillo de la pesada enagua de invierno de la tía Jenny Angel durante una de las paradas del carro. Mamá y la tía Jenny hicieron ellas mismas quince bolsitas adornadas con cordeles de yute que robaron del carro.

En el interior de cada bolsita metieron tres cuentas de vidrio azul de un collar de cuentas que era especial para mi abuela. Las cuentas, originarias de África, eran su posesión más preciada. *De allí las tomaron mis abuelos*. Las noches de invierno nos contaba esa historia, sentada junto a una vela de sebo, mientras los demás nos amontonábamos a su alrededor, iluminados por el anillo de luz de la vela. Acto seguido, nos hablaba de África, el lugar donde antes vivían los nuestros. Donde eran reinas y príncipes.

«El azul significa que todos seguimos la misma senda. La familia permanece fiel a los suyos, para siempre y de manera incondicional», decía ella, y entonces bajaba la mirada, sacaba el collar de cuentas y dejaba que nos lo pasáramos unos a otros, que lo sostuviéramos. Dejaba que sintiéramos un trocito de aquel lugar lejano... y del significado que encerraba el color azul.

Ahora, tres cuentas acompañarán a mi primita.

Mamá agarra a Mary Angel de la barbilla con fuerza.

—Esto es una promesa. —Mamá le mete la bolsita a Mary Angel dentro del vestido y le ata los cordeles alrededor del cuellito, que es todavía demasiado corto para la cabeza de la pequeña—. No la pierdas, garbancito. Aunque sea lo único que hagas, agárrala fuerte. Con esto reconocerás a tu familia. Volveremos a vernos de nuevo, por mucho tiempo que pase, y así es cómo nos reconoceremos. Si pasa mucho tiempo y te haces mayor, las cuentas nos ayudarán a saber que eres tú. Escúchame. ¿Estás prestando atención a la tía Mittie? —Hace un gesto con las manos. Una aguja e hilo. Cuentas en un collar—. Algún día, todos nosotros volveremos a recomponer el collar. En esta vida, si Dios quiere, o en la siguiente.

La pequeña Mary Angel no asiente ni parpadea ni dice nada. Antes parloteaba sin parar, pero ahora ya no. Una lágrima enorme recorre su piel marrón mientras el hombre se la lleva; tiene los brazos y las piernas rígidos, igual que los de una muñeca de madera.

Entonces el tiempo da un salto. No sé cómo, pero vuelvo a estar frente a la valla, observando entre los troncos cómo se llevan a Mary Angel. Sus zapatitos marrones, los mismos zapatos de trabajo que recibimos los demás como regalo de Navidad hace dos meses, cuelgan en el aire; los confeccionó en Goswood el propio tío Ira, que se dedicaba a la marroquinería: enmendó unos arreos y nos regaló a todos zapatos por Navidad.

Pienso en él y en nuestro hogar mientras veo los zapatitos de Mary Angel sobre la plataforma donde tienen lugar las subastas. El viento frío serpentea entre sus delgadas piernas cuando le levantan el vestido, y el hombre declara que tiene buenas rodillas. Mamá sigue llorando, pero una de las dos debe prestar atención para saber quién se lleva a Mary Angel. Una de las dos debe añadirla a la lista de nombres.

Así que eso es lo que hago.

Me da la sensación de que apenas transcurre un instante antes de que una mano enorme me tome del brazo y me arrastre por el suelo. El hombro se me sale del sitio con un crujido. Los tacones de mis zapatos de Navidad surcan la tierra como si fueran cuchillas de arado.

—¡No! ¡Mamá, ayúdame! —La sangre corre, frenética, por mis venas. Me resisto y grito, me agarro al brazo de mamá y ella se agarra a mí.

No me sueltes, le digo con la mirada. De pronto, entiendo las palabras de aquel hombre y el motivo por el que afectaron tanto a mamá. *Tengo que llevarme a dos. En dos tandas. Una primero y luego otra.*

Hoy es el peor día de todos. El último día que mamá y yo estaremos juntas. Dos de nosotras seremos vendidas aquí; la que quede se marchará con Jep Loach y será vendida en la siguiente parada del trayecto. El estómago se me revuelve y noto una sensación de ardor en la garganta, pero no tengo nada que vomitar. Me lo hago encima y el pis me recorre la pierna, me llena el zapato y empapa la tierra.

—¡Por favor, llévanos juntas! —suplica mamá.

El hombre le da una fuerte patada y ambas nos separamos. Mamá se golpea la cabeza contra los troncos y se desploma sobre la tierra cubierta de pisadas; su rostro no refleja ninguna expresión, es como si estuviera dormida. Una bolsita marrón cuelga de su mano. Tres cuentas azules ruedan por el suelo.

—Como me causes problemas, le vuelo los sesos. —La voz me recorre como una araña. Quien me ha agarrado no es el hombre de antes. Es Jep Loach. No me lleva a la plataforma, sino que me arrastra a su carromato. A la guarida del monstruo. Es a mí a quien pretende vender en otro lugar.

Me suelto e intento correr hacia mamá, pero mis rodillas ceden y se curvan igual que la hierba mojada. Me derrumbo y estiro los dedos hacia las cuentas, hacia mi madre.

—¡Mamá! ¡Mamá! —grito una y otra, y otra vez...

Como siempre, es mi propia voz la que me despierta y me aleja de aquel terrible día que invade mis sueños. Oigo mis chillidos, noto su crudeza en la garganta. Vuelvo a la realidad mientras intento zafarme de las enormes manos de Jep Loach y llamo a mi madre entre gritos; a la madre a la que llevo sin ver doce años, desde que era una niña de seis.

—¡Mamá, mamá, mamá! —La palabra brota de mi interior tres veces más, atraviesa el silencio nocturno que envuelve los campos de Goswood Grove antes de que cierre la boca y vuelva la mirada hacia la cabaña de los aparceros, con la esperanza de que no me hayan oído. No sirve de nada que los despierte con mis berridos. Nos espera una ardua jornada de trabajo: a mí, a la vieja Tati y a los demás chicos desamparados que quedan; la anciana nos ha criado todos estos años, desde que acabó la guerra, pues ninguno de nuestros padres vino a buscarnos.

De todos mis hermanos, de todos los miembros de mi familia a los que Jep Loach se llevó, yo soy la única que volvió con el amo Gossett, y fue una simple cuestión de suerte: durante la siguiente subasta, los compradores se dieron cuenta de que era una esclava robada, de modo que me dejaron en manos del *sheriff* hasta que el amo vino a buscarme. Mientras duró la guerra, la gente huyó de un lado a otro para ponerse a salvo y nosotros intentamos ganarnos la vida en las tierras salvajes de Texas, por lo que nos fue imposible ir a buscar al resto. Yo era una niña que no tenía a nadie cuando los soldados de la unión llegaron, por fin, a nuestro escondrijo en Texas y obligaron a los Gossett a leer en voz alta los documentos de emancipación y declarar que la guerra había acabado, incluso en Texas. A partir de entonces, los esclavos podían ir adonde quisieran.

La señora nos advirtió que no recorreríamos más de 10 kilómetros antes de que acabáramos muertos de hambre, o los salteadores de camino nos asesinaran o los indios nos arrancaran la cabellera, y que, si éramos lo bastante desagradecidos y necios como para marcharnos, ella se alegraría de cualquier desgracia que nos ocurriera. Como la guerra había acabado, no había razón para refugiarse en Texas, así que lo mejor era que volviéramos a Luisiana con ella y el amo Gossett, a quien ahora debíamos llamar «señor» y no «amo» para no desatar la ira de los soldados de la unión, que iban a seguir al acecho durante un tiempo. Al menos, en cuanto volviéramos a Goswood Grove, el *señor* y la señora nos protegerían y alimentarían y vestirían nuestros miserables cuerpos.

«Niños, vosotros vendréis sí o sí», nos dijo a aquellos que estábamos solos. «Sois responsabilidad nuestra. Os haremos el favor de sacaros de este lugar dejado de la mano de Dios y llevaros a Goswood Grove hasta que seáis mayores de edad o vuestros padres vengan a buscaros».

A pesar de que odiaba a la señora y mi trabajo en la casa como doncella y juguete de la señorita Lavinia, una niña que era de armas tomar, me refugié en la promesa que mamá me había hecho en el patio de subastas. Vendría a buscarme en cuanto pudiera. Nos encontraría a todos y volveríamos a recomponer el collar de cuentas de la abuela.

De modo que, aunque siempre obedecía, sentía también en mi interior una agitación fruto de la esperanza. Y era esa agitación la

que me llevaba a vagar por las noches, la que me provocaba pesadi-
llas en las que aparecía Jep Loach y me arrebataban a mi familia, en
las que veía a mamá tendida en el patio de subastas. Sin saber si
estaba muerta.

Y sigo sin saberlo.

Miro hacia abajo y me doy cuenta de que he estado caminando
dormida otra vez. Estoy subida al tocón del viejo nogal pecanero. A
mi alrededor se extiende un campo de tierra nueva, en la que los
cultivos recién plantados son todavía demasiado escasos y menudos
como para cubrir la superficie. Unos ribetes de luz de luna caen
sobre los extremos de las hileras de cultivo, por lo que la tierra es un
enorme telar en el que la urdimbre se mantiene en tensión, a la
espera de que la hilandera deslice la aguja de un lado a otro, una y
otra vez, para confeccionar las telas, del modo en que hacían las
esclavas antes de la guerra. Los hilanderos están vacíos ahora que el
calicó de las tiendas sale más barato, pues lo traen de los molinos
del norte. Pero en los viejos tiempos, cuando yo era pequeña, había
que cardar el algodón y la lana. Y por la noche, después de volver
del campo, había que ponerse a hilar. En eso consistía el día a día
de mamá en Goswood Grove. Debía hacerlo, si no quería tener que
lidiar con la señora.

En este mismo tocón era donde se subía el capataz, el cual
llevaba siempre un látigo de cuero listo para abalanzarse cual serpiente; desde aquí vigilaba a las cuadrillas que trabajaban el campo y se aseguraba de que todo el mundo recogía el algodón. Si
alguien se rezagaba o intentaba descansar durante un instante, el
capataz se daba cuenta. En caso de que el amo Gossett estuviera
en casa, la persona en cuestión solamente se llevaba unos cuantos
azotes. Pero si se había marchado a Nueva Orleans a ver a su otra
familia, esa de la que todo el mundo había oído hablar pero nadie
se atrevía a mencionar, había que andarse con ojo. Las palizas eran
horribles entonces, ya que la señora estaba al mando. A la señora no
le hacía ninguna gracia que su marido tuviera una querida y una
hija de piel trigueña en Nueva Orleans. Los hacendados ricos
mantenían a sus amantes e hijos en vecindarios como Faubourg

Marigny y Tremé. Mujeres extravagantes, mestizas. Mujeres de complexión delicada y piel de color pardo aceituna que vivían en casas elegantes y tenían esclavos a su cargo.

Desde que la guerra del señor Lincoln llegó a su fin, esas antiguas costumbres han desaparecido casi por completo: el capataz y su látigo, las interminables jornadas de trabajo de mamá y los demás, los grilletes y las subastas en las que vendían a los míos... Todas las costumbres que plagan el interior de mi cabeza con un murmullo constante.

A veces, cuando me despierto, me da la sensación de que mi familia fue algo que me inventé, algo que no fue real en absoluto. Pero entonces toco las tres cuentas de cristal que cuelgan del cordel que llevo atado al cuello y pronuncio el mantra que me enseñó mi madre: *A Hardy lo ha comprado en Big Creek un hombre llamado Le-Bas, de Woodville. Het se ha quedado en Jatt...*

Y voy diciendo cada uno de los nombres hasta llegar a la pequeña Rose. Y a mamá.

Era algo real. Éramos reales. Estábamos juntos.

Miro a lo lejos y siento que oscilo entre el cuerpo de una niña de seis años y el de una mujer de dieciocho, más desarrollado pero no muy distinto. Sigo estando tan delgada como un palillo.

Mamá siempre decía: «Hannie, si te pones detrás del palo de la escoba, no te veo». A continuación sonreía, me acariciaba la cara y susurraba: «Pero eres una niña guapísima. Siempre lo has sido». Oigo sus palabras como si estuviera a mi lado, con una cesta de roble blanco colgada del brazo, y se dirigiera al huerto que hay detrás de nuestra pequeña cabaña, que se encuentra al final de los barracones antiguos.

En cuanto percibo su presencia, esta se desvanece.

«¿Por qué no volviste?». Mis palabras flotan en el aire nocturno. «¿Por qué no volviste a por tu hija? No apareciste».

Me siento en el borde del tocón y contemplo los árboles junto al camino; la luna y la niebla ensombrecen sus gruesos troncos.

Me parece ver algo. Un espectro, tal vez. «Hay demasiada gente enterrada en Goswood», dice la vieja Tati cuando nos cuenta cuentos en la cabaña por las noches. «Se ha derramado demasiada sangre y se ha padecido lo indecible. En este lugar siempre habrá fantasmas».

Un caballo resopla. Un jinete aparece en el camino. Una capa oscura le cubre la cabeza y se despliega a su alrededor, tan ligera como el humo.

¿Es mamá, que ha vuelto a buscarme? Viene a decirme: *Casi has cumplido los dieciocho, Hannie. ¿por qué sigues subiéndote a ese viejo tocón?* Quiero acercarme a ella. Marcharme con ella.

¿Es el señor, que ha regresado a casa tras volver a sacar de algún apuro al sinvergüenza de su hijo?

¿O es un espectro, que ha venido para arrastrarme hasta el río y ahogarme en sus aguas?

Cierro los ojos, sacudo la cabeza y vuelvo a mirar. No hay más que bruma.

—¿Niña? —oigo el susurro preocupado de Tati a lo lejos—. ¿Niña?

Da igual la edad que tengas, si Tati fue la que se encargó de criarte, para ella serás siempre un mocoso. Llama «niño» o «niña» incluso a aquellos que han crecido y se han marchado, cuando vienen alguna vez de visita.

Aguzo el oído y abro la boca para responderle, pero de pronto soy incapaz.

Sí que hay alguien ahí; una mujer, junto a las altas columnas blancas de la entrada de Goswood, aunque ya no va a caballo. Los robles susurran desde sus viejas copas, como si aquella visita les preocupara. Una rama baja se engancha a la capucha de la mujer, y su larga y oscura cabellera flota en el aire.

—¿M... Mamá? —digo.

—¿Niña? —vuelve a susurrar Tati—. ¿Estás ahí? —La oigo apresurar el paso, su bastón golpea el suelo cada vez con más rapidez, hasta que da conmigo.

—Por ahí viene mi madre.

—Estás soñando, tesoro. —Tati me envuelve la muñeca con sus dedos huesudos, pero se queda a cierta distancia. A veces, mis sueños son bastante movidos. Me despierto dando patadas y sacudiendo los brazos para que Jep Loach me suelte—. Niña, tranquila. Estás soñando. Despierta. Tu madre no está, pero la vieja Tati sí. Justo a tu lado. Estás a salvo.

Aparto la mirada de la entrada durante un momento y la dirijo de nuevo hacia allí. La mujer ha desaparecido y, por mucho que busque, no la veo.

—Despierta, niña. —Bajo la luz de la luna, el rostro de Tati tiene el color rojo pardo de la madera de ciprés sumergida en el agua; oscura, en contraste con el gorro de muselina que le cubre el pelo plateado. Se quita el chal que lleva puesto y me envuelve con él—. ¡Cómo se te ocurre salir con la humedad que hace! Pillarás una pleuritis. Y a ver qué hacemos entonces. ¿Con quién se arrejuntará Jason?

Tati me da un golpecito con el bastón, incordiándome. Lo que más desea en este mundo es que me case con Jason. En cuanto finalice el contrato de aparcería de diez años que tiene con el señor y el terreno pase a ser suyo, necesita a alguien a quien entregárselo. Los gemelos, Jason y John, y yo somos los últimos que quedamos de todos los niños de los que se hizo cargo. Solo queda una temporada de cultivo más para que el contrato termine, pero ¿Jason y yo? Nos hemos criado en casa de Tati como si fuéramos hermanos. Se me hace difícil verlo de otra manera, aunque es un buen chico. Un trabajador honrado, aun si John y él llegaron al mundo con una mente algo más lenta que el resto.

—No estoy soñando —digo cuando Tati me hace bajar del tocón.

—Y tanto que sí, puñetas. Vuelve adentro. Tenemos trabajo que hacer por la mañana. Voy a atarte el tobillo a la cama, porque no haces más que darme faena por las noches. Últimamente caminas más en sueños que cuando eras pequeña. La cosa ha empeorado.

Me sacudo contra el brazo de Tati y recuerdo todas las ocasiones en las que, siendo una niña, me levantaba de mi catre, que estaba junto a la cuna de la señorita Lavinia, y me ponía a deambular en sueños, hasta que la señora me despertaba con el cucharón de la cocina, el látigo de montar o el gancho de hierro de la chimenea donde se cuelgan las ollas. Lo que tuviera más a mano.

—Anda, calla. No lo haces aposta. —Tati se agacha para tomar un poco de tierra y lanzarla por encima del hombro—. No pienses más en ello. Mañana será otro día, y tenemos mucho que hacer. Venga, lanza un poco de tierra tú también, por si acaso.

Hago lo que me dice y luego me santiguo, al igual que Tati.

—Padre, hijo y Espíritu Santo —susurramos juntas—. Guíanos y protégenos. Permanece siempre a nuestro lado. Amén.

No debería hacerlo —no es buena idea volver la vista hacia el lugar donde se encontraba el espectro tras lanzar un puñado de tierra entre ambos—, pero lo hago. Echo un vistazo al sendero.

Estoy muerta de frío.

—¿Qué haces? —Tati casi se cae cuando me detengo de golpe.

—No estaba soñando —susurro, y no me limito solo a mirar, sino que también señalo con el dedo, aunque me tiembla la mano—. La he visto.

AMIGOS PERDIDOS

La publicación de estas cartas no tendrá coste alguno para nuestros suscriptores. Todos los demás deberán abonar 50 centavos. Rogamos que los pastores
lean desde los púlpitos las peticiones publicadas a
continuación e informen de todos los reencuentros
de amigos y familiares que se produzcan gracias a
las cartas difundidas a través del *Southwestern*.

Señor editor:
Busco información de una mujer llamada Caroline, que pertenecía a un hombre de la nación
Cherokee, en territorio indígena, llamado John
Hawkings, o Cuatro-ojos Smith, como solían referirse a él. Smith se la llevó a Texas y volvió a
venderla. Toda su familia pertenecía a los Dela-
no antes de que los vendieran y los separasen. La
madre se llamaba Letta; el padre, Samuel Mel-
ton; y los niños, Amerietta, Susan, Esau, Ange-
line, Jacob, Oliver, Emeline e Isaac. Si alguno de
sus lectores oye hablar de dicha persona, ruego
que ayuden a su querida hermana, Amerietta
Gibson, y me envíen un mensaje al apartado de
correos 94 de Independence, Kansas.

Wm. B. Avery, pastor

—Columna de los «Amigos perdidos»
del periódico *Southwestern*
24 de agosto de 1880

Capítulo 2

BENEDETTA SILVA – AUGUSTINE, LUISIANA, 1987

El conductor del camión aporrea el claxon. Los frenos chirrían. Los neumáticos se deslizan por el asfalto. Una pila de tuberías de acero se inclina a cámara lenta, poniendo a prueba las grasientas correas de nailon que sujetan la carga. Una de las correas se suelta y se agita con la brisa al tiempo que el camión derrapa en dirección al cruce.

Se me tensan todos los músculos del cuerpo. Me agarro con fuerza al volante e imagino fugazmente el lamentable estado en el que quedará mi cochambroso Escarabajo tras la colisión.

El camión no estaba ahí hace un instante. Juraría que no.

¿A quién anoté como contacto de emergencia en mi expediente laboral?

Recuerdo la punta del bolígrafo flotando sobre el apartado en blanco, fue un momento impregnado de una dolorosa e irónica incertidumbre. Puede que no llegara a escribir nada.

Contemplo lo que sucede a mi alrededor con todo lujo de detalles: la corpulenta guardia de tráfico, de cabello blanco azulado y cuerpo encorvado, agita la señal de *Stop* que lleva en la mano. Los niños se quedan inmóviles en el cruce con los ojos abiertos como platos. A un delgaducho alumno de primaria se le caen los libros, que acaban desparramados en el suelo. El niño se tropieza, con las manos extendidas, y desaparece tras el camión.

No. ¡No, no, no! Por favor, no. Aprieto los dientes. Cierro los ojos, vuelvo la cara, doy un volantazo y piso el freno con más fuerza, pero el Bicho sigue deslizándose.

El metal choca contra el metal, que se ondula y se pliega. El coche pasa por encima de algo; primero se elevan las ruedas delanteras y a continuación las traseras. Me golpeo la cabeza contra la ventana y luego contra el techo.

No es posible. No puede ser.

No. No. No.

El Bicho choca contra la acera, rebota, y luego se detiene; el motor ruge y el humo de los neumáticos invade el interior del coche.

Espabila, me digo a mí misma. *Haz algo.*

Me imagino el cuerpo de un niño tirado en la calle. Con unos pantalones de chándal rojos que resultan demasiado calurosos en esta época del año. Con una camiseta azul descolorida que le viene grande. Con la piel marrón. Y unos enormes ojos oscuros sin vida. El día anterior, había visto a ese niño de pestañas imposiblemente largas y cabeza recién rapada en el patio vacío del colegio; se había sentado a solas junto a la destartalada valla de hormigón después de que los niños mayores recogieran sus nuevos horarios de clase y se marcharan a hacer lo que fuera que hicieran los niños de Augustine, Luisiana, durante el último día de verano.

«¿Le pasa algo a ese niño?», le había preguntado a una de las otras profesoras, la paliducha de expresión agria que había estado evitándome en el pasillo como si llevara varios días sin ducharme. «¿Espera a alguien?».

«A saber», había murmurado ella. «Seguro que sabe volver a casa».

El tiempo vuelve a transcurrir con normalidad. Noto el sabor metálico de la sangre en la parte posterior de la garganta. Parece ser que me he mordido la lengua.

No oigo ningún lamento. Ninguna sirena. Nadie pide entre gritos una ambulancia.

Pongo la palanca de cambios en punto muerto y tiro del freno de emergencia, me aseguro de que el coche no va a moverse antes de desabrocharme el cinturón, agarrar la manilla y empujar la puerta con el hombro hasta que esta se abre por fin. Salgo del coche con dificultad y mantengo el equilibrio a pesar de tener las piernas y los pies entumecidos.

—¿Qué te tengo dicho? —La voz de la guardia de tráfico resulta inexpresiva, casi lánguida, en comparación con los frenéticos latidos que noto en el cuello—. ¿Qué te tengo dicho? —repite con las manos en las caderas mientras cruza el paso de peatones.

Contemplo primero la calzada. Libros desparramados, una fiambrera aplastada, un termo con una funda a cuadros. Eso es todo.

No hay nada más.

Nadie tirado en el suelo. Ningún niño muerto. El crío está en la acera. Una chica que debe de ser su hermana mayor, de trece o catorce años, lo tiene agarrado de la ropa, de modo que él se encuentra de puntillas, con la panza, extrañamente hinchada, asomando por debajo del dobladillo de su camiseta.

—¿Qué señal acabo de levantar? —La guardia golpea con fuerza la palabra «STOP» y le acerca la señal de tráfico a escasos centímetros del rostro.

El niño se encoge de hombros. Parece más desconcertado que aterrado. ¿Sabe lo que ha estado a punto de pasar? La adolescente, que probablemente le ha salvado la vida, da la impresión de estar más molesta que otra cosa.

—Ten cuidado con los camiones, bobo.

Lo hace avanzar de un empujón, le suelta la camiseta y se limpia la palma de la mano en los vaqueros. Se echa hacia atrás un puñado de largas y brillantes trenzas oscuras con cuentas rojas en los extremos, vuelve la mirada hacia el cruce y contempla, según advierto en ese momento, el parachoques del Bicho tirado en la calle; lo único que ha salido mal parado esta mañana. Eso es lo que he atropellado. No un niño pequeño, sino metal, tuercas y tornillos. Es un milagro.

El conductor del camión y yo intercambiaremos los papeles del seguro —espero que no importe que tenga el seguro registrado todavía en otro estado— y las cosas volverán a su cauce normal. Lo más probable es que esté tan aliviado como yo. O incluso más, ya que fue él quien se saltó el cruce. Su aseguradora se encargará de todo. Y menos mal, porque ni siquiera puedo pagar la cantidad que no cubre el seguro en caso de accidente. Tras alquilar una de las pocas casas que podía permitirme y repartirme los gastos de un remolque con una amiga que se dirigía a Florida, estaré sin blanca hasta que me paguen mi primera nómina.

Un chirrido me toma por sorpresa. Me doy la vuelta y veo cómo el camión desaparece por la autopista.

—¡Eh! —grito, y corro tras el vehículo unos cuantos metros—. ¡Oye, vuelve aquí!

Mis esfuerzos son en vano. No piensa detenerse, la humedad veraniega del sur de Luisiana ha dejado el asfalto resbaladizo y yo llevo sandalias y una falda acampanada. Para cuando dejo de correr, la blusa que planché cuidadosamente sobre las cajas de la mudanza se me ha pegado a la piel.

Un elegante todoterreno pasa por al lado. La conductora, una rubia de melena voluminosa, me mira boquiabierta y a mí se me revuelve el estómago. Me acuerdo de haberla visto en la reunión de personal de hace dos días. Es miembro del consejo escolar, y teniendo en cuenta que me ofrecieron el puesto en el último momento, por no mencionar el frío recibimiento que me han dedicado, no es descabellado suponer que yo no era su primera opción... ni la de nadie más. Además, no hay que olvidar que todos sabemos la razón por la que estoy en este pueblucho, por lo que no es muy probable que supere el período de prueba de mi contrato docente.

No lo sabrás hasta que no lo intentes. Me doy ánimos con un verso de «Lonely People», una canción que estuvo muy de moda durante mi niñez, en los setenta, y me dispongo a volver al instituto. Curiosamente, el mundo sigue su curso como si nada hubiera pasado. Los coches circulan. La guardia de tráfico continúa a lo suyo. Evita por todos los medios mirar en mi dirección cuando un autobús escolar se aproxima.

Alguien —no sé quién— ha apartado del cruce el trozo amputado del Bicho y la gente rodea educadamente mi coche para llegar hasta la zona con forma de herradura frente al instituto donde se apean los alumnos.

Calle abajo, la adolescente, que tal vez esté en octavo o noveno curso —aún no se me da demasiado bien adivinar la edad de los críos—, ha vuelto a hacerse cargo del niño del cruce. Las cuentas rojas de sus trenzas se balancean sobre su camisa de varios colores mientras se lo lleva; por su actitud, parece que el chico le resulta una molestia innecesaria, pero sabe que es mejor que lo saque de allí. Lleva los libros y el termo del niño sujetos en un brazo, y la fiambrera destrozada le cuelga de un dedo.

Doy un giro de 360 grados junto a mi coche y examino la escena, perpleja ante la aparente normalidad. Me digo a mí misma que debo seguir el ejemplo de los demás y ponerme en marcha. *Piensa en todas las cosas que podrían ir peor*. De vez en cuando, las enumero mentalmente.

Y así es cómo da comienzo de manera oficial mi andadura como profesora.

Para cuando llega la cuarta hora de clase, mi lista mental de «cosas que podrían ir peor» apenas me ofrece ningún consuelo. Estoy agotada. Confusa. Le hablo a las paredes. Mis alumnos, que cursan desde séptimo a duodécimo grado, están desmotivados, insatisfechos, cansados, malhumorados y hambrientos; su actitud es casi agresiva y, si debo fiarme de su lenguaje corporal, se encuentran más que dispuestos a ponerme las cosas difíciles. Ya han tenido a otros profesores como yo: blandengues de clase media que acaban de salir de la universidad e intentan resistir cinco años en una escuela con pocos recursos para que los eximan de pagar sus préstamos estudiantiles.

Este es un ambiente muy diferente al que me he encontrado hasta ahora. Hice mis prácticas docentes en un prestigioso instituto bajo la tutela de una profesora que tenía la suerte de poder solicitar cualquier tipo de material curricular que quisiera. Cuando comencé mis prácticas, a mitad de curso, los alumnos más jóvenes estaban leyendo *El corazón de las tinieblas* y escribían ensayos estupendos con una extensión de cinco párrafos sobre los temas fundamentales de la obra y la importancia social de la literatura. Participaban de buena gana en los debates de clase y se sentaban erguidos. Sabían cómo construir oraciones temáticas.

Por el contrario, los alumnos de noveno curso de este instituto contemplan los ejemplares de *Rebelión en la granja* que tenemos en el aula con el mismo interés de un niño al desenvolver un ladrillo la mañana de Navidad.

—¿Y esto *pa* qué es? —me pregunta una chica a cuarta hora; arruga su nariz respingona mientras me mira por debajo de una maraña de pelo de color paja. Se le ha quemado por hacerse la permanente. Es blanca, igual que otros siete alumnos de los 39 que abarrotan la clase. Se apellida Fish. Hay otro Fish en clase, un primo o hermano suyo. Ya me han llegado rumores sobre la familia Fish. La expresión empleada ha sido «paletos». Los niños blancos de esta escuela se dividen en tres categorías: los paletos, los pueblerinos y los pandilleros, término que significa que andan metidos de algún modo en asuntos de drogas; lo que suele ser cosa de familia. Oigo a dos entrenadores usar dichas categorías sin ningún reparo para referirse a los críos mientras elaboran las listas de clase durante la reunión de profesores. Los chicos con dinero o habilidades deportivas excepcionales acuden al colegio ricachón «del lago», donde se encuentran los casoplones del distrito. A los chicos problemáticos de verdad los trasladan a una especie de colegio alternativo del que solo he oído rumores. Los demás acaban aquí.

En este instituto, los paletos y los pueblerinos se sientan juntos en la parte delantera izquierda del aula. Es una especie de regla no escrita. Los niños de la comunidad negra se ponen al otro lado del aula y al fondo. Y un batiburrillo de inconformistas y otros grupos —nativos americanos, asiáticos, punkis y uno o dos empollones— ocupan la zona neutral del centro.

Estos chicos se segregan *adrede*.

¿No se han enterado de que estamos en 1987?

—Eso digo yo, ¿qué es esto? —Otra chica, cuyo apellido empieza por «G»… Gibson, eso es, se hace eco de la pregunta de su compañera. Es de las que se sienta en el centro: no encaja en ninguno de los otros grupos. No es blanca ni negra…, parece de ascendencia multirracial, incluida, seguramente, la nativa americana.

—Es un libro, señorita Gibson. —Me doy cuenta del sarcasmo que destilan mis palabras en cuanto estas abandonan mis labios. No es una actitud demasiado profesional, pero solo llevo cuatro horas de clase y ya se me está acabando la paciencia—. Se abre y se leen las palabras.

De todos modos, no sé muy bien cómo va a ser eso posible. Me han asignado grupos enormes de primero y de segundo, pero solo cuento con 30 ejemplares de *Rebelión en la granja*. Parecen ediciones viejísimas, los bordes de las páginas están amarillentos, y tienen el lomo perfectamente rígido, lo que significa que nadie los ha abierto nunca. Los desenterré ayer del trastero. Huelen fatal.

—Y luego reflexionamos sobre lo que quiere contarnos la historia del interior. No solo sobre la época en la que fue escrito, sino también sobre nosotros, los que hoy nos encontramos en esta clase.

La chica que se apellida Gibson pasa algunas páginas con una uña pintada de un resplandeciente color púrpura y se atusa el pelo.

—¿Por qué?

Se me acelera el pulso. Al menos hay alguien con el libro abierto que está dirigiéndose a mí… en vez de al compañero del pupitre de al lado. Tal vez lo único que ocurre es que el primer día les cuesta un poco centrarse. La verdad es que no es un instituto que invite a sentirse demasiado motivado. Las paredes grises de cemento están descascaradas, las decrépitas estanterías dan la impresión de llevar aquí desde la Segunda Guerra Mundial y las ventanas están cubiertas de una especie de pintura negra veteada. Parece más una cárcel que unas instalaciones para niños.

—Bueno, entre otras cosas, porque quiero saber qué opináis vosotros. Lo bueno de la literatura es que es subjetiva. No hay dos lectores que interpreten un mismo libro de la misma manera y eso es porque todos leemos el texto desde distintas ópticas, filtramos las historias a través de nuestras experiencias.

Advierto que unas cuantas cabezas más se vuelven en mi dirección, sobre todo en la zona del centro, donde están los empollones, los marginados y todos los que no pertenecen a ningún grupo. Me conformo con eso. Basta una chispa para provocar un incendio.

Alguien de la última fila suelta un ronquido. Otro se tira un pedo. La clase se ríe. Los que están sentados cerca olvidan los libros y huyen del tufo a toda prisa. Un puñado de chicos se agrupa junto al perchero mientras se dan empujones y golpes. Les digo que se sienten, pero no me hacen ni caso, por supuesto. Gritarles no servirá de nada. Ya lo he intentado en otras clases.

—No hay respuestas correctas ni erróneas. No en lo referente a la literatura. —Me esfuerzo para que se me oiga por encima del barullo.

—Pues entonces está *chupao*.

No identifico al autor del comentario. Ha sido alguien del fondo.

—No hay respuestas erróneas siempre y cuando hayáis leído el libro. —Me corrijo—. Siempre y cuando os dé por pensar.

—Yo estoy pensando en el papeo —dice un niño con sobrepeso que está en el molesto grupito que se ha puesto de pie. Intento acordarme de cómo se llama, pero solo recuerdo que tanto su nombre como su apellido empiezan por «R».

—Eso es en lo único que piensas, Lil' Ray. Tienes el cerebro conectado al estómago.

Como respuesta, un empujón. Uno de los chicos salta sobre la espalda de otro.

Empiezo a sudar.

Bolas de papel vuelan por los aires. Más alumnos se ponen de pie.

Alguien se tropieza y cae sobre una mesa, una deportiva con forma de bota aterriza en la cabeza de un empollón. La víctima grita.

La paleta sentada junto a la ventana cierra el libro, apoya la barbilla en la palma de la mano y contempla el cristal ennegrecido como si deseara poder atravesarlo por ósmosis.

—¡Ya basta! —grito, pero no sirve de nada.

De pronto —no sé ni cómo sucede—, Lil' Ray empieza a apartar pupitres de su camino y se dirige hacia los paletos como si le fuera la vida en ello. Los empollones salen pitando. Las sillas chirrían. Un pupitre se vuelca y golpea el suelo como un cañonazo.

Lo atravieso de un salto, aterrizo en el centro del aula, me deslizo unos centímetros sobre las decrépitas baldosas moteadas y acabo justo delante de Lil' Ray.

—He dicho que ya basta, amigo. —Mi voz suena tres octavas más grave de lo habitual, gutural y extrañamente salvaje.

Aunque es complicado que los demás te tomen en serio cuando mides un metro sesenta y pareces un duendecillo, tanto da: mi voz se asemeja a la de Linda Blair en *El exorcista*.

—Vuelve a tu sitio. *Ya.*

Lil' Ray tiene la mirada encendida. Ensancha las aletas de la nariz y levanta el puño.

Me doy cuenta de dos cosas: que la clase se ha quedado completamente en silencio y que Lil' Ray huele. Mal. Este crío lleva un tiempo sin asearse ni lavarse la ropa.

—Oye, siéntate —dice otro alumno, un chico delgado y guapetón—. ¿Se te ha ido la olla o qué? Como el entrenador Davis se entere de esto te mata.

La rabia abandona el rostro de Lil' Ray igual que si le estuviera bajando la fiebre. Relaja los brazos. Afloja el puño y se restriega la frente.

—Tengo hambre —dice—. No me encuentro bien.

Se tambalea durante un instante y temo que vaya a caerse.

—Sienta... Siéntate. —Mi mano flota en el aire, como para sostenerlo—. Quedan diecisiete... Quedan diecisiete minutos para la hora de la comida.

Reflexiono durante un momento. *¿Hago la vista gorda? ¿Lo castigo? ¿Escribo una nota a sus padres? ¿Lo mando al despacho del director? ¿Cómo lidia el colegio con estos casos?*

¿Habrá oído alguien todo el jaleo? Vuelvo la mirada hacia la puerta.

Los chicos aprovechan entonces para levantarse. Recogen sus mochilas y se dirigen sin titubear hacia la salida; chocan con los pupitres y las sillas y rebotan unos contra otros. Se abren paso a empujones y codazos. Uno de los alumnos intenta sortear el caos usando las mesas como puntos de apoyo.

Como salgan del aula, me la cargo. Durante la reunión de profesores, se dijo en repetidas ocasiones que estaba terminantemente prohibido que los alumnos anduvieran por los pasillos durante las horas de clase sin la supervisión de un adulto. Y no había más que hablar. Porque sin nadie que los vigilara se ponían a pelear o a armar jaleo, a fumar, a pintar grafitis en las paredes y a llevar a cabo otros actos delictivos que el señor Pevoto, el hastiado director, dejaba a nuestra imaginación.

Si están en vuestra clase, vosotros sois los responsables de que permanezcan en el aula.

Me uno a la estampida. Por suerte, soy más ágil y estoy más cerca de la salida que la mayoría de mis alumnos. Solo dos se me escapan antes de que me plante en la puerta con los brazos extendidos. En ese momento vuelvo a ponerme en plan «niña del exorcista». Debo de estar girando la cabeza 360 grados, porque veo a dos chicos alejarse corriendo por el pasillo, mientras se ríen y se felicitan mutuamente, y a la vez observo cómo los demás se apiñan frente a la puerta de salida. Lil' Ray está delante de los demás, y a él no es fácil echarlo a un lado. Por lo menos no parece que tenga intención de derribarme.

—He dicho que volváis a vuestro sitio. Venga. Todavía nos quedan... —Miro el reloj—. Quince minutos. —¿Quince? No conseguiré retener tanto tiempo a esta panda de sinvergüenzas. Han sido, con diferencia, la peor parte del día, y eso ya es decir mucho.

No hay suficiente dinero en el mundo que compense esto y, desde luego, el irrisorio sueldo que me paga el distrito escolar se queda muy corto. Encontraré otra forma de devolver mi préstamo estudiantil.

—Tengo hambre —se queja de nuevo Lil' Ray.

—Ve a sentarte.

—Pero me muero de hambre.

—Deberías desayunar antes de venir a clase.

—No había *na* en la *espensa*. —Una capa de sudor le cubre la piel cobriza, y tiene la mirada extrañamente vidriosa. Me da la impresión de que la estampida de alumnos no es el mayor de mis problemas. Frente a mí hay un chico de quince años al que le angustia algo y que espera que yo resuelva el problema.

—¡Los demás volved al sitio! —exclamo—. Volved a colocar los pupitres como estaban y plantad el culo en la silla.

Los alumnos situados por detrás de Lil' Ray se retiran poco a poco. Las suelas de las zapatillas chirrían. Los pupitres traquetean. Las sillas raspan las baldosas. Las mochilas caen al suelo con golpes sordos.

Oigo jaleo en el aula de Ciencias que está al otro lado del pasillo. Allí también tienen una profesora nueva. La entrenadora de baloncesto femenino, que acaba de salir de la universidad y tiene, si no me equivoco, apenas veintitrés años. Por lo menos, yo cuento con algunos años más a mi favor, pues tuve que trabajar mientras me sacaba la carrera, y luego me dio por estudiar un máster en Literatura.

—Todo el que no esté sentado dentro de sesenta segundos tendrá que escribir un párrafo. Con tinta. En papel.

Tendrá que escribir un párrafo era la forma con la que la señora Hardy, mi tutora de prácticas, intimidaba a los alumnos. Surte el mismo efecto que la frase *Veinte flexiones, soldado* en el ejército. La mayoría de los chicos hacen lo que sea con tal de no tener que ponerse a escribir.

Lil' Ray parpadea en mi dirección, los mofletes le cuelgan.

—¿Señorita? —Pronuncia la palabra con un susurro ronco y vacilante.

—Señorita Silva. —Detesto que la palabra por defecto que usen los alumnos del colegio para referirse a mí sea un simple «señorita», como si fuera una desconocida con la que se han topado en la calle, alguien que tal vez esté casada o tal vez no, y que no se molesten ni en recordar mi apellido. Tengo apellido. Sí, es el de mi padre, y dada mi relación con él, puede que no me haga demasiada gracia llevarlo, pero aun así…

Una mano gigantesca flota en mi dirección y me agarra el brazo.

—Señorita… No me encuentro muy…

Acto seguido, Lil' Ray se desploma contra el marco de la puerta y ambos nos precipitamos hacia el suelo. Hago lo posible por detener la caída mientras se me pasan por la cabeza un millón de cosas. Sobreexcitación, consumo de drogas, una enfermedad, un simple numerito…

A Lil' Ray se le humedecen los ojos. Me dirige la misma mirada aterrorizada de un niño que se ha perdido en el supermercado y busca a su madre.

—Lil' Ray, ¿qué te pasa? —Se queda callado. Me vuelvo haca la clase y exclamo—: ¿Tiene algún problema de salud?

Nadie dice nada.

—¿Estás enfermo? —Ahora estamos cara a cara.

—Me da… hambre.

—¿Tomas algún medicamento? ¿Tiene la enfermera algún medicamento que te ayude? —*¿Cuenta siquiera el colegio con una enfermera?*—. ¿Has ido al médico?

—No… Es solo que… tengo hambre.

—¿Cuándo tiempo llevas sin comer?

—Desde ayer a mediodía.

—¿Por qué no has desayunado esta mañana?

—No había *na* en la *espensa*.

—¿Y por qué no cenaste anoche?

Unos pliegues surcan su frente empapada de sudor. Me mira perplejo.

—No había *na* en la *espensa*.

Mi mente se dirige a toda pastilla hacia el muro de ladrillos de la realidad. Ni siquiera me da tiempo a frenar para amortiguar el golpe. *Espensa… Espensa…*

Despensa.

No tiene nada en la despensa.

Se me revuelve el estómago.

Mientras tanto, a mi espalda, la clase vuelve a armar jaleo. Un lápiz sale volando y choca contra la pared. Oigo otro golpeteo en el archivador de metal de mi mesa.

Me saco del bolsillo el paquete de M&M's a medio comer que me ha sobrado del almuerzo, se lo pongo a Lil' Ray en la mano y le digo:

—Cómetelo.

Me levanto justo cuando una regla de plástico roja sale disparada por la puerta entreabierta.

—¡Se acabó! —He repetido esa frase al menos veinte veces en lo que va de día. Al parecer, no lo digo en serio, pues aquí sigo, en este agujero infernal. Intentando sobrevivir al primer día de clase. Puede que se trate de simple cabezonería o de la desesperada necesidad de que algo me salga bien, pero recojo del suelo los ejemplares de *Rebelión en la granja* y voy dejándolos con un golpe en las mesas.

—¿Qué quiere que hagamos con esto? —La queja proviene de la parte derecha del aula.

—Abridlo. Echadle un vistazo. Sacad un folio y contadme, con una frase, de qué creéis que trata el libro.

—Quedan ocho minutos para que suene el timbre —señala una chica con estética punk que lleva una cresta de mohicano con mechas azules.

—Pues daos prisa.

—¿Está mal de la cabeza?

—No queda tiempo.

—No voy a escribir una mierda.

—No pienso leerme el libro. Tiene… ¡*cento* cuarenta y cuatro páginas! No da tiempo a leerlo en cinc… en cuatro minutos.

—No os he pedido que os lo leáis, sino que le echéis una hojeada. Que escribáis una frase y me digáis sobre qué creéis que trata. Si queréis ir a comer, esa frase será vuestro billete de salida de esta clase.

Me dirijo a la puerta y advierto que Lil' Ray ha desaparecido, no sin antes dejar en el suelo el envoltorio vacío de M&M's como agradecimiento.

—Lil' Ray no ha escrito nada y ya se ha ido a comer.

—Eso no es problema vuestro.

Me los quedo mirando y me recuerdo a mí misma que son alumnos de noveno curso. Tienen catorce y quince años. No pueden hacerme daño.

No demasiado.

Oigo el rasgueo del papel. El ruido de los bolis contra los pupitres. Las cremalleras de las mochilas al abrirse.

—No tengo papel —protesta el chico delgaducho.

—Que te lo preste alguien.

Alarga la mano y se agencia un folio en blanco del pupitre de uno de los empollones. El damnificado suspira, vuelve a abrir la mochila y saca con calma otro folio. Benditos empollones. Ojalá todos fueran empollones. En todas las clases.

Al final, salgo más o menos victoriosa. Cuando el timbre suena, los alumnos me entregan sus folios arrugados con una buena dosis de chulería y se marchan escopetados. Solo cuando el último grupo atraviesa el túnel que he creado con mi cuerpo y un pupitre vacío reconozco las largas y delgadas trenzas adornadas con cuentas rojas, los vaqueros desteñidos y la camisa con cuadros de colores. Es la chica que se ha hecho cargo del pequeñajo en el cruce esta mañana. Con todo el jaleo, ni siquiera me había dado cuenta de que estaba en mi clase.

Durante un instante, guardo la esperanza de que no me haya reconocido y no me relacione con el incidente del paso de cebra. A continuación, hojeo los últimos folios del montón y leo frases como:

Creo que va de una granja.
Seguro que es una mierda.
Trata de un cerdo.
Es una sátira de George Orwell sobre la sociedad rusa.

Alguien se ha molestado en copiar la sinopsis de la contraportada. Aún hay esperanza.

Y por último:

Va de una chiflada que tiene un accidente por la mañana y se golpea la cabeza. Deambula hasta llegar a un colegio, pero no tiene ni idea de lo que está haciendo allí.
Al día siguiente, se despierta y no vuelve.

Capítulo 3

Me encasqueto el enorme sombrero de paja para ocultar el rostro mientras me deslizo entre las sombras de madrugada. Si me ven aquí, me meteré en un lío. Tanto Tati como yo lo sabemos. La señora no permite que ningún agricultor se acerque a la casa principal hasta que Seddie enciende por la mañana el farol junto a la ventana. Si me encuentran aquí de noche, dirá que he ido a robar.

Y eso le dará una excusa para echarnos. Detesta los contratos de aparcería y el nuestro la pone hecha una furia. La señora pretendía quedarse con todos los niños que habíamos acabado separados de nuestros padres para que trabajáramos gratis hasta que fuéramos demasiado mayores como para tragar con ello. La única razón por la que dejó que Tati se hiciera cargo de nosotros fue porque el señor le dijo que tanto Tati como nosotros debíamos tener la oportunidad de adquirir nuestro propio terreno. Y porque la señora nunca creyó que una vieja liberta y siete chiquillos consiguieran trabajar la tierra durante diez años, desprendiéndose de buena parte de la cosecha, para comprar el terreno y no volver a tener que rendir cuentas a nadie. Se vive de forma muy miserable y se pasa mucha hambre cuando tres de cada cuatro huevos, fanegas, barriles y judías que sacamos del campo se destinan a pagar la deuda del terreno y los productos del economato, ya que a los agricultores no se nos permite comerciar en ningún otro sitio. Pero estas doce hectáreas ya son casi nuestras. Doce hectáreas, una mula y la ropa. Y a la señora le repatea. Por un lado, nuestro terreno está demasiado cerca de la casa principal. Y además quiere que lo hereden el señorito Lyle y la señorita Lavinia, aunque a estos les interese más gastarse el dinero de su padre que los campos de cultivo.

Pero eso da igual. Todos sabemos lo que pasará si al final es la señora la que toma la decisión, así que espero que no tengamos que comprobarlo. Tati no me habría metido prisa para que me enfundara la ropa de trabajo de los chicos y correteara hasta aquí si hubiera otra forma de averiguar qué calamidad ha motivado que la chica de la caperuza se haya colado en Goswood Grove en plena noche.

Puede que la chica pretendiera ocultar su identidad bajo la capa, pero Tati reconoció la prenda de inmediato. Había estado trabajando hasta tarde a la luz del farol, empleando la habilidad de sus viejos dedos para confeccionar dos capas idénticas durante las Navidades del año anterior: una para la mestiza a la que el señor mantiene y agasaja en Nueva Orleans y otra para la hija de piel trigueña que ambos engendraron, Juneau Jane. Al señor le gusta vestirlas igual, y sabe que puede confiar en Tati para que lleve a cabo sus labores de costura a espaldas de la señora. A ninguno se nos ocurre siquiera mentar a esa mujer o a su hija. Sería peor que invocar al diablo.

La llegada de Juneau Jane a Goswood Grove no presagia nada bueno. Llevábamos sin ver al señor en la plantación desde el día después de Navidad, cuando supimos que su refinado hijo se había metido en otro lío, esta vez en Texas. Solo han pasado dos años desde que el señor mandó al chico al oeste para evitar un juicio por asesinato en Luisiana. Supongo que el tiempo que el señorito Lyle ha pasado en la propiedad de los Gossett al este de Texas no ha servido para mejorar su comportamiento.

Y dudo que este mejore en ningún sitio.

El señor se marchó hace cuatro meses, y llevamos desde entonces sin tener noticias suyas. O bien esa paliducha hija suya sabe qué le ha pasado o ha venido para averiguarlo.

Ha sido una estupidez por su parte presentarse aquí de esta manera. Puede que su piel clara la hubiera hecho pasar desapercibida si se hubiera topado con el Ku Klux Klan o los Caballeros de la Camelia Blanca de camino, pero ninguna mujer ni chica respetable anda por ahí sola de noche.

Hay demasiados sinvergüenzas, salteadores de caminos y bandoleros desde que acabó la guerra. Demasiados jóvenes inconformistas disgustados con los tiempos que corren, con el gobierno, la guerra y la constitución de Luisiana por permitir el derecho al voto de la gente negra.

Lo más probable es que a los hombres que merodean por los caminos de noche les importe un comino que la chica tenga solo catorce años.

Juneau Jane tiene valor, y si no, debe de estar desesperada. Razón de más para colarme a través de las columnas de ladrillo que sostienen la primera planta de la casa principal a dos metros y medio del suelo, y escabullirme hasta el sótano por la trampilla del carbón. Hace años, los chicos la usaban para birlar comida, pero ahora soy la única de los protegidos de Tati que está lo bastante delgada como para atravesarla.

No quiero acabar enredada en este jaleo ni tener nada que ver con Juneau Jane, pero si ella sabe algo, tengo que descubrirlo. Si resulta que el señor se ha ido al otro barrio y su condenada hija ha venido en busca de su certificado de defunción, debo hacerme también con nuestro contrato de aparcería. Convertirme en la ladrona que nunca he sido. Aunque no me queda más remedio. Sin nadie que se interponga en su camino, la señora prenderá fuego los documentos en cuanto reciba la noticia. No hay nada que les guste más a los ricos que quitarse de en medio a los agricultores cuando los contratos están a punto de vencer.

Avanzo unos cuantos pasos con mucho cuidado, poco a poco. Durante las fiestas de la cosecha, aprendí a moverme de forma tan ligera como una mariposa. «Para ser tan desgarbada, eres muy grácil», suele decirme Tati. Espero que siga siendo así. La señora hace que Seddie duerma en un rincón de la sala de las porcelanas, y la anciana tiene el oído muy fino y la lengua muy suelta. Seddie es una lianta, le encanta irle con cuentos a la señora, echar maldiciones a los demás y conseguir que la patrona propine unos cuantos azotes con la fusta de montar que siempre lleva encima. Seddie se encarga de dar un escarmiento a cualquiera que la haga enfadar, les echa un poco de veneno en la jarra del agua o en la parte de arriba del pan de maíz y se ponen tan enfermos como para acabar muertos o desear estarlo. Estoy convencida de que es una bruja. Creo, incluso, que ve lo que pasa a su alrededor aunque esté dormida.

Con el sombrero, la camisa y los pantalones, no me reconocerá. A no ser que me vea de cerca, y pienso asegurarme de que eso no suceda. Seddie es muy mayor, le cuesta moverse y está gorda. Y yo soy más rápida que una liebre.

Prende fuego al rastrojo si quieres. Aunque te sitúes en el extremo del campo, no conseguirás meterme en la olla. Soy demasiado rápida.

Me digo a mí misma esas palabras mientras cruzo el sótano, iluminado por la luz de la luna que se filtra por la ventana. No puedo usar la escalera del cuarto de los niños para ir arriba. Los escalones de abajo chirrían y esta se encuentra demasiado cerca del cuarto de Seddie.

En su lugar, opto por la escalera que da a la trampilla de la antecocina. Mi hermana Epheme y yo nos escabullíamos muchas veces de ese modo después de que la señora nos sacara de la cabaña de mamá y nos mandara dormir en el suelo junto a la cuna de la señorita Lavinia para calmarla si se despertaba. Epheme tenía seis años, yo solo tres, y ambas echábamos de menos a los nuestros y teníamos miedo de la señora y de Seddie. Pero a los esclavos no se les pregunta su opinión. La recién nacida necesitaba una distracción, y para eso estábamos nosotras.

La señorita Lavinia fue desde el principio una criaturita fastidiosa. Redondita, mofletuda y pálida, con el pelo de color marrón pajizo, tan fino que el cuero cabelludo se le entreveía. No era la muñequita que ansiaba su madre, ni tampoco su padre. Por eso él siempre prefirió a la hija que había tenido con la mujer mestiza. Esa sí que es una preciosidad. Incluso la llevaba a la casa principal cuando la señora y la señorita Lavinia se marchaban a visitar a la familia materna a las islas del algodón.

Siempre me he preguntado si el inmenso cariño que le tenía a Juneau Jane fue la razón por la que los hijos que tuvo con la señora se descarriaran.

Empujo la trampilla de la antecocina, echo un vistazo por la puerta de la alacena y presto atención. Está todo tan silencioso que oigo cómo las azaleas de la señora arañan el cristal de la ventana igual que un centenar de uñas. Un guabairo gorjea en la oscuridad. No es una buena señal. Si lo hace tres veces significa que la muerte y tú cruzaréis caminos.

Este solo gorjea dos veces.

No sé lo que eso significa. Espero que nada.

Las sombras de las hojas hacen titilar la luz que se filtra a través de la ventana del comedor. Me deslizo hasta el salón de las damas, donde, antes de la guerra, la señora recibía a sus vecinas y las invitaba a tomar el té y a bordar, mientras servía pasteles de limón y bombones procedentes de Francia. Pero eso era cuando la gente tenía dinero para tal cosa. Por aquel entonces, mi tarea y la de mi hermana consistía en plantarnos allí con un enorme abanico de plumas sujeto a un palo y moverlo de arriba abajo para refrescar a las damas y ahuyentar a las moscas que se posaban en los pasteles de limón.

A veces, al abanicar, el azúcar de los pasteles acababa en el suelo. «Ni se os ocurra probarlo cuando lo limpiéis», nos advertían las cocineras. «Seddie espolvorea los pasteles de limón con veneno cuando le da por ahí». Hay quien opina que eso fue lo que provocó que la señora diera a luz a dos bebés azules después de tener al señorito Lyle y a la señorita Lavinia, y lo que la debilitó lo suficiente como para acabar en una silla de ruedas. Otros dicen que los achaques de la señora tienen que ver con una maldición que sufría su familia. Un castigo por la forma horrible que tenían los Loach de tratar a sus esclavos.

Un escalofrío me recorre la espalda y sacude cada hueso de mi columna cuando paso por el pasillo donde está el cuartito de Seddie. La lámpara de gas, que apenas alumbra, titila y sisea por encima de mí. La casa cruje y se asienta, y Seddie ronca y resopla lo bastante fuerte como para que la oiga a través de la puerta.

Tuerzo la esquina en dirección al salón y lo cruzo rápidamente, ya que sospecho que Juneau Jane intentará llegar hasta la biblioteca, donde se encuentra el escritorio del señor, sus documentos y todo lo demás. Conforme más me acerco, más fuerte oigo los ruidos del exterior: el crujido de los árboles, los sonidos nocturnos de los bichos y el croar de un sapo. La muchacha debe de haber abierto una puerta o una ventana. ¿Cómo es posible? La señora no permite que las ventanas de la galería del primer piso se queden abiertas, por mucho calor que haga. Le preocupa que alguien entre a robar. Tampoco deja que se abran las ventanas de la segunda planta. Los mosquitos le horripilan tanto que obliga a los jardineros a colocar día y noche recipientes de alquitrán hirviendo frente a la casa durante los meses más calurosos del año. Toda la zona está cubierta por una capa de humo y la casa lleva sin ventilarse desde que tengo memoria.

Hace mucho que las ventanas están selladas y Seddie se asegura todas las noches de echar los cerrojos de las puertas con la misma meticulosidad con la que un cocodrilo protege su nido. Duerme con el manojo de llaves atado al cuello. Si Juneau Jane ha conseguido entrar, alguien de la casa tiene que haberla ayudado. La pregunta es: ¿quién, cuándo y por qué? ¿Y cómo es posible que se haya salido con la suya?

Echo un vistazo a través de la abertura de la puerta y veo que está colándose por la ventana, de modo que debe de haber tardado un rato en abrirla. Una pequeña sandalia se posa en la silla plegable de madera que el señor suele llevarse al jardín para sentarse y leerles a las plantas y a las estatuas.

Me oculto en las sombras mientras observo qué se trae entre manos la muchacha. Baja de la silla, se detiene y dirige la mirada hacia mi escondite, pero yo me quedo completamente inmóvil. Me digo a mí misma que soy parte de la casa. Cuando has sido esclava en Goswood, sabes cómo camuflarte entre los muebles y el papel pintado.

Es evidente que esta chica no ha tenido nunca que hacer nada semejante. Se mueve por la habitación como si fuese la dueña de la casa, sin apenas molestarse en no hacer ruido mientras examina el escritorio de su padre. Oigo el chasquido de las cerraduras cuando abre unos compartimientos del escritorio que yo ni siquiera sabía que existían. Su padre debe de haberle enseñado cómo abrirlos.

No está satisfecha con lo que encuentra y maldice en francés antes de dirigirse a las elevadas puertas que dan al pasillo, como si tuviera intención de cerrarlas. Las bisagras chirrían suavemente. Ella se detiene y echa una ojeada al pasillo.

Yo me pego aún más a la pared y me sitúo más cerca de la puerta de la entrada. Si Seddie se levanta, me esconderé tras la cortina y luego, cuando ella se encare con la muchacha, me escabulliré por la ventana y me marcharé.

La chica cierra las puertas del pasillo sin ningún cuidado y yo pienso: *Señor, seguro que Seddie lo ha oído.*

Se me eriza todo el vello del cuerpo, pero nadie aparece, y Juneau Jane sigue a lo suyo. Esta chica es o un lince o una idiota redomada, porque acto seguido toma el portavelas del escritorio, abre la funda de hojalata, prende una cerilla y enciende la vela.

En ese instante veo su rostro sin dificultad, iluminado por un círculo de luz ambarina. Ya no es ninguna niña, pero tampoco una mujer, sino algo a medio camino. Una criatura extraña de rizos largos y oscuros que la envuelven como filamentos de cabello de ángel y caen por su espalda. Su cabellera se mueve con vida propia. Posee la piel clara y las cejas rectas de su padre, y unos enormes ojos que se curvan hacia arriba en los extremos, igual que los de mi madre, igual que los míos. Pero los de la chica son plateados y brillantes. Sobrenaturales. Mágicos.

Deja el portavelas bajo el escritorio, desde donde este proyecta la luz suficiente como para alumbrarla y se pone a sacar libros de contabilidad del cajón. Pasa las páginas y sigue con su largo y puntiagudo dedo algunas de las anotaciones. Parece que sabe leer. Los hijos nacidos del concubinato viven la mar de bien, a los niños se los envía a estudiar a Francia, y a las niñas, a colegios de monjas.

Examina todos los libros de contabilidad y cada trozo de papel que encuentra, sacude la cabeza y suelta un siseo: no está para nada satisfecha. Levanta las cajas de tinta en polvo, toma las plumas, los lápices, el tabaco y las pipas, los pone a la luz y mira debajo.

Si no la descubren, será de milagro. Cada vez hace más ruido y lleva menos cuidado.

O simplemente ha empezado a desesperarse.

Agarra el portavelas y se dirige a las estanterías que cubren las paredes desde el suelo hasta el techo; miden más de lo que medirían tres hombres encaramados unos a otros. Durante un instante, aproxima tanto la llama que me da la sensación de que pretende quemar los libros y reducir la casa principal a cenizas.

Hay criadas, mujeres y niñas, que duermen en el ático. No puedo permitir que Juneau Jane lo incendie todo, si es que es esa su intención. Salgo de detrás de la cortina y avanzo sigilosamente tres pasos, hasta casi situarme en los cuadrados iluminados por la luna que se extienden por los suelos de madera de cerezo.

Pero ese no es su objetivo. Intenta distinguir los libros. Se pone de puntillas y levanta el portavelas todo lo que puede. La vela se inclina y la cera le cae por la muñeca. Juneau Jane suelta un grito ahogado y deja caer el portavelas, que aterriza sobre la alfombra; la llama acaba sumergida en un charco de cera. Ni siquiera se molesta en recogerla, sino que se queda ahí plantada con las manos en la cintura, contemplando los estantes más altos. La escalera no está por ningún lado. Lo más probable es que las criadas se la llevaran para limpiar alguna cosa.

No pasan ni dos segundos antes de que se quite la capa, compruebe con el pie la robustez de la balda inferior y se suba a la estantería. Es una suerte que todavía lleve faldas infantiles, de las que llegan solo hasta mitad de la pantorrilla, y unas zapatillas de seda. Trepa igual que una ardilla, mientras el pelo le cae por la espalda, como si fuera una cola enorme y esponjosa.

Se resbala antes de llegar a lo alto del todo.

Me dan ganas de exclamar: *Cuidado*, pero Juneau Jane se endereza y sigue subiendo; se agarra a las baldas más altas y se desplaza de lado, como los niños que viajan encaramados a la cubierta de los carromatos.

Los músculos de los brazos y las piernas le tiemblan por el esfuerzo y la balda se dobla bajo su peso al aproximarse a la mitad. Lo que estaba buscando era un libro, uno grueso, pesado y largo. Lo saca y lo desliza por la inestable madera hasta llegar a la parte más firme.

Comienza a descender balda a balda, colocando el libro por delante.

Acomoda el libro una última vez y este sale despedido, como si alguien lo hubiera agarrado por detrás. Parece dar vueltas durante una eternidad, atravesando las zonas de luz y sombra, hasta que por fin cae al suelo con un golpe que sacude toda la habitación y se filtra por la puerta.

Hay un revuelo en el piso de arriba.

—¿Seddieeeeee? —exclama la señora y su grito me atraviesa la columna igual que un cuchillo de cocina—. ¡Seddie! ¿Qué ocurre? ¿Eres tú la que arma ese jaleo? ¡Contéstame, puñetas! ¡Que alguien me saque de la cama, sentadme en mi silla!

Se oyen pisadas apresuradas y puertas abriéndose en el piso superior. Una criada baja las escaleras del ático y recorre el pasillo de la segunda planta a toda pisa. Menos mal que la señora no puede levantarse sola de la cama. Sin embargo, Seddie es harina de otro costal. Lo más seguro es que ya haya ido a buscar el viejo fusil y esté poniéndolo a punto para llevarse a alguien por delante.

—¿Madre? —Es la voz de la señorita Lavinia la que se oye entonces. ¿Qué hace en casa? En la escuela femenina Melrose de Nueva Orleans aún no han terminado el trimestre ni mucho menos.

Juneau Jane toma el libro y se escabulle por la ventana con tanta rapidez que se olvida de recoger la capa. Tampoco cierra la ventana, cosa que agradezco, porque debo salir de aquí del mismo modo que ella. Aunque no puedo dejar la capa en el suelo. Si la señora la encuentra, descubrirá lo de las labores de costura de Tati y nos pedirá explicaciones a nosotras. Si me da tiempo a recoger la capa, meter el portavelas debajo del escritorio de una patada, salir y cerrar la ventana, puede que salgamos de esta. La biblioteca es el último lugar donde esperarían encontrar a un ladrón. La gente roba comida u objetos de plata, no libros. Con un poco de suerte, no descubrirán la mancha de cera en la alfombra hasta dentro de unos días.

Y si ocurre un milagro, las criadas limpiarán el desastre sin decir ni mu.

Me meto la capa por debajo de la camisa, doy un golpe al portavelas con el pie, echo un vistazo al desastre de la alfombra y pienso: *Oh, santo Dios. Señor, ayúdame a salir de esta. Me gustaría vivir algunos años más antes de morir. Casarme con un buen hombre. Tener hijos. Y un terreno propio.*

La casa se convierte en un campo de batalla. Gritos, portazos y todos corriendo de aquí para allá alborotados. No había oído un revuelo semejante desde que los cañoneros del norte aparecieron por primera vez y nos obligaron a escondernos en el bosque, después de que se pusieran a disparar a diestro y siniestro.

Antes de que pueda subirme a la silla plegable y saltar por la ventana, me doy cuenta de que la señorita Lavinia está frente a la puerta de la biblioteca. Ella es la *última* persona con la que quiero toparme. A esa chica le chiflan los enredos; por eso su padre la mandó a una escuela para señoritas.

Vuelvo al comedor y lo atravieso a toda prisa, sin detenerme en ninguna de las puertas, pues el último mayordomo que ha contratado la señora se acerca por la galería. Llego hasta la antecocina, pero no tengo tiempo de abrir la trampilla que da a la escalera, de modo que me meto en el armario, cierro las puertas y me quedo allí como un conejo agazapado en la hierba. No tardarán en encontrarme. A estas alturas, la señorita Lavinia habrá visto ya la ventana abierta de la biblioteca y quizá también la cera sobre la alfombra. No dejarán de buscar hasta que averigüen quién ha entrado.

Pero después de que el ruido se suavice un poco, oigo decir a la señorita Lavinia:

—Por amor de Dios, madre, ¿podemos volver ya a la cama? Y haz el favor de dejar a Seddie tranquila. No la castigues por no haberse despertado. Ya le di bastante la lata yo anoche al llegar tan tarde. Dejé un libro en la mesita de noche y se ha caído, eso es todo. Lo que pasa es que ha dado la impresión de que el sonido venía de abajo.

No me explico cómo es que la señorita no ve ni huele ni nota el aire que entra por la ventana abierta. Tampoco me explico que Seddie no se haya despertado con todo el jaleo, pero lo considero un milagro, así que cierro los ojos, apoyo la cabeza en el dorso de las manos y doy gracias. Si todos regresan a la cama, tal vez yo viva un poco más.

Pero la señora sigue hecha una furia. No soy capaz de distinguir todo lo que dicen, solo sé que continúan discutiendo acaloradamente durante un rato. Se acabó, tengo el cuerpo tan encogido y dolorido que me muerdo los nudillos para no moverme ni dejarme caer contra las puertas. Uno de los criados se queda arriba para vigilar, así que pasa bastante tiempo hasta que reúno el valor para moverme, abrir la trampilla del suelo y bajar la escalera hasta el sótano. Como el mayordomo sigue merodeando por el patio y las galerías, no me atrevo a salir hasta que amanezca y Seddie abra las puertas que dan al jardín. Me quedo ahí escondida, consciente de que Tati debe de estar muerta de angustia y de que en cuanto se haga de día, les contará a Jason y John lo que hemos hecho. Jason se quedará muy preocupado. No le gustan las sorpresas de un día para otro. Prefiere que las cosas sigan igual día tras día.

Acurrucada en la oscuridad, pienso en el libro que ha birlado Juneau Jane. ¿Estaban los documentos del señor en el interior? No hay forma de saberlo, así que descanso la cabeza sobre la suave capa y me permito amodorrarme. Sueño que trepo las estanterías, tomo uno de los libros de la balda superior y me hago con el contrato de las tierras. Se acabaron nuestros problemas.

La puerta se abre y me espabilo. Una rendija de luz tenue se extiende por el suelo y el aroma de la mañana se cuela en el interior. Seddie le dice a uno de los jardineros:

—No toques nada que no sea la pala, la escoba o la azada. Se ha contado cada manzana del barril, cada gota de melaza, y también cada patata y grano de arroz. El último chico que intentó echar mano, desapareció. Nadie ha vuelto a verlo.

—Sí, señora. —El chico parece joven. A la señora no le quedan demasiadas opciones, dada su reputación. Se ve obligada a contratar a los chiquillos que los demás rechazan por cuestiones de juventud.

Aguardo un poco antes de volver a meterme la capa de Juneau Jane en la parte delantera de la camisa y encajarme el sombrero hasta que se me doblan las orejas, y me abro paso hacia el exterior, hacia la libertad. No hay nadie alrededor cuando saco la cabeza, así que me pongo en marcha. Tengo que obligarme a cruzar el patio tranquilamente por si hay alguien mirando desde la casa. No pensarán nada raro si ven a un chico de color andando por allí con toda parsimonia. Pero la verdad es que tengo ganas de echar a correr, de ir de cabaña en cabaña para avisar a los agricultores de que la señorita Lavinia ha vuelto del colegio. Debe de haber una buena razón para ello, algo relacionado con el señor. Algo malo.

Los agricultores debemos reunirnos en el bosque y decidir qué hacer a continuación. Todos tenemos contratos y hemos dejado nuestro futuro en manos del señor con la esperanza de que cumpliera su palabra.

Ya es hora de ponerse a darle al coco.

En cuanto empiezo a meditar sobre el asunto, llego a los setos del jardín y oigo unas voces. Son dos, y provienen del viejo puente de ladrillos, que era una estructura espléndida hace tiempo, antes de que los norteños derribaran las estatuas y los rosales, masacrasen a los cerdos de Goswood y luego lanzasen los restos de los cadáveres en los estanques. El jardín quedó hecho una ruina tras eso. En cualquier caso, en tiempos de necesidad no hay dinero para gastar en lujos. La puerta lleva cerrada desde la guerra y las glicinas, las zarzas y las rosas trepadoras se han encargado de devorar los senderos. La hiedra venenosa cubre los viejos árboles y el musgo cuelga en ribetes tan gruesos como los flecos de los abanicos de las damas.

¿Quién más puede estar bajo el puente salvo, tal vez, algún que otro niño en busca de ranas o unos cuantos hombres a la caza de comadrejas o ardillas para la cena? Pero son voces agudas. Voces de niñas, que hablan entre susurros.

Atravieso los arbustos y me acerco hasta que soy capaz de distinguirlas. La voz de la señorita Lavinia resuena de forma tan clara como los golpes de un martillo sobre el metal, y resulta casi igual de placentera:

—… no has cumplido tu parte del trato, así que dime por qué debería hacerlo yo.

¿Qué puñetas hace la señorita allí? ¿Con quién está hablando? Me sitúo junto al puente en silencio y aguzo el oído.

—Nuestro objetivo es el mismo. —Las palabras son pronunciadas en una especie de acento francés, y al principio me cuesta entenderlas. Se elevan y descienden igual que el trino de un pájaro—. Y si fracasamos, puede que también acabemos compartiendo destino.

—Ni se te ocurra creer que nos parecemos en algo —le suelta la señorita. Me la imagino hinchando sus gruesos carrillos, del mismo modo en que los carniceros inflan las vejigas de los cerdos y las atan para que los niños jueguen—. No has nacido en esta casa. Eres la hija de la… de la… *querida* de mi padre. Nada más.

—Y aun así, eres tú la que me ha pedido que venga. Quien me ha facilitado la entrada a la casa de Goswood Grove.

Han estado… La señorita ha…

¿Qué demonios ocurre? ¿La señorita ha sido quien ha ayudado a Juneau Jane a entrar?

Si se lo cuento a Tati, dirá que me lo estoy inventando.

Por eso anoche la señorita Lavinia estaba tan tranquila. Y quizá por eso Seddie no salió de su habitación a pesar de todo el jaleo. Puede que la señorita tuviera algo que ver.

—Y a pesar de lo mucho que me he esforzado para que pudieras entrar, Juneau Jane, me encuentro con las manos vacías. Ni tú ni yo sabemos dónde están escondidos los documentos. O puede que me mintieras al decir que podrías encontrarlos… O quizá lo que ocurre es que fue mi padre el que te mintió a ti. —La señorita suelta una risita tras saborear las palabras como si fueran de azúcar.

—No me mintió —dice aquello con el tono agudo de una niña, y luego su voz se torna temblorosa y espesa al decir—: No se le ocurriría dejarme sin nada. Siempre me prometió que...

—¡No formas parte de esta familia! —chilla la señorita, y un mirlo sale volando al oír el grito. Miro a mi alrededor en busca de un sitio donde esconderme en caso de que alguien venga a ver qué ocurre—. No eres nadie, y si mi padre ha muerto, ni tú ni la condenada mulata que te dio a luz veréis un centavo, tal y como os merecéis. Casi siento lástima por ti, Juneau Jane. A tu madre le horroriza la idea de que te hayas vuelto más atractiva que ella y tu padre se ha cansado de mantenerte. Es una situación de lo más lamentable.

—¡No consentiré que digas eso de él! Papá no miente. Puede que solo haya cambiado los documentos de sitio antes de que *tu* madre les prenda fuego. Porque entonces ella se quedaría con todas las propiedades de la familia de papá. Y tú, sin un documento que acreditase tu herencia, te verías obligada a hacerle caso en todo. ¿Acaso no es eso lo que te preocupa? ¿Para qué me has traído aquí si no?

—No era yo la que quería traerte hasta aquí. —La actitud de la señorita vuelve a ser afable y cordial, como si estuviera engatusando a un cerdito para que saliera de su escondite y así poder colgarlo y rebanarle el pescuezo—. Si simplemente me hubieras dicho dónde tenía mi padre escondidos los documentos, en lugar de empeñarte en venir a buscarlos tú misma...

—¡*Pfff!* ¡Como si pudiera fiarme de ti! Me sisarías la parte que me corresponde a mí con la misma velocidad con la que tu madre te sisaría la tuya.

—¿La parte que te corresponde? En serio, Juneau Jane, Tremé es el lugar ideal para ti y el resto de señoritingas que aguardan a que su madre las venda a algún caballero para poder pagar las facturas. Tal vez *tu madre* debería haber pensado en que llegaría un día en que mi padre no pudiera seguir apoquinando.

—No está... Papá no está...

—¿Muerto? —La señorita Lavinia no muestra ni una pizca de tristeza. Ni siquiera por su padre. Lo único que le preocupa es que lo que queda de las plantaciones de Luisiana y Texas no acabe directamente en manos de la señora. Juneau Jane tiene razón, si eso pasara, la señorita quedaría a merced de su madre para siempre.

—¡No digas eso! —estalla Juneau Jane.

Entonces ambas se quedan en silencio. Un silencio que me da escalofríos, como si hubiera alguna criatura acechándome desde las sombras. Soy incapaz de verla, pero está ahí, lista para abalanzarse sobre mí.

—En fin, nuestra aventura nocturna ha resultado ser una pérdida de tiempo y me ha ocasionado muchas molestias al tener que traerte hasta aquí y facilitarte la entrada por la biblioteca. Me parece que si queremos resolver el asunto tendremos que hacer una parada más. Tan solo por hoy, y cuando acabemos, me aseguraré de que tomes el barco más rápido rumbo a Nueva Orleans. Volverás sana y salva con tu madre... lista para lo que el destino te depare. Al menos zanjaremos la cuestión.

—¿Cómo es posible que vayamos a dejar la cuestión zanjada hoy mismo? —Juneau Jane no parece fiarse. Y bien que hace.

—Sé dónde está el hombre que puede ayudarnos. De hecho, él fue la última persona con la que habló mi padre antes de marcharse a Texas. Pediré un carruaje e iremos a hacerle una visita. Será pan comido.

Cielos, pienso, acuclillándome en los matorrales de espinos y las bignonias rojas. *Oh, señor. Nada de esto va a ser pan comido.*

No quiero oír nada más. No quiero saber qué traman. Pero independientemente de a dónde se dirijan las chicas, si lo que planean es averiguar el paradero del señor o sus documentos, debo ir con ellas.

La cuestión es: ¿cómo?

AMIGOS PERDIDOS

Señor editor:

Me gustaría encontrar a mi hermana con la ayuda de su periódico, el cual ha permitido que miles de personas vuelvan a reunirse con sus seres queridos. Su antiguo nombre era Darkens Taylor, pero después pasó a llamarse Maria Walker. Tenía, contándome a mí, cuatro hermanos: Sam, Peter y Jeff, y una hermana: Amy. Nuestra hermana y nuestra madre están muertas. Pertenecíamos a [*sic*] Louis Taylor, del condado de Bell en Texas. Dos de los hermanos viven en Austin, donde nos separamos de ella.

—Columna de los «Amigos perdidos»
del *Southwestern*
25 de marzo de 1880

Capítulo 4

Benny Silva – Augustine, Luisiana, 1987

El domingo por la mañana me despierto completamente empapada en sudor. Mi precario alojamiento solo dispone de un viejo aparato de aire acondicionado que apenas funciona, pero el problema no es esta sofocante casa rural de 1901, sino la abrumadora sensación de temor que me aprisiona el pecho igual que un luchador de sumo. Me asfixio.

Gracias a la débil depresión tropical que sopla desde la costa, la humedad impregna el ambiente y el aire huele a moho. A través de la ventana del dormitorio, contemplo los nubarrones que se ciernen sobre los robles. La gotera que se formó ayer en el techo de la cocina produce una suave melodía en la olla más grande que tengo. Pasé por el despacho de la agente inmobiliaria que me alquiló la casa y vi que había un cartel colgado en la puerta: *Cerrado por urgencia médica.* Dejé una nota en el buzón, pero de momento nadie ha venido a arreglar el tejado. No pueden llamarme por teléfono, ya que por ahora no dispongo de uno. Esa es otra de las cosas que no puedo permitirme hasta que me paguen la nómina.

Se ha ido la luz. Me doy cuenta cuando me doy la vuelta y miro el reloj sin hora de la mesita de noche. No tengo ni idea de cuánto he dormido.

Da igual, me digo a mí misma. *Podrías pasarte el día en la cama; los vecinos no se chivarán.*

Es una broma que siempre me gasto a mí misma. No me viene mal una pizca de humor.

Dos lados de la casa están rodeados por campos de cultivo y otro por un cementerio. No soy supersticiosa, de modo que la proximidad con este último no me molesta. Me gusta disponer de un lugar tranquilo por donde pasear, donde nadie me eche miradas furtivas que parezcan decirme: *¿Qué haces aquí, y cuándo piensas marcharte?* Por lo general, el personal del colegio cree que yo, al igual que la mayoría de los profesores y entrenadores novatos que se unen a la plantilla, solo me quedaré en Augustine hasta que me salga un puesto mejor.

La hueca sensación de soledad que me ha invadido últimamente me es familiar, pero de algún modo ahora me afecta de manera más profunda que durante mi infancia, cuando mi madre, que era azafata de vuelo, pasaba cuatro o cinco días de la semana fuera de casa. Según dónde viviéramos, se encargaban de mí unos u otros: niñeras, vecinos, auxiliares de guardería, el novio de turno de mi madre y algún que otro profesor que cuidaba niños para sacarse un dinero extra. Lo que mejor nos encajara en cada lugar. No podíamos contar con la familia. Los padres de mi madre la habían dejado de lado cuando ella se casó con mi padre, que era *extranjero*. Un *italiano*, nada menos. Era una ofensa imperdonable, y tal vez fue eso lo que a ella le atrajo en parte, pues lo cierto es que su matrimonio no duró demasiado. Mi padre era guapo hasta decir basta, desde luego, así que pudo haberse tratado de mera atracción animal que acabó por desaparecer.

Todas las mudanzas, reubicaciones y relaciones liana de mi madre me proporcionaron una extraordinaria habilidad para crear una comunidad fuera de casa. Se me daba de maravilla confraternizar con las madres de los demás, así como con los agradables vecinos que necesitaban que alguien les paseara al perro y los ancianos solitarios cuyas familias no les prestaban demasiada atención.

Se me da bien hacer amigos. Al menos, eso era lo que creía.

Pero el pueblo de Augustine está resultando ser todo un desafío. Me trae recuerdos de mis desafortunados intentos por congeniar con la parte paterna de mi familia después de que se mudaran a Nueva York. Mi madre y yo estábamos abrumadas por los problemas. Necesitaba que mi padre y su familia me recibieran con los brazos abiertos, que se ocuparan de mí y me ofrecieran su apoyo. Pero en vez de eso, me sentí como una forastera en un país desconocido y nada acogedor.

Augustine me sacude con esa misma sensación incapacitante de rechazo. Aquí, cuando sonrío a la gente, recibo a cambio miradas suspicaces. Cuando doy los buenos días, me devuelven gruñidos, asentimientos bruscos de cabeza y, si estoy de suerte, algún que otro monosílabo.

¿Tal vez estoy esforzándome demasiado por caer bien?

Lo cierto es que los inquilinos del cementerio de al lado me han enseñado más cosas de Augustine que sus ciudadanos vivos. Para liberar el estrés del día a día, me he puesto a estudiar las criptas y los mausoleos de la zona. Hay muchísimas historias enterradas en ese cementerio. Mujeres que descansan junto a los bebés que dieron a luz y tuvieron que ver perecer de inmediato. Niños que vivieron una vida trágicamente corta. Proles enteras que murieron con pocas semanas de diferencia. Soldados confederados con las letras ECA gravadas sobre sus lápidas. Veteranos que combatieron en ambas guerras mundiales, en Corea o en Vietnam. Parece que llevan bastante tiempo sin enterrar a nadie allí. La tumba más reciente pertenece a Hazel Annie Burrell. Amada esposa, madre y abuela que fue enterrada hace doce años, en 1975.

Clinc, clonc, clinc. La gotera de la cocina alterna entre soprano y alto mientras yo, que sigo tumbada en la cama, pienso que con el tiempo que hace no podré ni siquiera salir a pasear. Tendré que quedarme sola en esta casa, que apenas cuenta con lo indispensable: la mitad de los muebles que se encontraban en el apartamento de unos estudiantes de posgrado. La otra mitad se la quedó Christopher, quien, en el último momento, decidió abandonar el plan de mudarnos a la otra punta del país, de Berkeley a Luisiana. No fue el único responsable de nuestra ruptura. Fui yo la que guardó secretos, la que no se lo contó todo hasta después de comprometernos. Tal vez el hecho de que me lo callara durante tanto tiempo fue significativo.

Aun así, echo en falta tener a alguien que me acompañe en esta nueva aventura. Al mismo tiempo, es innegable que, tras cuatro años de relación, no extraño a Christopher tanto como debería.

El inminente desbordamiento del recipiente para recoger las gotas contribuye a que deje de darle vueltas a la cabeza y me levante de la cama. Es hora de vaciar la olla. Después, me vestiré e iré al pueblo para ver si encuentro a otra persona que pueda ayudarme con el tejado. Alguien habrá, digo yo.

A través de la ventana empañada de la cocina distingo la silueta de una persona recorriendo el sendero del cementerio. Me acerco, limpio un trozo del cristal empañado con la palma de la mano y veo a un hombre y a un enorme perro amarillo. Un paraguas negro tapa parcialmente la corpulenta constitución del hombre.

Durante un instante, me viene a la cabeza el director Pevoto y se me forma un nudo en el estómago. Ya le he agotado la paciencia en una semana. *Sus expectativas son demasiado altas, señorita Silva. Pide una cantidad disparatada de material. Sus esperanzas con respecto al alumnado son poco realistas.* No me ayudará a localizar los ejemplares que faltan de *Rebelión en la granja*, los cuales han ido desapareciendo de uno en uno o de dos en dos hasta reducirse a las quince copias que nos quedan ahora. El profesor de Ciencias del aula de enfrente encontró uno de ellos en un armario del laboratorio y yo rescaté otro del cubo de la basura del pasillo. Los chicos los roban para no tener que leerlos.

Me parecería una treta extrañamente ingeniosa si no fuera una forma de deteriorar los libros, algo que es del todo inadmisible.

El visitante del cementerio da la impresión de ser él mismo el protagonista de un libro. El oso Paddington, ataviado con un largo impermeable azul y un sombrero amarillo. Tiene una considerable cojera, lo que me revela que no es el director Pevoto. Se detiene frente a una tumba, toca el borde de la cripta de cemento sin dirigir la mirada hacia allí y acto seguido se inclina poco a poco, mientras el paraguas desciende con él, y deposita un suave beso en la piedra.

La dulzura de su nostalgia se adentra en una parte de mi ser tierna y llena de moretones. Noto un picor en los ojos y de forma ausente me rozo el labio inferior y percibo el sabor de la lluvia, del musgo, del cemento húmedo y del paso del tiempo. ¿Quién estará enterrado ahí? ¿Su pareja? ¿Un hijo? ¿Su hermano o su hermana? ¿Uno de sus padres o abuelos, fallecidos hace mucho?

Lo averiguaré en cuanto se marche. Iré a visitar la lápida.

Le dejo intimidad y voy a vaciar la olla; como, me visto y, por si acaso, vuelvo a vaciar la poca agua que ha caído en el recipiente. Finalmente, tomo las llaves, el bolso y el chubasquero, preparada para mi excursión al pueblo.

La puerta delantera, que se ha hinchado por la humedad, y yo nos enzarzamos en una refriega cuando intento cerrarla al salir de casa. La antigua cerradura se ha propuesto darme más la lata que de costumbre.

—Menuda birria. Haz… el favor de… meterte en el hueco …

Al darme la vuelta, me doy cuenta de que el hombre y el perro se encuentran a medio camino de la entrada de mi casa. Como lleva el paraguas inclinado a contraviento, no logro verlo hasta que llega a los escalones de cemento. Palpa la barandilla del porche con indecisión y entonces me fijo en que el golden retriever lleva un arnés con asa en vez de una correa. Es un perro guía.

Desliza una mano de color marrón rojizo por la barandilla mientras su perro y él suben los escalones con facilidad.

—¿Puedo ayudarlo? —pregunto mientras la lluvia golpetea sobre el tejado de latón.

El perro me mira moviendo la cola. Y entonces el hombre dirige la vista hacia mí también.

—Estaba por la zona y se me ha ocurrido acercarme a ver a la señorita Retta. Los dos trabajábamos en el juzgado hace años, así que nos conocemos bastante bien. —Hace un gesto con la cabeza en dirección al cementerio—. Allí está enterrada mi abuela, Maria Walker. Yo soy el concejal Walker… bueno, hoy en día exconcejal. Todavía no me he acostumbrado a ello. —Extiende la mano y, al inclinarme, distingo una mirada brumosa tras sus gruesas gafas. Ladea la cabeza hacia un lado para intentar verme—. ¿Cómo le va a la señorita Retta? ¿Te encargas de cuidarla?

—Me… mudé la semana pasada. —Echo un vistazo a la entrada en busca de un coche aparcado o de alguien que lo acompañe—. Acabo de llegar a la ciudad.

—¿Has comprado la casa? —lanza una risita—. Ya sabes lo que dicen de Augustine: «Si te compras una casa aquí, será tuya para siempre».

Me río al oír la ocurrencia.

—Solo estoy de alquiler.

—Ah… pues me alegro. Pareces demasiado avispada como para morder el anzuelo.

Volvemos a reírnos. El perro se une a nosotros con un alegre y sosegado ladrido.

—¿La señorita Retta se ha mudado al centro? —me pregunta el concejal Walker.

—No lo… Alquilé la casa a través de una agencia. Me dirigía al pueblo con la esperanza de encontrar a alguien que pueda arreglarme la gotera del tejado.

Compruebo la entrada de nuevo, me asomo por detrás de mi visitante y miro hacia el cementerio. ¿Cómo ha llegado este hombre hasta aquí?

El perro se acerca un paso más con la intención de hacerse mi amigo. Sé que no es apropiado acariciar a un perro guía, pero no puedo evitarlo. Sucumbo ante él. Entre todo lo que echo de menos de California están Raven y Poe, los dos gatos atigrados que me tenían en nómina antes de que me mudara. Ambos, junto con algunos ayudantes humanos, se encargaban de la tienda de libros nuevos y de segunda mano donde yo trabajaba para sacarme un dinero extra. De todos modos, casi todo el sueldo acababa destinado a comprar libros.

—¿Quiere que lo lleve hasta el centro? —le pregunto, aunque no estoy segura de que el señor Walker y su corpulento compañero quepan en el Bicho.

—Sunshine y yo nos sentaremos por aquí hasta que vuelva mi nieto. Ha ido a comprar un poco de carne asada al Oink-Oink para el viaje de vuelta a Birmingham. Allí es donde Sunshine y yo vivimos ahora. —Hace una pausa para acariciarle las orejas al perro, que le ofrece a cambio una sacudida de cola para mostrarle su adoración—. Le pedí a mi nieto que me dejara aquí para hacerle una visita a mi abuela.

Hace un gesto con la cabeza en dirección al cementerio.

—Y se me ocurrió acercarme y saludar de paso a la señorita Retta. Se portó muy bien conmigo después de que me metiera en algunos líos… al igual que el juez. Me dijo: «Louis, más vale que te pongas a trabajar de abogado o de predicador, porque tienes respuesta para todo». La señorita Retta era la ayudante del juez. Tendieron la mano a muchos jóvenes descarriados. Pasé mucho tiempo en este porche durante mi juventud. La señorita Retta me ayudaba con los estudios y yo la ayudaba a ella a mantener el jardín y el huerto. ¿El santo del jardín sigue junto a las escaleras? Casi me descalabro al traerle esa cosa. Pero la señorita Retta me dijo que la estatua necesitaba un hogar después de que la biblioteca se deshiciera de ella. Jamás le daba la espalda a las desgracias de nadie.

Cruzo el porche, echo un vistazo entre las adelfas y, en efecto, una especie de estatua recubierta de hiedra reposa contra la pared.

—Me parece que está aquí.

Una sensación de asombro me invade de forma inesperada. Mi parterre esconde un maravilloso secretito. Las estatuas de los santos traen buena suerte. Podaré las adelfas en cuanto pueda y le adecentaré un poco la zona a mi vetusto amigo.

Empiezo a planearlo todo mentalmente mientras el concejal Walker me dice que, si necesito *cualquier* tipo de información sobre Augustine, incluido dónde encontrar a alguien que me arregle las goteras un domingo, debo dirigirme de inmediato al Oink-Oink y hablar con Yaya T, que estará tras el mostrador ahora que ha acabado la misa. Me comenta que lo más probable es que mi casa pertenezca a alguno de los Gossett. Este terreno formaba parte de la antigua plantación de Goswood Grove, que en el pasado se extendía casi hasta Old River Road. La señorita Retta le revendió las tierras al juez Gossett hace años para financiarse la jubilación, pero este le permitió seguir viviendo en la casa. Ahora que el juez ha fallecido, otra persona habrá heredado este terreno en particular.

—Tú a lo tuyo —me dice mientras se acomoda en la mecedora del porche con Sunshine a sus pies—. Si no te importa, esperaremos aquí. El mal tiempo no nos molesta. Todos nos topamos con un poco de lluvia alguna vez en la vida.

No sé si se dirige a mí, a Sunshine o a él mismo, pero le doy las gracias por la información y lo dejo ahí sentado, con el chubasquero y el sombrero puesto y el rostro vuelto hacia el cementerio; el mal tiempo es incapaz de ensombrecer su expresión.

La lluvia tampoco parece haber enturbiado los ánimos en el Oink-Oink. El destartalado edificio, que se encuentra junto a la autopista, en el extremo más alejado del pueblo, da la impresión de ser el fruto de una desastrosa unión entre un establo de vacas y una antigua gasolinera. Está rodeado por un conjunto de cobertizos móviles de diversos tamaños y procedencias; algunos están conectados y otros no.

El porche frontal, que no es demasiado elevado, está repleto de clientes esperando en fila y la cola de la ventanilla para coches, a las 12:17 p. m. de un domingo rodea el edificio, se extiende por el aparcamiento de gravilla e interrumpe el tráfico del carril derecho de la autopista mientras los vehículos aguardan para entrar. El humo emerge desde una zona aislada en la parte trasera del edificio, donde el personal trabaja a destajo, encargándose de un montón de fogatas a leña. Salchichas, pedazos de carne y pollos enteros se tuestan en asadores enormes. Las moscas cuelgan de los aleros en alambres negros y oscilantes, trepando unas sobre otras con la esperanza de conseguir entrar. No las culpo. Huele de maravilla.

Aparco junto al avejentado bazar Ben Franklin y atravieso la zona húmeda de césped situada entre ambos edificios.

—¡Si dejas el coche ahí mucho tiempo se lo llevará la grúa! —me advierte uno de los empleados, un chico adolescente, mientras se apresura a volver al interior tras tirar la basura.

—Solo será un momento. ¡Gracias!

Advierto que los otros clientes del restaurante han mantenido la distancia con el aparcamiento del Ben Franklin. A pesar de que llevo poco tiempo en Augustine, he oído ya varias veces a los chicos del instituto quejarse de que la policía los acosa por pasar el rato en el pueblo, por ir a fiestas y cosas por el estilo. La aparente mano dura de las autoridades locales y quiénes son los grupos que se llevan la peor parte es el tema de conversación favorito de mis alumnos en clase, que prefieren charlar a escuchar mis explicaciones sobre *Rebelión en la granja*. Si prestaran atención, encontrarían semejanzas con la forma en que los vecinos de la ciudad se segregan en diferentes comunidades: negros, blancos, ricos, pobres, paletos, los del centro y la burguesía terrateniente. Las líneas divisorias entre ellos son como un antiguo aunque invisible conjunto de muros; no se cruzan salvo para llevar a cabo las actividades comerciales y laborales necesarias.

Una vez más, *Rebelión en la granja* nos ofrece diferentes cuestiones de debate, así como enseñanzas. Pienso pasarme la próxima semana dándole la lata al director Pivoto para que me permita gastar una parte del presupuesto del instituto en material literario para clase. Me hacen falta libros y recursos que puedan captar de algún modo la atención de los alumnos. Tal vez novelas más recientes, como *Donde crece el helecho rojo* o *La estrella de los Cheroquis*. Historias que abarquen temas como la caza, la pesca y la naturaleza, pues la mayoría de mis alumnos, independientemente del grupo al que pertenezcan, saben lo que es tener que alimentarse de los bosques, los pantanos, los huertos y los gallineros del patio trasero. Pretendo encontrar cualquier nexo de unión.

En cuanto los ojos se me acostumbran al sombrío interior, me doy cuenta de que el Oink-Oink es el punto de reunión de la ciudad. Todos los perfiles demográficos de Augustine —negros, blancos, hombres, mujeres, jóvenes, ancianos— parecen encontrarse perfectamente a gusto en este entorno impregnado de olor a fritanga con diligentes camareras. Las mujeres, que llevan vestidos de lo más brillantes y extravagantes sombreros de domingo, se encargan de los niños, que van impecables, en las mesas ocupadas por familias al completo. Las niñas pequeñas, con Merceditas en los pies y calcetines de encaje alrededor de las piernas, están sentadas, como si fueran esas esponjosas decoraciones que se le ponen a los pasteles, en cojines elevadores y sillas altas. Los niños, con pajarita, y los hombres, vestidos con trajes de diversas épocas, incluso de los 70, conversan y se pasan los platos de unos a otros. Las charlas, la cordialidad y un aire de jovial camaradería se entremezclan con el grasiento humo y los gritos de los cocineros que exclaman: «¡Comanda lista!» o «¡Venga, que está calentito!».

Las risas resuenan por todas partes como las campanas de una iglesia, y su incesante y melodiosa sonoridad se ve amplificada por los techos de latón antes de volver a atenuarse.

Las pelotas de Boudin, independientemente de lo que sean, parecen ser el plato más pedido del día. Miro la foto del menú y me pregunto de qué estarán hechos esos *nuggets* fritos mientras las camareras, ataviadas con uniformes de poliéster, pasan raudas junto a mí con platos a rebosar de comida.

Me encantaría probarlos, pero oigo que la adolescente del puesto de recepción, a la que reconozco de inmediato como una de mis alumnas, le dice a uno de los clientes que están esperando que hay un retraso de treinta minutos en los pedidos. Espero que el nieto del concejal Walker haya hecho su pedido antes de la avalancha de feligreses.

Tendré que probarlos en otra ocasión. Aunque el restaurante no estuviera hasta arriba de pedidos, debo ahorrar. He dilapidado doce cajas de pastelitos sin marca repartiéndolos en clase desde el incidente de Lil' Ray con los M&M's. Mis alumnos no dejan de quejarse de que les duele la barriga por culpa del hambre. No sé quién miente y quién dice la verdad, y no he insistido en el tema tanto como probablemente debería. Tal vez tenga la esperanza de ganármelos con bizcochitos rellenos de chocolate, ya que los libros no han dado resultado.

Me coloco en la fila para pagar y examino los pasteles de la vitrina mientras la cola de clientes satisfechos avanza hacia la mujer afroamericana del mostrador, a la que los demás se dirigen como

Yaya T. Tiene el pelo blanco, los ojos de color avellana y el aspecto robusto de muchas de las personas con las que me he topado en Augustine; lleva un elegante vestido rosa, de esos que las mujeres se ponen para ir a misa, y un sombrero. Atiende a los clientes de forma diligente mientras se encarga de cobrarles, haciendo las cuentas mentalmente, repartiendo piruletas entre los niños y comentando quién ha crecido por lo menos tres centímetros desde la semana anterior, *vaya que sí.*

—Benny Silva —me presento y ella me estrecha la mano por encima del mostrador. Me estruja la palma con sus delgados y nudosos dedos. Es un buen apretón de manos.

—¿Benny? —repite ella—. Tu padre quería un hijo, ¿no es así?

Me echo a reír. Así suele reaccionar la gente cuando oyen el apodo que mi padre me puso antes de llegar a la conclusión de que, en realidad, prefería no hacerse cargo de mí.

—Es el diminutivo de Benedetta. Soy medio italiana... y portuguesa.

—Ajá. Tienes la piel muy bonita. —Entorna un ojo y me examina.

Yo le digo:

—Bueno, al menos no me quemo demasiado con el sol.

—No te confíes —me advierte—. Más vale que te compres un buen sombrero. El sol de Luisiana es más malo que un demonio. ¿Me das el ticket de la comida para que te cobre, cariño?

—Ah, no he comido nada. —Le explico rápidamente mi problema con el tejado y para qué he venido—. Vivo en la vieja casa blanca junto al cementerio. Me acerqué a la inmobiliaria ayer, pero había un cartel colgado avisando de una urgencia médica.

—Es por Joanie. Está en el hospital de Baton Rouge. Tiene la vesícula fatal. Lo que tienes que hacer es tomar un cubo de alquitrán y extenderlo alrededor del extractor de humos de la cocina. En el tejado, ¿de acuerdo? Embadurna las Texas con una buena capa, como si estuvieras untando mantequilla. Eso impedirá que pase la lluvia.

De pronto, no me cabe ninguna duda de que esta señora sabe de lo que habla y ha llevado a cabo muchos apaños a lo largo de su vida. Lo más probable es que aún sea capaz. Pero yo he vivido en pisos durante la mayor parte de mi vida. No sabría diferenciar el alquitrán del pudín de chocolate.

—Me han contado que lo más seguro es que la casa pertenezca a uno de los herederos del juez Gossett. ¿Sabe dónde puedo encontrar al dueño? Si por mí fuera, dejaría un cubo debajo de la gotera y ya está, pero el problema es que el lunes debo ir a dar clase y no estaré en casa para vaciarlo. Me preocupa que el agua rebose y destroce el suelo. —Otra cosa no, pero la casa cuenta con una preciosa tarima de madera de ciprés. Me encantan las cosas antiguas y detesto la idea de dejar que el suelo se estropee—. Soy la nueva profesora de Literatura del colegio.

La mujer parpadea una vez, vuelve a parpadear y hace un gesto con la barbilla que me hace pensar que alguien está haciendo muecas a mi espalda.

—¡Anda, si es doña pastelitos!

Oigo una risita detrás de mí. Vuelvo la cabeza y veo a la chica gruñona que se hizo cargo del niño de primaria durante mi primer día de trabajo. Aunque se salta la mitad de las clases, ya me he aprendido su nombre: LaJuna. Se pronuncia «la-llu-na». Eso es lo único que sé de ella. He intentado indagar un poco más durante la clase que doy a cuarta hora, pero los chicos que juegan al fútbol son de lo más gamberros, por lo que no puedo prestarles la atención suficiente a las chicas, ni a los empollones ni a los marginados.

—Será mejor que dejes de cebar a los críos. Sobre todo a Lil' Ray Rust. Con lo que come ese, acabará dejándote pelada. —Yaya T sigue hablando. O sermoneando, más bien. Me señala con uno de sus angulosos dedos—. Si tienen hambre, que muevan el culo por las mañanas y desayunen en la cafetería del colegio, en vez de quedarse remoloneando en la cama. Es gratis. Lo que pasa es que son unos vagos.

Le dirijo un asentimiento de cabeza poco entusiasta. Los rumores sobre mí han llegado hasta el Oink-Oink. Ahora se me conoce con un apodo ridículo en honor a los pastelitos.

—Si dejas que los niños sean unos gandules, de mayor serán igual. Los críos necesitan a alguien que los mantenga a raya y los obligue a esforzarse. Cuando yo era pequeña, todos nos partíamos el lomo en la granja. Las chicas se encargaban de cocinar y limpiar y a veces, en cuanto tenían la edad suficiente, las mandaban también a trabajar fuera de casa. Y luego, cuando llegaba el momento de ir al colegio y comerse la comida que había cocinado otra persona, nos parecía que estábamos de vacaciones. ¿No es así, LaJuna? ¿No es eso lo que te dice tu tía Dicey?

LaJuna agacha la cabeza y murmura de mala gana:

—Sí, señora.

Cambia de postura de forma incómoda y arranca una hoja de su bloc de comandas.

Yaya T se ha puesto bastante tensa.

—Cuando tenía su edad, yo trabajaba en la granja, en el huerto o en el restaurante con mi abuela. E iba a la escuela y cuidaba a los bebés de una de las Gossett después de clase y en verano. Tenía once años, era incluso más joven que esta chica. —Detrás de LaJuna y de mí, la cola para pagar se hace más larga—. Al llegar a octavo curso, tuve que dejar el colegio. La cosecha fue un desastre ese año y teníamos que saldar deudas con los Gossett. No me quedaba tiempo para ir al colegio. Y eso que era muy lista, pero no podíamos irnos a vivir debajo de un árbol. Nuestra casa no era nada del otro mundo, pero era nuestro hogar y nos alegraba tener un techo donde vivir. Siempre dimos las gracias por todo lo que recibimos.

Me quedo en silencio, atónita, y digiero sus palabras. La idea de que una niña de… ¿cuántos, trece o catorce años?… tuviera que dejar el colegio para ayudar a su familia a ganarse la vida… es horrible.

Yaya T le dirige un gesto a LaJuna para que se acerque al otro lado del mostrador y le da un abrazo.

—Eres una buena chica. Te irá bien. ¿Qué pasa, cariño? ¿Cómo es que estás aquí en vez de atendiendo las mesas?

—Estoy en el descanso. Ya se están ocupando de mi zona. —LaJuna le extiende un ticket y un billete de veinte dólares—.

La señora Hanna me lo ha dado a mí para no tener que hacer cola.

Yaya T tensa la boca.

—Algunas personas esperan siempre un trato especial. —Contabiliza el ticket y le entrega el cambio a LaJuna—. Dale el cambio y tómate un descanso.

—Sí, señora.

LaJuna sale de detrás del mostrador y yo me doy cuenta de que debo darme prisa también. Cada vez hay más clientes resoplando de impaciencia y dando golpecitos con el pie a mi espalda. De forma impulsiva, pido un trozo de pastel de plátano de la vitrina de postres. No tengo hambre, y no debería gastarme el dinero, pero tiene una pinta estupenda. *De vez en cuando hay que darse un capricho*, me digo a mí misma.

—La casa donde vives —me dice Yaya T mientras pago— ha ido pasando de mano en mano desde que el juez murió. Los hijos mayores del juez, Will y Manford, heredaron el molino de Industrias Gossett, la fundición y la fábrica de engranajes al norte de la ciudad. El hijo pequeño del juez murió hace años. Tuvo un hijo y una hija que heredaron la casa y el terreno que debía haberse quedado su padre, pero la hija, Robin, falleció. Una pena, tenía solo treinta y un años. Tu casero es su hermano, el señor Nathan Gossett, el nieto del juez. Pero no te arreglará el tejado, vive en la costa. Se compró un barco camaronero, alquiló Goswood y dejó que el resto se pudriera. Ese chico es el bohemio de la familia. Le importa un rábano todo aquello. Es un lugar lleno de historia. Lleno de recuerdos. Es muy triste que las historias desaparezcan porque ya no quede nadie que las escuche.

Asiento conforme, y noto el pinchazo de dolor que me provocan mis deteriorados lazos familiares. Desconozco la historia de mi familia y sería incapaz de hablar sobre mis antepasados aunque mi vida dependiera de ello. Siempre he intentado convencerme de que me da igual, pero el comentario de Yaya T me llega a lo más hondo.

—¿Le gustaría venir alguna vez a mi clase a dar una charla?

—¡*Pfff!* —Abre los ojos de par en par—. ¿Es que no me has oído antes cuando he dicho que no pasé de octavo curso? Invita a un banquero, al alcalde o al director de la fundición para que hable con los chicos. A los peces gordos.

—Bueno… piénseselo, por favor. —Una idea florece en mi mente, desplegándose en forma de una rápida sucesión de imágenes—. Eso que ha dicho sobre las historias… Alguien debería contárselas a los niños, ¿sabe? —Puede que las historias reales de la gente del pueblo conmuevan a mis alumnos de un modo que *Rebelión en la granja* no es capaz—. No consigo que se interesen por las lecturas de clase, y de todas formas no hay libros suficientes para todos.

—En ese instituto no hay ni para pipas —murmura una pelirroja pecosa de cuarenta y tantos detrás de mí; emite un silbido al hablar, pues tiene una paleta rota—. Mis niños llegaron a los campeonatos el año pasado y tienen que llevar zapatillas de tacos usadas. Es una birria de centro. Y la junta escolar también. Los chicos del colegio Lakeland tienen de todo, pero los nuestros están a dos velas.

Estoy a punto de responder algo que probablemente no debería decir, así que me limito a asentir y tomo mi recipiente para llevar. Al menos, el equipo de fútbol tiene zapatillas de tacos para todos. No como en la clase de Literatura, que no nos alcanzan los libros.

Al salir, veo que LaJuna está acomodándose en un cubo de basura volcado junto a dos tipos con delantales salpicados de carne que se encuentran fumando acuclillados. LaJuna me echa una mirada de reojo mientras paso, y luego vuelve su atención hacia un niño montado en una bicicleta oxidada que se tambalea por la autopista. Apenas consigue llegar hasta el aparcamiento del Ben Franklin antes de que un monovolumen pase a toda pastilla. Si no me equivoco, es el niño del incidente del cruce. Un coche de policía se acerca y yo espero que vaya a echarle una regañina para que lleve más cuidado, pero al agente parece interesarle más mi coche mal aparcado.

Cruzo a toda prisa los charquitos que hay formados sobre la grava, recorro el trozo de césped fangoso y llego a mi coche. Señalo el Ben Franklin y levanto el pulgar en dirección al agente. Este baja la ventanilla, apoya un codo regordete en el marco y me advierte:

—Los clientes del restaurante no pueden aparcar aquí.

—¡Perdone! Intentaba averiguar dónde comprar un poco de alquitrán.

—Los domingos no encontrará nada abierto que venda ese tipo de cosas. Ley de descanso dominical. —Entorna los ojos y unas arrugas se forman alrededor de sus mejillas sudorosas y enrojecidas, al tiempo que examina mi vehículo—. Y haga el favor de ponerle un parachoques a ese cacharro. Como vuelva a verlo así, le pongo una multa.

Le hago una promesa que no seré capaz de cumplir, y se marcha. *Día a día*, me digo a mí misma y dentro de mi cabeza empieza a sonar la canción de cabecera de la serie. No solo era una de mis series favoritas de adolescente —Valerie Bertinelli consiguió que ser medio italiana fuera enrollado, sobre todo después de casarse con Eddie Van Halen—, sino que el tema principal se ha convertido en el lema de este rarísimo año de transición.

El niño salpica al atravesar el césped con su bicicleta, que es demasiado grande para él, se inclina hacia un lado y se desliza sobre la grava mojada hasta que consigue detenerse. Pasa la pierna sobre la barra y se encamina hacia la parte trasera del Oink. Dice algo a través del toldo y uno de los trabajadores le da un muslo de pollo y lo echa de allí de inmediato. El niño se aleja arrastrando la bici, agarrando el muslo de pollo y el manillar a la vez. La esquina del edificio donde está la tienda me tapa la vista y él desaparece.

Tal vez debería ir tras él y darle la charla sobre los peligros de cruzar la calle. Reflexiono acerca de mi nuevo papel como figura de autoridad. Se supone que la tarea de los profesores es cuidar de los niños…

—Tenga —dice una voz, asustándome. LaJuna está al otro lado de la puerta del coche. Lleva el pelo recogido, con tres largas y oscuras trenzas sueltas que tapan parte de su juvenil rostro. Deja que cuelguen como si fueran los piquetes de una cerca y me ofrece uno de los tickets del restaurante, con el brazo totalmente extendido—. Quédeselo. —Agita el ticket y mira de forma incómoda por encima del hombro.

Aparta el brazo en cuanto tomo el trozo de papel. Apoya una de sus manos en su delgada cadera.

—Ahí tiene el número de teléfono y la dirección de mi tía Sarge. Está arreglándole a mi tía abuela Dicey unas cuantas cosas en casa. Es bastante manitas. —Se mira las zapatillas llenas de barro en vez de mirarme a mí—. Podrá arreglarle el tejado.

Me quedo pasmada.

—La llamaré. Gracias, de verdad.

LaJuna retrocede.

—Le hace falta el dinero, eso es todo.

—Te lo agradezco mucho. En serio.

—Ajá. —Bordea un charco de barro y se aleja. Es entonces cuando me fijo en que lleva algo pequeño y rectangular metido en el bolsillo de atrás. Me inclino hacia delante y descubro que se trata, casi con toda seguridad, de una de las copias perdidas de *Rebelión en la granja*.

Mientras me quedo observándola, ella se detiene y me mira por encima del hombro. Se dispone a decir algo, pero sacude la cabeza y da dos pasos más antes de volver a girarse. Deja caer los brazos en señal de resignación antes de decirme finalmente:

—El casoplón del juez está justo al otro lado del campo de la casa que ha alquilado. —Echa un vistazo en la dirección donde se supone que está—. Allí hay un montón de libros. Estanterías repletas, desde el suelo hasta el techo. Llenas de libros que ya no le importan a nadie.

Capítulo 5

A veces los problemas se parecen a un trozo de hilo: si das demasiadas vueltas se enmarañan y se enredan. No entiendes el motivo ni sabes cómo desenredarlos, pero tampoco puedes dejarlos como están. Hace años, durante aquella horrible época, la señora se presentaba en el hilandero, y si veía que alguna de las niñas o mujeres no hacía bien su trabajo, le zurraba con una cuerda, un huso o el mango de la escoba.

El viejo granero era a la vez un lugar formidable y un espacio espantoso. Las mujeres se llevaban a sus hijos, trabajaban, cantaban juntas y hervían el hilo en ollas repletas de añil, corteza de nogal y cobre para hacer los colores. Azul, nuez, rojo. Una maravilla. Pero siempre andaban preocupadas por si el hilo se enredaba o se estropeaba, pues podría acarrearles problemas. Incluso ahora que las ruecas y los telares permanecen guardados y llenos de polvo en algún lugar bajo las bancadas, donde nadie salvo nosotras y los ratones conoce su escondite, los hilos viejos y estropeados y las madejas de tela inservible siguen ocultos como si fueran pecados.

Al pasar junto al hilandero, pienso en los viejos escondrijos e intento dar con el modo de seguir a la señorita para averiguar sus secretos. Y entonces me digo a mí misma: *Hannie, será más sencillo conducir el carruaje que ha pedido la señorita que ir tras él a escondidas. Ya vas vestida como un chico, nadie se dará cuenta.*

Me apresuro a bajar al establo de los caballos y al cobertizo de las carretas, sabiendo que no habrá nadie. Últimamente, Percy se va casi siempre a trabajar fuera, a herrar el ganado de otras propiedades. Como la señora está postrada en una silla de ruedas, la señorita Lavinia acude a un internado y el señor se ha ido a Texas, no tiene trabajo de cochero.

Espero en el granero hasta que un jardinero aparece corriendo descalzo. No conozco a ese niño —en los últimos tiempos, los criados no suelen durar lo suficiente como para llegar a conocerlos—, pero es tan pequeño que todavía lleva faldones. El dobladillo se le enreda entre las delgadas piernas desnudas mientras corre y exclama que la señorita Lavinia quiere el cabriolé en la puerta del jardín trasero de inmediato.

—Ya me lo han dicho —respondo con una voz muy profunda—. Vuelve a la casa y dile que lo llevaré enseguida.

Antes de que me dé cuenta, el niño ha desaparecido, dejando tras él nada más que una nube de polvo.

Me pongo manos a la obra, pero los dedos me tiemblan al tomar el cabestro y las hebillas de la montura. Mi corazón retumba del mismo modo que el martillo de Percy: *¡Ton, clin, clin, ton!* Apenas puedo ponerle los arreos a la robusta yegua alazana a la que el señor bautizó como Ginger un año antes de la guerra. Se pone nerviosa cuando la sitúo entre las varas del carruaje y le abrocho las correas. Pone los ojos en blanco como diciendo: *Ya puedes rezar para que no nos descubra la señorita.*

Me armo de valor y subo los tres escalones de hierro hasta el asiento que está sobre el salpicadero, frente a la cabina. Si soy capaz de engañar a la señorita Lavinia lo suficiente como para que suba al carruaje, lo demás debería salir bien. Me tiemblan las manos al tomar las riendas, pero a la yegua no parece importarle. Es un animal mayor y amable, por lo que obedece las órdenes, aunque al perder el establo de vista estira el cuello y emite un prolongado relincho. Otro caballo le devuelve el relincho, y el lamento parece lo bastante potente como para oírse a quince kilómetros y despertar a los muertos que hay enterrados en la zona de detrás del huerto.

Un escalofrío me recorre de los pies a la cabeza. Si Tati supiera lo que me traigo entre manos diría que no estoy bien de la cabeza. Sé que, a estas horas, Jason, John y ella estarán en el campo, intentando dar la impresión de que se trata de un día como cualquier otro, pero los tres tendrán la mirada clavada en el sendero, preocupados por mí y preguntándose dónde estoy. No se atreverán a acercarse a la casa principal por si acaso levantan sospechas entre la señora y Seddie después de lo de anoche. Si la señora envía a su criado a nuestra casa a husmear, este no verá nada fuera de lo normal. Tati es demasiado astuta.

Detesto preocuparlos, pero no me queda otra. Ya no hay nadie en Goswood Grove que sea de fiar. No puedo hacerles llegar ningún mensaje.

Tomo aire, acaricio las tres cuentas azules de la abuela que llevo colgadas alrededor del cuello y rezo para que todo salga bien. Luego me alejo del sendero que lleva a casa y dirijo a la yegua hacia el viejo jardín. Las ramas se inclinan desde los robles, y las vides las mantienen unidas como si fueran los lazos de un corsé. Se clavan y se me enganchan al sombrero mientras el viejo animal y yo atravesamos la espesura. Un tábano revolotea alrededor de las orejas de Ginger, que sacude la cabeza y resopla, haciendo tintinear el arnés.

—*Chsssst*, calla —susurro—. Tranquila.

Sacude el copete y menea el carruaje cuando me detengo junto al viejo puente.

No hay nadie. Ni un alma.

—¿Señorita Lavinia? —susurro de forma rasposa y grave, con la esperanza de que mi voz se parezca a la de John: alguien que aún no es un hombre, pero que no tardará mucho en serlo—. ¿Hay alguien ahí abajo?

¿Y si la señora la ha pescado intentando escabullirse?

Se oye el crujido de una rama y la yegua vuelve la cabeza hacia los árboles. Ambas prestamos atención, pero no captamos ningún sonido inusual. Los robles se sacuden, los pájaros trinan y las ardillas discuten subidas a las ramas. Un pájaro carpintero perfora la corteza de los árboles en busca de larvas. El tábano sigue jorobando a Ginger y yo me bajo del carruaje para quitárselo de las orejas y tranquilizarla.

La señorita Lavinia está prácticamente a mi lado cuando me percato de su presencia.

—¡Chico! —exclama, y yo doy un brinco. Un montón de recuerdos horribles se arremolinan en mi mente. El día más feliz de mi vida fue cuando dejé la casa principal y me fui a vivir con Tati, pues ya no tendría que cuidar más de la señorita. En cuanto creció un poco, comenzó a pellizcarme, golpearme y atizarme con cualquier cosa que tuviera a mano. Al parecer, no tardó en darse cuenta de que aquello complacía a su madre.

Agacho la cabeza todo lo posible, ocultándome bajo el sombrero. Dentro de nada averiguaré si mi plan es factible. La señorita Lavinia no es ninguna idiota. Aunque por otra parte llevamos mucho tiempo sin vernos.

—¿Por qué no me has traído el calesín? —Tiene la misma voz chillona que su madre, pero no se parece en nada a ella. La señorita es robusta y rolliza, incluso más de lo que recordaba. Y también más alta, casi tanto como yo—. He pedido el *cabriolé* para llevar yo misma las riendas. ¿Por qué has venido con el carruaje? Espera a que le ponga las manos encima a ese crío... ¿Y dónde está Percy? ¿Por qué no se ha encargado él mismo?

No creo que sea buena idea decir: *Percy ha estado aceptando otros empleos para poder comer, ya que la señora le ha recortado la paga.* Así que, en vez de eso, respondo:

—El cabriolé se ha roto y aún no está arreglado. No había nadie en el establo, así que he traído el carruaje para conducirlo yo.

La idea le disgusta lo suficiente como para subir al carruaje ella sola. Mucho mejor así, porque intento no acercarme demasiado a ella.

—Iremos por el sendero del campo en vez de pasar frente a la casa —me suelta mientras se acomoda—. Mi madre está acostada y no quiero molestarla. —Intenta poner una voz fuerte y autoritaria como la de su madre, pero incluso ahora que ha cumplido dieciséis años y ya se viste como una señorita, sigue pareciendo una niña que juega a ser mayor.

—Sí, señora.

Subo al carruaje, sacudo las riendas y hago que la yegua rodee el estanque, pegada a la orilla. Las enormes ruedas del carruaje se sacuden sobre los adoquines sueltos y la hiedra asilvestrada. En cuanto el camino está despejado, le meto prisa a la yegua. Todavía es capaz de ir a buen ritmo, a pesar de que es tan mayor que tiene el hocico y la zona de alrededor de los ojos salpicados de un blanco níveo. El copete rebota sobre la frente del animal, lo que mantiene alejadas a las moscas.

Recorremos el sendero a lo largo de cinco kilómetros y luego atajamos por la pequeña iglesia blanca a la que la señora nos obligaba a asistir todos los domingos durante los días de esclavitud. Nos hacía a llevar vestidos blancos idénticos con unos lazos azules atados a la cintura para impresionar a los vecinos. Nos sentábamos en el gallinero y escuchábamos la misa del predicador blanco. No he vuelto a pisar ese edificio desde que nos liberaron. Ahora organizamos nuestras propias reuniones en lugares donde predican hombres negros. Cambiamos de sitio muy a menudo para escabullirnos del Ku Klux Klan y los Caballeros de la Camelia Blanca, pero siempre sabemos a dónde acudir y cuándo.

—Para aquí —dice la señorita, y yo detengo a la yegua. *¿Vamos a la iglesia?*, no puedo preguntarlo en voz alta.

Por detrás aparece Juneau Jane montada sobre un enorme caballo gris; va subida en una silla de amazona y las esmirriadas piernas, cubiertas por unos leotardos negros, le cuelgan por debajo de su vestido infantil. Ahora que es de día, me fijo en que sus leotardos tienen zurcidos por todas partes y en que la punta de sus botines está tan desgastada que casi se le ven los dedos de los pies. El vestido de flores azules que lleva está limpio, pero tiene las costuras a punto de reventar. Ha crecido un poco desde que se lo compraron.

El caballo sobre el que va montada parece difícil de manejar, es alto y de cuello grueso, lo que revela que lo dejaron de semental durante un tiempo. Aunque lo más probable es que la chica, con sus extraños ojos de color verde plateado, posea la misma facilidad sobrenatural para amansar a los animales que su madre y los que son como ellas. La larga melena le llega hasta la cintura y cae en ondas sobre la silla de montar y la crin del caballo, por lo que ambos parecen una sola criatura.

Juneau Jane se acerca con la barbilla tan levantada que sus ojos se convierten en dos finas rendijas al bajar la mirada y contemplar el carruaje. Aun así, un escalofrío me recorre. ¿Me vio anoche? ¿Me ha reconocido? Contraigo los hombros para defenderme en caso de que quiera echarme alguna maldición.

El ambiente entre Juneau Jane y la señorita Lavinia está tan tenso que en este podría tocarse una melodía.

—Síguenos —suelta con brusquedad la señorita, como si la palabra le incendiara la boca.

—*C'est ce bon.* —La frase en francés brota de los labios de la chica como si fuera música. Me recuerda a las canciones que cantaban los niños huérfanos en las fiestas de blancos a las que las monjas los llevaban antes de la guerra—. Sí, eso pensaba hacer.

—No permitiré que mancilles el carruaje de mi padre.

—Como si me hiciera falta para viajar. Para eso me regaló este estupendo caballo.

—Que es más de lo que te mereces. Eso me dijo antes de marcharse a Texas. No tardarás en descubrirlo.

—Sin duda. —La chica no tiene ni pizca de miedo, aunque debería—. No *tardaremos* en descubrirlo.

Los muelles de ballesta del carruaje chirrían cuando la señorita se remueve en el asiento, entrelazando las manos y metiéndolas entre los pliegues de la falda roja que Tati le cosió el verano pasado para que se llevara al colegio. *Hay que guardar las apariencias,* dijo la señora. Tati usó uno de los antiguos vestidos de la señora para confeccionar la falda.

—Solo soy realista, Juneau Jane. Si tu madre hubiera tenido dos dedos de frente en vez de ser tan caprichosa, no se encontraría en apuros tras pasar unos pocos meses sin la ayuda económica de mi padre. Así que, en cierto modo, ambas somos víctimas de las insensateces de nuestros progenitores. Vaya, ¡por Dios! Sí que tenemos algo en común después de todo. Hemos sido traicionadas por aquellos que debían protegernos, ¿no es así?

La única respuesta de Juneau Jane es un murmullo en francés. Puede que esté lanzándole una maldición. Prefiero no saberlo. Me inclino sobre los estribos y me alejo tanto como me es posible para que no me dé. Encojo los brazos, pego la lengua al paladar y cierro los labios para que, en caso de que la maldición me alcance, no se me meta dentro.

—Y, desde luego, en cuanto conozcamos los deseos de papá, los cumpliremos a rajatabla —prosigue la señorita Lavinia. Siempre ha sido aficionada a los monólogos—. Me aseguraré de que no faltes a tu palabra. Después de que encontremos los documentos de papá y si se confirma que, efectivamente, ha ocurrido lo peor, acatarás su voluntad sin causar más problemas ni avergonzar a mi familia.

Conduzco a la yegua hacia un bache para ver si el meneo aplaca un poco a la señorita. Esa voz melosa me trae recuerdos de golpes, patadas y coscorrones en la cabeza, y de aquel día en Texas cuando me dio a beber una taza de té con una pizca de veneno para ratas… simplemente para ver qué ocurría. Yo tenía siete años, apenas había pasado un año desde que me rescataron de las garras de Jep Loach, y deseé no llegar a los ocho después de beber el veneno. La señorita tenía cinco años, los mismos que su crueldad.

Me gustaría contarle esa historia a Juneau Jane, a pesar de que no nos ata ninguna relación de amistad. Todos estos años ha vivido por todo lo alto en Tremé, incluso cuando el dinero de los Gossett comenzaba a escasear. ¿Qué creía, que aquello duraría para siempre? Si ella y su madre acaban en la calle, no me darán ninguna lástima. Ya es hora de que aprendan a trabajar. O trabajan o se morirán de hambre. Igual que los demás.

No tengo por qué preocuparme por ninguna de estas dos chicas, y no lo hago. Solo soy la que se encarga de sus campos, o de lavarles la ropa o de cocinarles. ¿Y qué recibo a cambio, incluso tras haber conseguido la libertad? La panza vacía la mayoría del tiempo y una casa llena de goteras que no podemos arreglar, pues hasta que no saldemos las cuentas del terreno no veremos ni un centavo. Solo piel y músculo y hueso. Ni razón. Ni corazón. Ni sueños.

Ha llegado el momento de que deje de ocuparme de los blancos y empiece a ocuparme de mis cosas.

—Chico —me suelta la señorita Lavinia—. Date prisa.

—Esta es una zona peliaguda, señorita —arrastro las palabras, de forma pausada y grave—. En cuanto lleguemos a River Road será otra cosa. Ese camino está más despejado. —La vieja Ginger es como Goswood Grove. Está un poco cascada. Le resulta difícil recorrer este terreno lleno de baches.

—¡No repliques! —exclama la señorita Lavinia.

—Tu yegua no apoya bien la pezuña delantera izquierda. —Juneau Jane interrumpe su silencio e interviene en nombre del animal—. Si todavía nos queda un buen trecho por delante, es mejor que no la fuerces.

Un buen trecho por delante, pienso. ¿Cuánto nos va a llevar este asunto? Cuanto más tiempo dure, más posibilidades habrá de que nos descubran.

Noto un hormigueo bajo la camisa. De esos que advierten de algún peligro.

Kilómetro tras kilómetro, campo de cultivo tras campo de cultivo, poblado tras poblado, embarcadero tras embarcadero, el hormigueo se intensifica, se me mete por debajo de la piel y no cesa en ningún momento. Esto ha sido una mala idea, y ahora ya es demasiado tarde para echarme atrás.

Parece que estemos casi en Nueva Orleans para cuando llegamos a nuestro destino. Capto el aroma y los sonidos del lugar antes de verlo. Las cocinas de carbón y el humo de leña. Las sacudidas, el silbido y el *chop chop* de los barcos fluviales al agitar el agua. El *cof cof* de las desmotadoras de algodón y del molino de miel a vapor. El humo flota a poca altura, como un segundo cielo. Es un lugar sucio, donde el hollín recubre por igual los edificios de ladrillo y las casas de madera, a las personas y los caballos. Las mulas y los jornaleros cargan fardos de algodón, leña, barriles de azúcar, melaza y toneles de cerveza en los vapores de ruedas que zarparán, río arriba, con rumbo al norte, donde la gente tiene dinero suficiente para comprar dicha mercancía.

La vieja Ginger ha empezado a cojear bastante, así que me alegro de hacerla reducir la marcha, aunque no me guste cómo pintan las cosas. Me abro camino con el carruaje a través de diversos hombres, contenedores y carros, que son en su mayoría plataformas de trabajo de las que se encargan ayudantes de color y agricultores blancos pobres. No hay nadie a la vista que vaya tan bien vestido como nosotras. Mientras recorremos la calle nos damos cuenta de que tampoco hay mujeres. Los hombres blancos se detienen, se rascan la barbilla y se nos quedan mirando. Los de color nos ojean desde debajo del sombrero, sacuden la cabeza e intentan llamar mi atención lanzándome miradas de advertencia, como si tuviera que saber mejor que nadie que esto es una locura.

—Mejor que des la vuelta y te lleves de aquí a las señoras —me susurra uno de ellos mientras me apeo y conduzco a Ginger a través de dos carros que están aparcados tan juntos que apenas hay espacio para pasar—. Este no es lugar para ellas.

—No es cosa mía —digo en voz baja—. Y tampoco vamos a quedarnos mucho.

—Pues mejor. —El hombre aparta unos barriles vacíos para dejarnos pasar—. Y ni se te ocurra continuar el viaje cuando se haga de noche.

—¡Basta de cháchara! —La señorita Lavinia agarra el látigo del carruaje e intenta atizar a la yegua—. Deja en paz a mi cochero, chico. Y apártate, tenemos asuntos pendientes.

El hombre se aparta.

—A la que te descuidas, los morenitos se ponen a holgazanear y parlotear —grazna la señorita—. ¿No es así, chico?

—Sí, señora —respondo—. En eso lleva razón.

Por primera vez, me parece emocionante estar embaucándola. No tiene ni idea de quién soy. Puede que mentir sea un pecado, pero de pronto me siento orgullosa. La mentira me empodera.

Nos acercamos a unos edificios que dan al río. La señorita Lavinia quiere meterse en el callejón de la parte de atrás, así que eso es lo que hago.

—Ahí —dice, como si ya hubiera estado antes, pero me da la impresión de que es la primera vez que ve todo esto—. La puerta roja. El despacho del señor Washburn está dentro. No solo asesora a papá en asuntos legales, sino que también es uno de sus socios comerciales de más confianza, como ya sabrás. O tal vez no. Papá me llevó a cenar con el señor Washburn en Nueva Orleans. Se quedaron charlando hasta tarde en el bar después de que yo me retirara a nuestra suite de hotel. Me quedé por allí un rato, desde luego, para escuchar la conversación. Como eran miembros de la misma... asociación de caballeros... el señor Washburn se comprometió a velar por los deseos de papá, en caso de que este no pudiera. Más tarde, papá me dio instrucciones para ir en busca del señor Washburn en caso de que fuera necesario. Seguro que tiene copias de los documentos de papá. Lo más probable es que se los redactara él personalmente.

Echo una mirada a Juneau Jane desde debajo del sombrero. *¿Se lo ha tragado?* Toquetea las riendas con sus guantes infantiles de cuero mientras contempla el edificio. Está transmitiendo su nerviosismo al enorme caballo gris. El animal vuelve la cabeza, le acaricia la bota y luego relincha con suavidad.

—Venga —insiste la señorita, con la intención de bajar del carruaje. No me queda más remedio que ayudarla—. No resolveremos nuestros problemas aquí sentadas, ¿no? No tienes nada que temer, Juneau Jane. A no ser, desde luego, que albergues dudas con respecto a tu posición.

El hormigueo de advertencia se me extiende por todo el cuerpo. La señorita está frotándose el medallón de oro que ha llevado colgado casi desde que tengo memoria. Es un gesto que hace únicamente cuando está a punto de armar una buena. Más le vale a Juneau Jane darse la vuelta y marcharse a galope. Sea lo que sea que se le haya ocurrido a la señorita, no puede ser bueno.

Apenas oigo la puerta roja al abrirse. Un hombre alto y bien formado de piel marrón clara aparece en el umbral. Diría que es el mayordomo, pero no lleva librea, sino una camisa de trabajo y unos pantalones marrones de lana que recubren sus fuertes muslos y desaparecen en unas botas de caña alta que le llegan hasta la rodilla. Frunce el ceño y nos mira con atención a las tres.

—¿Sí? —se dirige a la señorita—. ¿Puedo ayudarla, señora? Me parece que se ha equivocado de puerta.

—Me esperan dentro —responde la señorita con brusquedad.

—No se me ha informado de ninguna visita. —Permanece inmóvil y la señorita se pone de mal humor.

—Quiero hablar con tu patrón, *chico*. Venga, ve a buscarlo.

—¡Moses! —llama una voz impaciente y con malas pulgas desde el interior—. Ponte a hacer lo que te he dicho. Ve a buscar a cinco hombres más para la tripulación de la *Estrella de Genesee*. Fuertes y con buena salud. Tráelos antes de medianoche.

Moses nos lanza una última mirada antes de volver a meterse en las sombras y desaparecer.

Un hombre blanco toma su lugar en la puerta. Es alto y delgado, tiene las mejillas hundidas y un bigote de color paja que se curva hacia abajo y rodea su puntiaguda barbilla.

—He venido a ver a un amigo. Él sabía que veníamos —dice la señorita, pero está frotándose el cuello y parece que se le haya secado la garganta, así que sé que no está diciendo la verdad.

El hombre da un paso y gira la cabeza de lado a lado con nerviosismo, inspeccionando el callejón. Las cicatrices le recorren el lado izquierdo del rostro, dándole el aspecto de la cera derretida, y lleva un parche en el ojo. Me mira con su ojo bueno.

—Nuestro amigo en común pidió expresamente que solo vinieran las dos.

Me agacho y examino la pata herida de la yegua, encogiéndome tanto como me es posible.

—Y eso hemos hecho. Bueno, he traído también a mi cochero, claro. —La señorita Lavinia se ríe de forma nerviosa—. Es peligroso que dos mujeres viajen solas. Seguro que el señor Washburn lo entiende. —La señorita pone las manos a la espalda y saca pecho, aunque no tiene demasiado que enseñar. Es de complexión cuadrada y sin curvas, y tiene los hombros anchos, al igual que el señor—. Me espera un largo viaje de vuelta a casa y dispongo del tiempo justo antes de que anochezca. Preferiría resolver el asunto de la manera más eficiente posible. He traído lo acordado, justo como pidió... el señor Washburn.

No sé si alguien más se da cuenta, pero la señorita señala brevemente a Juneau Jane con la cabeza, como si le hubieran pedido justamente eso: que llevara a su hermanastra pequeña.

La puerta se abre de par en par y el hombre desaparece tras ella. Un desagradable escalofrío me recorre.

Juneau Jane ata su caballo al carruaje, pero permanece en la calle y el viento le sacude la falda de flores azules y las enaguas blancas, que toman la forma de sus delgadas pantorrillas. Se cruza de brazos y arruga la nariz, como si algo apestara.

—¿Qué te han pedido que trajeras? ¿Y quién me asegura que no le has prometido una recompensa al señor Washburn a cambio de que mienta por ti?

—El señor Washburn no necesita que yo le prometa nada. Fíjate bien, es dueño de todo esto. —La señorita dirige un gesto hacia el enorme edificio y al embarcadero de en frente—. Junto con papá, claro. Me encantaría hablar a solas con el señor Washburn, pero entonces tendrías que fiarte de lo que te cuente luego. Si el señor Washburn conserva la última copia de los documentos de papá, podría prenderles fuego y nunca sabrías si te he contado la verdad. Supongo que prefieres verlos con tus propios ojos. No pienso dejar que me interrogues después. Si no entras conmigo, tendrás que confiar en mi palabra.

Juneau Jane deja caer los brazos a los costados y se pone rígida. Aprieta los puños.

—Antes confiaría en una serpiente.

—Eso pensaba yo. —La señorita extiende la mano hacia Juneau Jane con la palma hacia arriba—. Pues venga. Entraremos juntas.

Juneau Jane ignora la mano extendida, sube los escalones y entra al edificio. Lo último que veo desaparecer es su cabellera larga y oscura.

—Vigila a los caballos, chico. Si les pasa algo, lo pagarás tú... de una forma u otra.

Y entonces la señorita Lavinia se marcha también.

La puerta roja se cierra y oigo cómo se desliza el pestillo.

Aseguro el amarre del caballo ensillado, aflojo un poco las riendas y la correa del vientre de Ginger y a continuación me cobijo a la sombra que se extiende a lo largo de la pared; me apoyo sobre un barril vacío de azúcar tumbado de lado, dejo caer la cabeza hacia atrás y cierro los ojos.

Antes de que me dé cuenta, la larga y agitada noche se apodera de mí.

Pero también el sueño donde estoy en el patio de venta.

El barril volcado se convierte en la jaula de esclavos donde me separan de mi madre una vez más.

AMIGOS PERDIDOS

Señor editor:

Le ruego que me permita, una vez más, servirme de su valioso periódico para intentar averiguar el paradero de mi hermano, Calvin Alston. Se marchó en el año 1865 con unos soldados de la Unión. La última vez que supimos de él, estaba en Shreveport, Texas. Pueden ponerse en contacto conmigo en Kosciusko, Misuri.

D. D. Alston
—Columna de los «Amigos perdidos»
del *Southwestern*
18 de diciembre de 1879

Capítulo 6

La lluvia cesa por fin cuando llego a casa. Paso chapoteando junto a la estatua escondida del jardín y subo los escalones del porche sintiéndome fatal por haber llamado a la tía de LaJuna ligeramente histérica. Además, he tenido que colarme en el colegio vacío para hacer la llamada. Lo más seguro es que la tía Sarge, que en realidad se llama Donna Alston, piense que estoy loca de atar, pero en mi defensa debo decir que el torrente de lluvia cubría por completo las ventanas del colegio. No tenía ni idea de la cantidad de agua que podía estar filtrándose por el tejado de mi casa ni de si el recipiente improvisado que había dejado sobre la encimera estaba a punto de rebosar.

Tía Sarge ha cumplido su palabra, lo cual dice mucho a su favor. Llega justo detrás de mí, y ambas entramos en casa, comprobamos el recipiente y echamos el agua al porche antes de presentarnos.

—La cosa no pinta bien. —Tía Sarge va directa al grano. Es una robusta mujer afroamericana con la actitud de un preparador físico y un porte militar que sugiere que lo mejor es no meterse con ella—. Puedo pasarme mañana para arreglarlo.

—¿Mañana? —balbuceo—. Esperaba poder dejarlo arreglado hoy. Antes de que vuelva a llover.

—Mañana por la tarde —responde ella—. Antes no puedo.

Me cuenta que tiene que cuidar de los hijos de un familiar hasta entonces y que ha ido un vecino a echarles un ojo un momento para poder acercarse aquí.

Me ofrezco a vigilar a los niños, incluso a tenerlos rondando por casa, con tal de que me arregle el tejado.

—Dos de ellos están enfermos de la garganta —replica—. Por eso no los han dejado en la guardería. Y su madre no puede faltar al trabajo. En este pueblo no es fácil encontrar faena. —Su voz adopta un deje de hostilidad al decir eso y me da la sensación de que está acusándome de algo. ¿De aceptar un trabajo que podía haber sido para alguien de por allí, tal vez? Pero fui la última opción para el puesto. A una semana de empezar el curso, el director Pevoto hubiera contratado a cualquiera que tuviera un título docente y estuviera vivo.

—Ah —murmullo—. Lo siento. No puedo arriesgarme a caer enferma. Acabo de empezar a trabajar.

—Ya lo sé —dice con una sonrisa de lástima—. Carne fresca.

—Sí.

—Hice un par de sustituciones nada más salir del ejército la primavera pasada. No encontré nada más. —No le hace falta dar más explicaciones. La expresión de su rostro lo dice todo. Durante un instante, casi noto un aire de camaradería entre ambas. Creo que está intentando reprimir una sonrisa, pero dice, de forma inexpresiva—: Agárralos de la cabeza y hazlos chocar. A mí me fue de perlas.

Me quedo boquiabierta.

—Claro que después de eso no volvieron a llamarme. —Se sube a la base de ladrillos del poste del porche, se agarra al soporte del tejado que está por encima de las vigas y hace una dominada; se queda ahí colgada durante un momento, examinando el tejado, antes de volver a bajar con facilidad al porche. Su aterrizaje es digno del de una superheroína.

Esta, advierto en silencio, no es una mujer normal y corriente. Me da la impresión de que podría subir de un salto al tejado sin ayuda. Quiero parecerme a ella, en vez de ser una sosainas enclenque que no tiene la menor idea de cómo usar el alquitrán.

—Vale —dice ella—. Puedo arreglarlo.

—¿Saldrá muy caro?

—Treinta… o cuarenta dólares. Cobro ocho dólares por hora, más los materiales.

—Me parece bien. —Me alegro de que no sea nada más serio, pero esto va a reducir de forma drástica los fondos para los pastelitos de clase. Espero que el casero no tarde mucho en devolverme el dinero de la reparación.

—Pero creo que este tejado te va a dar más de un quebradero de cabeza. —Levanta la mirada con los ojos entornados y señala unos cuantos lugares por donde el agua se ha filtrado y ha dejado manchas de moho en el revestimiento del techo del porche—. Yo de ti lo dejaba allí. —Dirige un gesto con la cabeza al cementerio—. A tu enemigo fallecido, perdón y olvido.

Me río de buena gana.

—Muy buen refrán. —Me gusta coleccionar expresiones populares ingeniosas. En una ocasión escribí un trabajo de universidad sobre el tema. De momento, Luisiana está resultando ser una mina de oro.

—Te lo presto. Y gratis. —Frunce el ceño y me mira con los ojos entornados.

Cuando te pasas años pululando por el Departamento de Literatura de la universidad, resulta sencillo olvidar que, fuera de esas sagradas paredes, la gente no se pone a hablar de refranes ni a debatir sobre las diferencias entre estos y las metáforas. No analizan las sutilezas de ambos mientras pasean, o llevan pesadas mochilas a la espalda o se aposentan en un piso diminuto y beben vino barato en copas que han comprado en una tienda de segunda mano.

Observo el techo arqueado y manchado del porche y me pregunto cuánto tardará en ocurrir lo mismo en el interior de la casa.

—A lo mejor puedo pedirle al casero que me ponga un tejado nuevo.

Tía Sarge se rasca alrededor de la oreja y se acomoda tres mechones sueltos en el moño de pelo castaño que lleva.

—Pues mucha suerte. La única razón por la que Nathan Gossett ha conservado la casa es porque la señorita Retta era como de la familia. La mujer esperaba volver después de recuperarse del derrame cerebral. Ahora que tanto ella como el juez han muerto, te aseguro que Nathan Gossett preferiría que todo esto se viniera abajo. Dudo que sepa que le ha alquilado la casa a alguien como tú.

Me pongo rígida.

—¿Alguien como yo?

—Alguien de fuera. Una mujer que vive sola. No es la casa más adecuada para ti.

—A mí no me importa. —Se me eriza el vello de la nuca—. Mi novio… mi prometido… iba a mudarse conmigo, pero, bueno, ya ves que solo he venido yo.

Sarge y yo volvemos a compartir otro de esos extraños momentos. Un instante en el que ambas nos comprendemos mutuamente y nos encontramos en sintonía. Es fugaz, como la brisa que se levanta de repente, cargada con el aroma de la lluvia. Contemplo el cielo, preocupada.

—No se pondrá a llover hasta dentro de un par de horas —me asegura ella—. Y mañana por la mañana ya habrá parado.

—Espero que mi olla sea capaz de mantener la marea a raya hasta entonces.

Ella se mira el reloj y empieza a bajar los escalones del porche.

—Pon el cubo de basura debajo de la gotera. Tienes cubo, ¿no?

—Gracias. Sí, eso haré. —No pienso reconocer que la idea ni siquiera se me había pasado por la cabeza.

—Nos vemos mañana. —Levanta la mano de tal forma que puede interpretarse o como un gesto de despedida o como una peineta.

—Oye —la llamo antes de que se suba a una camioneta roja con una escalera en la parte de atrás—. ¿Cómo llego a la casa del juez desde aquí? Me han comentado que está lo bastante cerca como para ir a través del campo.

—¿Te lo ha dicho LaJuna?

—¿Por qué lo dices?

—Porque le gusta pasarse por allí.

—¿A LaJuna? ¿Cómo viene hasta aquí? —Mi casa está a unos ocho kilómetros del pueblo.

—Supongo que en bici. —Sarge responde a mi curiosidad con una mirada severa—. No hace nada malo. Es buena chica.

—Sí, ya lo sé. —Lo cierto es que no tengo ni idea, lo único que sé es que fue amable conmigo en el restaurante—. Me parece que está un poco lejos como para venir en bici, eso es todo.

Tía Sarge se detiene junto a su camioneta y me examina durante un momento.

—Llegarás antes si sigues el antiguo sendero que evitaba las inundaciones. Ataja por ahí atrás. —Señala con la cabeza el huerto de detrás de mi casa y el campo labrado al otro lado, donde los cultivos llegan hasta la rodilla y son de color verde intenso—. La carretera rodea todo lo que antiguamente era Goswood Grove. El sendero que te digo atraviesa la plantación por el medio y llega hasta más allá del caserón. De pequeña, los granjeros todavía lo usaban para llevar las hortalizas al mercado y las cañas al molino de miel, sobre todo la gente mayor que todavía trabajaba con mulas. Un par de kilómetros suponen una gran diferencia cuando te desplazas a dos kilómetros por hora.

Me deja pasmada. ¿Mulas? Estamos en 1987. Me había dado la impresión de que Sarge tenía solo treinta y tantos años.

—Gracias otra vez por venir tan rápido. De verdad. Mañana no estaré en casa para abrirte hasta que vuelva del colegio.

Ella vuelve a mirar el tejado con los ojos entornados.

—No me hace falta entrar en tu casa. Lo más seguro es que te lo haya arreglado y me haya marchado antes de que vuelvas.

Me quedo un poco decepcionada. Puede que la tía de LaJuna sea un poco arisca, pero es una mujer de lo más interesante. Y aunque conoce Augustine, parece más una forastera. Su punto de vista podría serme de ayuda. Por no mencionar que me gustaría hacer un par de amigos.

—Claro. —Vuelvo a intentarlo—. Pero si sigues aquí cuando haya vuelto… Normalmente preparo café al llegar a casa del trabajo. Podemos sentarnos en el porche y tomarnos una taza. —La invitación no me ha salido muy natural que digamos, pero es un comienzo.

—Nena, no pegaría ojo en toda la noche. —Abre la puerta de la camioneta. Se detiene una vez más y me dirige la misma mirada de perplejidad que me dedicó Yaya T cuando la invité a dar una charla en clase—. Déjate de tomar café por la tarde. Te desbarata el sueño.

—Sí, es posible. —Últimamente me cuesta dormir, pero lo achaco a lo mal que lo paso en el trabajo combinado con el estrés financiero—. Bueno, si no nos vemos mañana, ¿me dejarás la factura? ¿O me la llevarás al colegio?

—Te la dejaré en la mosquitera. No tengo ningún interés en acercarme por allí.

Y se va sin decir nada más.

Eso me recuerda a que las cosas en Augustine se rigen por unos códigos no escritos que ni entiendo ni puedo reproducir. Intentar descifrarlo es como cuando estaba en el cuartucho del apartamento de mi padre en Nueva York, sentada en el borde del sofá cama con la maleta entre las rodillas, mientras oía cómo mi padre, su mujer y mis abuelos conversaban a toda mecha en italiano, y yo me preguntaba si mis hermanastras pequeñas, que estaban acostadas en el cuarto de al lado, podían entender lo que se decía. Sobre mí.

Aparto el recuerdo de mi mente y entro en casa, donde me cambio los zapatos que llevo para trabajar por unos de goma que me ponía en la universidad cuando llovía. Son lo más parecido a unas botas que tengo, así que tendré que apañármelas con ellos. Con un poco de suerte, encontraré el sendero sin necesidad de meterme por zonas donde haya demasiada agua. Por lo menos quiero echar una ojeada antes de que vuelva a ponerse a llover.

Me invade la curiosidad mientras atravieso el patio trasero en dirección a los descuidados setos de adelfas y madreselva que separan la casa de un pequeño huerto y un jardín, y de los campos de cultivo de alrededor.

Para cuando encuentro una elevación de tierra que serpentea junto a un canal de riego, se me han mojado los pies y llevo los zapatos cubiertos por dos kilos de barro. Supongo que se trata del sendero. Las huellas de los carros surcan la parte superior, aunque la hierba y las flores silvestres de otoño las tapan en su mayor parte.

Un rayo de luz se abre paso a través de la neblina, como para animarme a continuar. Los robles rielan bajo el resplandor dorado y dejan caer gotas diamantinas de sus hojas cerosas. Sus nudosas ramas se entrelazan unas con otras y por debajo, las cascadas de musgo se mecen sin ton ni son. El sendero, que está envuelto en espesas sombras, tiene un aspecto espeluznante, sobrenatural, igual que si fuera un portal a otro mundo, como el armario de Narnia o la madriguera del conejo de Alicia.

Me detengo y lo contemplo en toda su longitud, con el corazón en vilo. Me pregunto por las conversaciones que ha presenciado este lugar, pienso en las personas y los animales que han recorrido esta elevación de tierra. ¿Quiénes viajaban en los carros que produjeron los surcos del suelo? ¿A dónde iban? ¿De qué hablaban?

¿Se libraron batallas aquí? ¿Dispararon los soldados en este sendero? ¿Todavía hay balas enterradas en el interior de la fibra y la corteza de estos árboles centenarios? Conozco, en líneas generales, lo ocurrido durante la Guerra de Secesión, pero apenas sé nada de la historia de Luisiana. Ahora me parece una desventaja. Quiero entender este rincón pantanoso del mundo, donde la gente se gana la vida gracias a la tierra, al río, a los pantanos y al mar. Mi hogar durante los próximos cinco años si averiguo cómo sobrevivir.

Me hacen falta más piezas del rompecabezas, pero nadie me las va a facilitar. Tengo que encontrarlas yo. Desenterrarlas de la tierra y de los habitantes del pueblo, de donde quiera que estén escondidas.

Presta atención, parece advertirme el sendero. *Presta atención. Tengo historias que contar.*

Cierro los ojos y oigo unas voces. Miles de voces que susurran al mismo tiempo. No las entiendo, pero sé que están ahí. ¿Qué quieren decirme?

Abro los ojos, me meto las manos en los bolsillos de mi impermeable púrpura y me pongo en marcha. El ambiente es tranquilo, pero el ruido se ha apoderado de mi mente. Se me acelera el corazón mientras se me ocurren algunas ideas. Necesito herramientas para entender este lugar, para abrirme camino. Los pastelitos son herramientas. Al igual que los libros. Pero las historias que no se encuentran en los libros, aquellas que nadie ha escrito, como la que Yaya T compartió conmigo, como la que tía Sarge me contó sobre los granjeros que iban al mercado con carros tirados por mulas, también son herramientas.

Es muy triste que las historias desaparezcan porque ya no quede nadie que las escuche. Yaya T tiene razón.

Debe de haber más personas por aquí con historias que nadie conoce. Historias reales que podrían enseñar las mismas lecciones que yo pretendía extraer de la literatura. ¿Y si, de algún modo, pudiera incluirlas en el temario? Puede que me ayudaran a entender este lugar y a mis alumnos. Puede que ayudaran a mis alumnos a entenderse entre ellos.

Voy tan distraída mientras camino, pensando, trazando planes, visualizando de forma positiva diferentes escenarios para conseguir que la próxima semana vaya mejor que la anterior, que cuando abandono mi mundo de fantasía y vuelvo a la realidad, el túnel de árboles ha desaparecido y yo me encuentro atravesando un campo de cultivo enorme. No tengo ni idea de cuánto he caminado. Me ha pasado completamente inadvertido.

A cada lado del sendero elevado se encuentran medio sumergidas en agua unas hileras cuidadosamente plantadas de lo que parece ser hierba espigada. El sol se ha ido y el intenso verde muestra un aspecto sorprendentemente brillante en contraste con las nubes; como si estuviera contemplando el paisaje a través de un televisor y un niño de dos años hubiera estado toqueteando la configuración del color.

Advierto ahora lo que me ha hecho detenerme y dejar de cavilar. Se trata de dos cosas, en realidad. La primera es que, al parecer, he pasado por delante de la casa del juez sin darme cuenta, pues si sigo caminando más allá del campo llegaré a las afueras del pueblo. Y la segunda es que no puedo seguir adelante. Hay un tronco que me impide el paso... solo que no es un tronco. Sino un caimán. No es que sea enorme, pero sí es lo bastante grande como para estar ahí plantado, evaluándome sin miedo.

Me lo quedo mirando, impresionada y horrorizada. Es el depredador más grande que he visto en la vida real.

—¡Ahora lo echo de ahí! —Es entonces cuando me fijo en que, a un lado, está el niño de la bicicleta. Su camiseta manchada deja constancia del muslo de pollo que le han regalado en el Oink-Oink.

—No. ¡No, no, no! —Pero no me hace ni caso. El niño se dirige a toda pastilla hacia el caimán, empujando la bici como si fuera una alabarda.

—¡Para! ¡Quieto! —Echo a correr, sin tener ni idea de lo que me dispongo a hacer.

Por suerte, al caimán no le hace gracia todo el jaleo y se escabulle por un lado del sendero hacia el humedal de abajo.

—¡Cómo se te ocurre! —jadeo yo—. Esos animales son muy peligrosos.

El niño parpadea, y la luz tenue acentúa las arrugas de confusión de su frente. Unos amplios ojos marrones me contemplan desde debajo de las espesísimas pestañas que advertí el primer día que lo vi sentado solo en el patio vacío del colegio.

—*Ece* no era *mu* grande —dice, hablando del caimán.

Se me encoge el corazón. Su voz y el leve ceceo lo hacen parecer más joven de lo que probablemente es. Aun así, no me parece bien que un niño de cinco o seis años ande deambulando por el pueblo de este modo. Cruzando las calles solo y ahuyentando caimanes.

—¿Qué haces aquí solo?

Encoge sus hombros huesudos bajo los tirantes torcidos de una camiseta sin mangas de Spiderman desgastada y llena de manchas de aceite. La camiseta, junto con los pantalones cortos y holgados que lleva, son en realidad un pijama.

Me sacudo la tensión de las manos e intento poner en orden mis ideas. El susto que me he llevado me hace permanecer alerta todavía.

Me inclino y lo miro a los ojos.

—¿Cómo te llamas? ¿Vives por aquí?

Asiente con la cabeza.

—¿Te has perdido?

Niega con la cabeza.

—¿Necesitas ayuda?

Vuelve a dirigirme otra negativa muda.

—Vale, ahora quiero que me prestes mucha atención. —Levanta la mirada hacia mí, y luego vuelve a desviarla. Me pongo en modo profe, me señalo los ojos con dos dedos y luego señalo los suyos. Ya está pendiente de mí—. ¿Sabes cómo volver a casa?

Sin quitarme el ojo de encima, mueve, titubeante, la cabeza de arriba abajo. Es como un gatito acorralado, intenta averiguar qué tiene que hacer para alejarse de mí.

—¿Está muy lejos?

Señala de manera imprecisa hacia el destartalado grupo de casas que hay al otro lado de los campos.

—Pues súbete a la bici y vete a casa. Y no salgas, porque va a haber tormenta y no quiero que te alcance un rayo ni nada parecido, ¿de acuerdo?

El niño se desanima visiblemente, enfurruñado. Tenía otros planes. Me estremezco al pensar de qué podía tratarse.

—Soy profesora y los niños tienen que hacer caso a la profe, ¿de acuerdo? —No responde—. ¿Cómo te llamas?

—Tobiazz.

—¿Tobías? Qué nombre más bonito. Me alegro de conocerte, Tobías. —Le ofrezco la mano y él se dispone a estrechármela, pero lanza una risita y la retira rápidamente, antes de esconderse el brazo detrás de la espalda—. Tobías, eres muy valiente, y además, un Spiderman muy guapo; no me gustaría que te ahogases con la tormenta ni que te devorara un caimán. —Levanta las cejas, luego las baja, las vuelve a subir, y arruga un poco la frente—. Gracias por salvarme, pero no quiero que nunca, bajo ningún concepto, vuelvas a acercarte a ningún caimán. Jamás, ¿entendido?

Mete el labio inferior entre los colmillos —los del medio se le han caído— y luego se lame una mancha de tierra o de salsa barbacoa.

—Prométemelo. Y recuerda que los superhéroes siempre cumplen sus promesas. Sobre todo, Spiderman. Spiderman nunca rompe ninguna promesa, y menos a una profe.

Le gusta que lo haya llamado superhéroe. Yergue los hombros y asiente.

—Sí.

—Muy bien. Vete a casa. Acuérdate de que me lo has prometido.

Tras orientar la bici en dirección al pueblo, pasa la pierna con torpeza sobre la barra, que es demasiado alta para él, y se vuelve para mirarme.

—¿Cómo *ze* llama?

—Señorita Silva.

Sonríe, y durante un instante, desearía tener una titulación para dar clase en primaria.

—*Zeñorita Zilva* —dice.

Se pone en marcha de inmediato; la bici se tambalea por el sendero hasta que toma la velocidad suficiente como para avanzar en línea recta.

Compruebo rápidamente que el caimán no se encuentra merodeando por ahí cerca antes de darme la vuelta y volver por donde he venido. Se acabó lo de estar en las nubes. Si quiero sobrevivir aquí fuera, tendré que prestar atención.

Aunque esta vez no me despisto, casi me paso por segunda vez el camino que conduce hasta la casa del juez. Una hilera de mirtos excesivamente crecidos tapa la propiedad, que queda oculta desde el camino. Repleta de chupones, parras exploradoras y una enorme cantidad de lo que parece ser hiedra venenosa, resulta casi indistinguible del paisaje natural, excepto por las cáscaras vacías de los brotes veraniegos, que resaltan como si fueran luces de Navidad fundidas.

Entre las raíces, el musgo crece formando un rompecabezas verde de piezas rectangulares. Raspo una con el zapato y dejo al descubierto uno de los adoquines de un antiquísimo sendero o camino de entrada. Las ramas rotas de mirto revelan que alguien ha abierto un estrecho pasadizo a través de los troncos arqueados.

Mi mente retrocede hasta el período de seis meses que pasé viviendo en Misisipi con mi madre y su novio de entonces, al que no le interesaban demasiado los niños. Como vía de escape, mis peluches y yo construimos un fuerte secreto entre los mirtos de una preciosa finca llena de flores que estaba cerca de mi casa. El hecho de deslizarme ahora por el hueco me resulta totalmente natural, pero el jardín que hay al otro lado es muchísimo más espectacular, a pesar de no estar bien cuidado.

Lo amplios robles, bancos destartalados, majestuosos nogales y lo que queda de unos sinuosos muros de ladrillo constituyen unas celosías poco convencionales para las enormes hileras de tradicionales rosas trepadoras. Unos cuantos pilares de mármol con manchas de moho elevan sus coronas por encima del mar de verdor, como si fueran reyes derrocados, atrapados en el tiempo. Hace mucho que nadie se ocupa de este lugar, pero sigue impregnado de belleza incluso ahora, en calma, a pesar del viento.

Una mano de un blanco fantasmal se extiende hacia mi pie al doblar una esquina, y yo, sin pretenderlo, brinco como un gato antes de darme cuenta de que la extremidad amputada pertenece a un querubín manco derribado. Este descansa en las proximidades, sobre un enmarañado lecho de enredaderas de trompeta, mientras clava la pétrea mirada en el cielo con una expresión de anhelo eterno. Durante un instante, me siento tentada a rescatarlo, pero luego me acuerdo de que el concejal Walker me contó que tuvo que trasladar la estatua de la señorita Retta al parterre de mi casa. Sin duda, no seré capaz de levantar el querubín. *Puede que esté cómodo*, pienso. *Desde ahí tiene una vista estupenda.*

Recorro el camino que se extiende sobre un puente arqueado de ladrillos, donde unos peces arcoíris se deslizan en las aguas poco profundas que hay debajo. Me abro camino con cuidado a través de la frondosa vegetación que se encuentra al otro lado y que me llega hasta la rodilla. Entre otras cosas, por los caimanes. Y la hiedra venenosa.

Vislumbro la casa al torcer la última curva. Tras cruzar una entrada en ruinas, me encuentro en un jardín recién podado, en el que la hierba es espesa, exuberante y está empapada por la lluvia. Los rugidos del cielo me recuerdan que no tardará en volver a ponerse a llover, por lo que más vale que me dé prisa. Si por mí fuera, me quedaría aquí plantada un rato y disfrutaría del ambiente.

A pesar de que ambos muestran señales inconfundibles de abandono, tanto la casa como el jardín resultan magníficos, incluso desde la parte trasera. Unos robles y nogales enormes bordean el sendero y proporcionan sombra. Al menos una decena de magnolios extienden hacia el cielo sus ramas cubiertas de gruesas hojas verdes. Mirtos de crepé con troncos entrelazados tan gruesos como mi pierna, rosas antiguas, adelfas, álamos, lirios rojos y blancos y un puñado de dondiegos de noche salpican de color los alrededores de la antigua mansión y se derraman sobre la hierba, alejados de los confines artificiales de los parterres. El dulce aroma del néctar compite con el aire salado de la tormenta que se avecina.

La elegante casa, que despunta silenciosamente sobre el terreno, está encaramada a un semisótano con fachada de ladrillo. En la parte de atrás hay una estrecha escalera de madera que proporciona la entrada más cercana a una amplia y ventilada galería que rodea la casa; está enmarcada por gruesas columnas blancas que se inclinan hacia dentro y hacia fuera como si fueran dientes torcidos. El suelo de madera cruje bajo mis pies mientras lo atravieso, y el sonido se entremezcla con el tintineo místico e irregular del metal y el cristal al chocar.

Descubro la procedencia de la melodía justo delante. Junto a un par de grandes escaleras que se curvan desde el suelo en forma de cuernos de carnero, un carrillón hecho de tenedores y cucharas repiquetea con suavidad, forzando el desgastado trozo de cordel del que cuelga. Al lado del porche, un árbol estéril con botellas colgadas de muchos colores añade un recital indiscriminado de notas agudas. Llamo a la puerta, miro por la ventana lateral y digo: «¿Hay alguien?», unas cuantas veces, aunque es evidente que, a pesar de que el jardín y los parterres que rodean la casa están conservados en buen estado, la vivienda está deshabitada y, además, desde hace mucho tiempo. Unas manchas circulares de polvo salpicadas por la lluvia recubren el suelo del porche, y sobre estas solo se ven las huellas de mis pisadas.

Reconozco al instante la habitación de la que me habló LaJuna cuando llego a la ventana. Ni siquiera me inclino sobre el cristal grueso y ondulado ni me protejo del tenue resplandor del sol. Simplemente permanezco frente a las puertas dobles de vidrio, miro a través de la cuadrícula de cristal y madera llena de telarañas y examino las numerosas hileras de libros.

Un tesoro literario a la espera de ser desenterrado.

Capítulo 7

Cuando me despierto todo está a oscuras, no veo ni el más mínimo atisbo de la luna ni ninguna lámpara de gas ni ramas prendidas. No recuerdo dónde estoy ni cómo he llegado hasta aquí, solo sé que me duele el cuello y que tengo una zona de la cabeza entumecida, al estar apoyada sobre madera áspera. Alzo una mano para frotármela y casi presiento que descubriré una calva. Durante los años que pasamos refugiados en la plantación de Texas, una época en la que había mucho trabajo y pocas manos después de que la malaria y la lengua negra acabaran con algunos de los nuestros y otros huyeran, incluso los que servíamos en la casa trabajábamos en los cultivos de algodón junto a los jornaleros del campo. Los niños nos encargábamos de llevar agua. La cargábamos sobre la cabeza en cubos, e íbamos y veníamos, una y otra y otra vez. Hacíamos tantos viajes que la madera de los cubos nos dejaba sin pelo al cabo de unas pocas semanas.

Aunque al tocarme la cabeza, noto pelo. Muy corto, para no tener que andar arreglándolo, pero llevo un sombrero en vez de un pañuelo. El sombrero que se pone John para el campo. Mi mente da un par de bandazos y luego empieza a girar a toda velocidad, hasta que recuerdo dónde estoy. En un callejón, durmiendo como un tronco sobre un barril que todavía desprende el olor dulzón de la miel de caña.

Lo primero que pienso es: *No debería ser de noche y tú no deberías estar aquí, Hannie.*

¿Dónde está la señorita?

¿Dónde está Juneau Jane?

Oigo un ruido cercano, y sé que ha sido eso lo que me ha despertado. Alguien está desenganchando los arreos de la vieja Ginger para soltarla del carruaje.

—¿Quiere que tiremos el carro al río, teniente? Si pesa lo suficiente, se hundirá sin problemas. Por la mañana, nadie se dará cuenta de lo que ha pasado.

Un hombre carraspea. En cuanto habla, intento averiguar si es el mismo que hizo pasar a la señorita y Juneau Jane al interior del edificio hace unas horas.

—Déjalo ahí. Me desharé de él antes del alba. Llévate a los caballos al *Estrella de Genesee*. Esperaremos hasta pasar la desembocadura del Rojo y cruzar la frontera de Texas para venderlos. Al gris lo reconocerían muy fácilmente por los alrededores. Más vale prevenir que curar, Moses. Que no se te olvide, o acabarás mal.

—Sí, teniente. No se me olvidará.

—Eres un buen chico, Moses. Recompenso la lealtad de forma tan certera como castigo su falta.

—Sí, señor.

¡Van a llevarse a la vieja Ginger y al gris! Me espabilo tan rápido que estoy a punto de ponerme de pie de un salto y empezar a gritar. Nos hacen falta los caballos para volver a casa, por no mencionar que me he quedado al cuidado de los animales y el carruaje. Si la señorita Lavinia no acaba conmigo, lo hará la señora cuando se entere. Más me valdría hundirme en el río junto al carruaje, y llevarme a John, Jason y Tati conmigo. Morir ahogados es mejor que morir de hambre. La señora se asegurará de que no podamos conseguir trabajo ni comida en ninguna parte. De alguna manera, todo este lío con la señorita acabará siendo culpa mía antes de que se resuelva.

—¿Has encontrado ya al cochero? —pregunta el hombre.

—No, señor. Me parece que se ha largado.

—Encuentra al chico, Moses. Deshazte de él.

—Sí, señor. Me pondré a ello de inmediato, jefe.

—No descanses hasta encontrarlo.

La puerta se abre y se cierra, el teniente entra en el edificio, pero Moses se queda allí. El callejón está tan silencioso que no me atrevo ni a cambiar de postura para echar a correr.

¿Puede oír mi respiración?

Estos hombres no son simples ladrones de caballos. Aquí hay algo que huele muy mal. Algo relacionado con el hombre al que la señorita y Juneau Jane fueron a ver, el señor Washburn.

Me tiembla la pierna. El tintineo de los arreos se detiene y yo noto que Moses mira en mi dirección. Sus fuertes pisadas sacuden las piedras del callejón; se acerca poco a poco, con cuidado. Saca la pistola de su funda. Echa hacia atrás el martillo.

Contengo la respiración y me apretujo contra las tablillas de madera. *¿Voy a morir así?*, pienso. Después de partirme el lomo trabajando todos estos años, no cumpliré más de dieciocho. No me casaré. Ni tendré hijos. Me quitará de en medio un desalmado y me tirará al río.

Moses está ahora justo frente a mí, buscando entre las sombras. *Escondedme*, les ruego al viejo barril y a la oscuridad. *Escondedme bien.*

—*Mmm-hmmm...* —El sonido emerge desde las profundidades de su garganta. Su olor a tabaco, a pólvora, a madera húmeda y salchichas se desliza por mi nariz.

¿A qué espera? ¿Por qué no dispara? ¿Debería salir e intentar zafarme de él?

La vieja Ginger relincha y golpea el suelo con los cascos, nerviosa, como si supiera que estamos metidas en un buen lío. Como si su instinto animal le avisara. Resopla y protesta, y danza por encima de las varas para darle una coz al gris. Ese hombre, Moses, debe de haber dejado a los caballos demasiado juntos. Ignora que los caballos no se conocen. Las yeguas mayores y mandonas como Ginger les bajan los humos a los jovenzuelos castrados y ruidosos a la primera de cambio.

—¡Quietos! —Moses se aleja para ir a tranquilizar a los caballos. Me debato entre echar a correr o seguir escondida.

El hombre permanece con los animales y yo me quedo quieta. Parecen pasar horas mientras calma a los caballos; luego examina el callejón, derribando pilas de cajas y golpeando montones de basura, hasta que finalmente dispara, aunque está bastante lejos de mí. Me cubro la cabeza con los brazos y me pregunto si la bala me dará, pero no lo hace. No hay más disparos después de ese.

Una ventana se abre por encima de mi cabeza y el teniente le dice a Moses entre gritos que se dé prisa, que todavía hay cosas que cargar. Quiere que Moses se encargue de ello personalmente. Sobre todo, de los caballos. Que los suba al barco y se deshaga del chico.

—Sí, señor.

Las herraduras de los caballos golpean las piedras y resuenan en las paredes mientras él se los lleva.

Espero a que los sonidos se desvanezcan antes de salir de mi escondite y acercarme al carruaje a toda prisa para buscar la bolsita de encaje marrón de la señorita Lavinia. Si ha desaparecido, no tendremos comida ni dinero para volver a casa. En cuanto me hago con ella, echo a correr como si me persiguiera el mismísimo diablo. El problema es que puede que así sea.

No me detengo hasta haberme alejado del edificio, en dirección al río, donde hay un montón de hombres y chicos subiendo y bajando de un barco con parada nocturna. Me meto la bolsita de la señorita Lavinia por la parte delantera de los pantalones, me alejo del embarcadero y me dirijo a la zona donde están instalados los vagones de mercancía y las carretas, a la espera de los barcos que llegarán al día siguiente. Las carpas ondulan y susurran con la brisa del río; los doseles y las mosquiteras están extendidas sobre las ramas de los árboles y cubren los catres de debajo.

Me deslizo por el campamento tan silenciosa como el viento, mientras el canto del río camufla mis pasos. El agua ha crecido debido a las lluvias primaverales y el viejo Misisipi emite un sonoro ruido que me recuerda al de los tambores antes de que nos liberasen. Cuando llegaba la cosecha —la del maíz era siempre la última de todas—, los amos lo celebraban por todo lo alto con bandejas de jamón, salchichas, pollo frito, cuencos de salsa y guisantes, patatas irlandesas y barricas de licor de maíz, todo lo que quisiéramos. Durante dichas celebraciones descascarábamos mazorcas, comíamos, bebíamos y volvíamos a descascarar mazorcas. Tocábamos el violín y el banjo. Cantábamos *Oh, Susanna* y *Swanee River*. Nos divertíamos y descansábamos del trabajo hasta que todo volvía a empezar.

Después de que los blancos hubieran abandonado la fiesta y se hubieran marchado a la casa principal, los violinistas dejaban sus violines a un lado y sacaban los tambores, y todos se ponían a bailar como antaño: meciéndose, pisoteando el suelo y sintiendo el ritmo de la música, con el cuerpo resplandeciente bajo la luz de los faroles. Los ancianos, agotados tras la extenuante cosecha de las cañas de azúcar y la posterior molienda en la casa azucarera, permanecían sentados, echaban la cabeza hacia atrás y entonaban canciones en las lenguas que les enseñaron sus madres y abuelas. Canciones de unos lugares que habían desaparecido hacía mucho.

Esta noche, el río vibra igual que vibraban ellos entonces: salvaje, buscando una vía de escape, golpeando los muros que construyeron los hombres para contenerlo.

Me subo a un carro tras asegurarme de que no hay nadie cerca y me refugio en un espacio en el que apenas quepo, entre unos montones de hule. Me llevo las rodillas al pecho, me las rodeo fuertemente con los brazos y me pongo a darle al coco. Los estibadores y los peones pasan entre los carros y las tiendas, van y vienen de los edificios que bordean el río; trasladan barriles y carretillas cargadas hasta los topes. Se afanan bajo la luz de las lámparas de gas y cargan el barco para que pueda partir al alba. ¿Es ese el *Estrella de Genesee* del que hablaba el teniente?

Moses va de aquí para allá, y el trajín que lleva responde a mi pregunta. Hace señas, da órdenes y hostiga a los trabajadores. Es un hombre fuerte y tosco, como los capataces de los viejos tiempos. Los que siempre usaban el látigo con los suyos para conseguir comida decente y una casa mejor. Los que asesinaban a aquellos con su misma piel, los enterraban en los campos y plantaban sobre sus tumbas al llegar la siguiente temporada. Me oculto todavía más cuando Moses se vuelve hacia el campamento, aunque sé que no puede verme.

¿Cómo ha acabado la señorita envuelta con estos tipejos? Tengo que averiguar el motivo, así que abro la bolsa. Dentro hay un pañuelo que huele como si escondiera en su interior un trozo de pan de maíz. La señorita no suele salir de casa sin algo que llevarse a la boca. Me ruge el estómago mientras hurgo entre el resto de las cosas. Hay un monedero con seis monedas de dólar, unos peines de marfil y, al fondo, algo envuelto en uno de los pañuelos de seda negros del señor. Es un objeto duro y pesado, y al desenvolverlo tintinea un poco. Un escalofrío me recorre cuando una pistolita de dos cañones con la empuñadura de nácar y un par de cartuchos sueltos me caen en la palma de la mano. Vuelvo a dejarlos sobre la tela y me quedo sentada, contemplándolos.

¿Qué hace la señorita con eso? Es una insensata por haberse metido en este lío, ya lo creo que sí. Una insensata.

Dejo que la pistola repose sobre mis rodillas al tiempo que desenvuelvo el pan de maíz y como un poco. Está seco y me cuesta tragármelo sin agua, así que no como demasiado, solo lo bastante como para aplacar el estómago y la cabeza. Guardo el resto en la bolsa de la señorita, junto con el monedero. Y luego vuelvo a observar la pistola.

El pañuelo con el que estaba envuelta huele a humo de pipa, jabón de afeitar y whisky, lo que hace que me venga el señor a la cabeza. *Volverá a casa y todo este asunto será historia*, me digo a mí misma. *Cumplirá su palabra y nos entregará las tierras. No dejará que la señora se entrometa.*

El señor no sabe que estás aquí. La idea se cuela en mis pensamientos de forma tan repentina como un bandido. *Nadie está al tanto. Ni la señora. Ni siquiera la señorita Lavinia. Cree que uno de los jardineros ha conducido el carruaje hasta aquí. Vete a casa, Hannie. Y no le cuentes a nadie lo que has visto esta noche.*

La vocecilla invade mi mente, me hace recordar la última vez que alguien intentó convencerme de que saliera pitando y yo ignoré la advertencia. Si hubiera hecho caso, tal vez todavía tendría hermana. Al menos, una de ellas.

«Tenemos que aprovechar la oportunidad», me había susurrado Epheme hace años, cuando Jep Loach nos raptó. Habíamos ido al bosque a hacer nuestras necesidades, las dos solas. Teníamos el cuerpo rígido y dolorido tras las caminatas y los azotes, tras pasar las noches durmiendo en el suelo congelado. El aire matutino era gélido, hacía un viento de mil demonios, y Epheme me miró a los ojos y dijo: «Tenemos que huir, Hannie. Las dos. Debemos marcharnos mientras podamos».

El corazón me martilleaba debido al miedo y al frío. La noche anterior, Jep Loach había sacado su cuchillo frente a la luz del fuego y nos había contado lo que haría con nosotras si le dábamos problemas.

«E-El amo vendrá a b-buscarnos», había tartamudeado yo, demasiado nerviosa como para hablar con normalidad.

«No vendrá nadie. Tenemos que apañárnoslas solas».

Epheme apenas tenía nueve años, tres más que yo, pero era valiente. Sus palabras se me clavan como agujas. Tenía razón. Deberíamos haber huido mientras pudimos. Las dos juntas. Epheme fue vendida dos días después, y esa fue la última vez que la vi.

Ahora debería huir, antes de que acabe con una bala en el cuerpo, o peor.

¿Qué más me da que la señorita se haya metido en un lío? La señorita y Juneau Jane, que ha estado viviendo como una reina todos estos años. ¿Por qué debería importarme? ¿Cómo he vivido yo hasta ahora? Matándome a trabajar, con las manos llenas de heridas por culpa de las espinas del algodón, cayendo rendida en la cama a las nueve de la noche, levantándome a las cuatro del día siguiente y vuelta a empezar.

Una temporada más. Solo una temporada más y lo conseguirás, Hannie. Tendrás algo que será tuyo. Empezarás una nueva vida. Puede que Jason no sea demasiado espabilado, puede que no sea tan encantador como otros, pero trabaja como el que más. Sabes que se portaría bien contigo.

Sigue adelante. Vuelve a ponerte el vestido y quema las ropas que llevas ahora al llegar a casa. Nadie tiene por qué enterarse. El plan cobra forma en mi cabeza. Le diré a Tati que he estado encerrada en el sótano de la casa principal, que no pude salir porque había demasiados mozos barriendo el patio y luego me quedé dormida.

Nadie debe saberlo.

Me convenzo de que es lo mejor, guardo la pistola y cierro la bolsa de la señorita hecha una furia. En fin, ¿qué he hecho yo para merecer esto? ¿Para acabar aquí atrapada, en un campamento de carromatos, en plena noche, escondiéndome de un hombre que quiere pegarme un tiro y lanzarme al río?

Nada. Absolutamente nada. Igual que en los viejos tiempos. A la señorita se le ocurría alguna jugarreta, hacía como que la cosa no iba con ella y esperaba a que alguien pagase el pato. Luego aparecía dando saltitos, con sus manitas gordas a la espalda, orgullosa de haberse salido con la suya.

Pues esta vez será diferente. Que se las apañe sola.

Debo llegar a las afueras del pueblo mientras sea de noche y esconderme en algún lugar hasta que empiece a amanecer. No puedo emprender el viaje de vuelta hasta entonces. Todavía hay muchos jinetes que rondan los caminos, igual que hacían los guardas de antaño, para evitar que las personas de color viajen; a no ser, desde luego, que sea un asunto que tenga que ver con blancos.

Me asomo desde las lonas y observo el campamento de carromatos para decidir cuál es el mejor modo de huir. De pronto, me fijo en un hombre que está junto al embarcadero, vestido con una camisa blanca. Retrocedo, por si está mirándome, y entonces me doy cuenta de que no es un hombre, sino unas cuantas prendas colgadas en la rama de un árbol para que se sequen. La pequeña hoguera de debajo chisporrotea hasta convertirse en brasas. Uno de los toldos está extendido y atado a una rama, con una red por encima para mantener a raya a los mosquitos.

Veo un par de pies enormes presionando contra la red.

Ya tengo clara la primera parte del plan. Salgo de mi escondite, vuelvo al suelo sin hacer ruido y atravieso las sombras y las franjas iluminadas por la luna en dirección al campamento.

Agarro un sombrero que está allí colgado, me lo cambio por el que llevo puesto e intento no pensar en si se trata de un robo, aunque haya dejado el mío en su lugar. En caso de que Moses, o el hombre de las cicatrices, o cualquiera de sus secuaces siga buscándome por la mañana cuando me ponga en marcha, tendré un aspecto diferente.

Deslizo los dedos por la camisa y me desabrocho los botones de hueso. Me quito la prenda y alargo la mano hacia la camisa blanca del desconocido antes de que los mosquitos me acribillen. El cuello se queda enganchado cuando tiro, y aunque soy alta, tengo que dar un brinco para soltarla sin desgarrarla. La rama vuelve hacia atrás y tira del toldo que resguarda al hombre, y este se revuelve en su catre, resopla y tose.

Me quedo totalmente tiesa y espero a que vuelva a acomodarse antes de lanzar mi vieja camisa a la rama y echar a correr medio desnuda con la suya. Me acurruco en una rastrojera para vestirme. Un perro ladra en el bosque, y otro se le une. Y luego un tercero. Entonan la prolongada y desigual melodía de las cacerías. Me acuerdo de la época en que los vigilantes y los guardas cabalgaban por las noches junto a sus sabuesos, persiguiendo a los fugitivos que intentaban ocultarse en los pantanos o huir al norte. A veces los atrapaban enseguida. Otras, se pasaban meses a la fuga. Algunos de ellos no regresaron nunca, por lo que albergamos la esperanza de que unos cuantos llegaran a los estados libres de los que tanto habíamos oído hablar.

En general, a los fugitivos les entraba hambre, o se ponían enfermos o echaban de menos a su gente, y ellos solos volvían a casa. Lo que ocurría después dependía de sus amos. Pero si los atrapaban en el campo, los guardas dejaban que sus perros les hincaran bien el diente antes de arrastrar lo que quedaba de ellos de vuelta a la plantación a la que pertenecían. Y entonces, todos, los jornaleros del campo, las chicas que servían en la casa y los niños del lugar, veían llegar al pobre desgraciado y presenciaban los azotes que venían después.

El señor no volvía a aceptar a los fugitivos. Siempre decía que si un esclavo no valoraba que le dieran de comer ni que le dejaran descansar los domingos, salvo en temporada de zafra, ni que los vistieran ni calzaran, en vez de venderlos y separarlos de su familia, no valía la pena quedárselo. Casi todos los sirvientes de los Gossett se habían criado en la plantación, pero los esclavos que los Loach le habían cedido a la señora como regalo de boda tenían historias distintas que contar. Las cicatrices de su cuerpo hablaban por sí solas, así como los muñones de sus dedos y las deformidades de sus brazos y piernas tras alguna rotura mal curada. Tanto ellos como algunos esclavos de plantaciones cercanas a Goswood Grove nos habían contado cómo era el día a día en otros lugares. Lo peor a lo que teníamos que enfrentarnos nosotros era al mal genio de la señora. Aquello no era nada en comparación con lo que tenían que sufrir muchos otros.

No quiero que los perros del bosque den conmigo, y como no sé a quién persiguen esta noche, lo mejor es que me refugie más cerca del pueblo e intente colarme en algún carromato que vaya a marcharse por la mañana. Podría pagar el viaje con el dinero que lleva la señorita en el monedero, pero no me atrevo.

Le doy vueltas a la idea mientras me abrocho la tapeta de la camisa acuclillada entre los rastrojos. Envuelvo la bolsa de la señorita con la cinturilla de los pantalones y me aprieto bien el cinturón de cuero de John para que no se me caiga. Me hace parecer un niño barrigón, lo cual es bueno. Un gordito vestido con una camisa blanca y un sombrero gris. Cuanto más diferente sea mi aspecto, mejor. Ahora solo me falta encontrar un carromato y esconderme antes de que amanezca y el hombre se dé cuenta de que alguien ha hecho el cambiazo con la ropa que dejó colgada.

Oigo que los perros se acercan cada vez más, de modo que cruzo de nuevo el campamento, me acerco al embarcadero y escucho las conversaciones de los hombres.

Busco un tipo de carromato muy concreto, uno en que el cochero esté solo y los caballos no hayan sido cepillados ni cercados, pues eso significa que partirán al alba.

El cielo empieza a iluminarse para cuando encuentro el carromato adecuado. Un hombre mayor de color conduce a sus mulas al frente. Lleva la mercancía del carro tapada y bien sujeta. El cochero tiene una cojera tan pronunciada que apenas puede bajarse del asiento, y le oigo decir que es de algún lugar río arriba. Cuando los ayudantes desatan las cuerdas, veo que debajo de la lona hay un elegante piano como el que la señora tenía antes de la guerra. El instrumento deja escapar unas cuantas notas desafinadas cuando los hombres lo bajan del carro; el cochero avanza rengueando por detrás, sin dejar de darles órdenes, hasta llegar al barco.

Me encamino hacia el carromato y oigo cómo las voces se entremezclan con los chirridos de las cuerdas, el tintineo de las cadenas y el chasquido de las poleas. Las mulas, las vacas y los caballos lanzan coces, inquietos, al tiempo que el personal se dispone a cargar el ganado. Justo después será el turno de los pasajeros, los últimos en subir a bordo.

No corras, me digo a mí misma, a pesar de que cada músculo y hueso de mi cuerpo lo esté deseando. *Camina como si nada. Como si trabajaras en el embarcadero igual que el resto. Sin perder la calma.*

Paso junto a un montón de cajas vacías, tomo dos y me las cargo sobre los hombros, manteniendo la cabeza gacha. El sombrero se me desliza hacia abajo, así que lo único que soy capaz de ver es la franja de suelo frente a mis pies. Oigo el vozarrón de Moses berreando y dando órdenes por allí cerca.

Un par de botas de caña alta se plantan frente a mí. Me paro en seco y me apretujo las cajas a la cabeza. *No levantes la mirada.*

Las botas se vuelven un poco hacia mí. Me muerdo el labio inferior con fuerza.

—Llevaos estos a donde os han dicho —dice el hombre. Me tranquilizo al comprobar que no es la voz de Moses y que tampoco parece estar hablando conmigo. Echo un vistazo y veo que se trata de un hombretón blanco que está diciéndoles a un par de estibadores dónde llevar unos baúles—. Daos aire u os iréis con el barco. Acabaréis en Texas.

Detrás del hombre, más pegado al río, está Moses. Permanece tieso como un palo bajo un farol colgante, con una de sus botas plantada en el embarcadero y la otra en el barro. Descansa una mano en la pistola que lleva sujeta al muslo mientras gesticula, grita e indica al personal dónde colocar la mercancía.

Cada uno o dos minutos, se sube al embarcadero y echa una mirada alrededor, como si estuviera buscando a alguien. Espero no ser yo.

Me aparto mientras los baúles son trasladados en carretillas. Una de las ruedas se sale de los tablones de madera que cubren el barro, y el mango se parte en dos, con lo que tanto el estibador como uno de los baúles caen hacia un lado. Algo golpea el interior hueco del arcón, y se oye un gemido leve y suave.

El hombretón blanco se adelanta y evita que el baúl caiga al suelo.

—Lleva cuidado —dice mientras el estibador se pone de pie—. Al jefe no le hará gracia que lastimes a uno de sus perros nuevos. Cuidado con las ruedas. —Coloca la rodilla y el hombro bajo el baúl para enderezarlo de nuevo sobre los tablones. Justo entonces, algo brillante y dorado cae a través de una de las láminas del baúl. Se desliza silenciosamente y aterriza en el barro junto al pie del hombre. Sé lo que es incluso antes de que ambos hombres se alejen; dejo una de las cajas en el suelo y recojo el objeto.

Abro la mano y, bajo el resplandor oscilante del farol de gas, veo el pequeño medallón de oro que la señorita Lavinia ha llevado desde que se lo regalaron por Navidad a los seis años.

Preferiría acabar bajo tierra antes de tener que deshacerse de él.

AMIGOS PERDIDOS

Señor editor:

Mi hermano, Israel D. Rust, se marchó de casa y dejó a nuestros padres en Nueva Brighton, Pensilvania, en 1847, me parece, con rumbo a Nueva Orleans, aunque nos enteramos de que tomó un barco en el río Arkansas. Esto es lo que nos contó un joven que lo acompañó al sur y regresó a Pensilvania al cabo de unos cuantos meses. No hemos vuelto a tener noticias de mi hermano desde que dicho joven volvió a casa. Cuando se marchó tenía unos 16 años, aunque era bastante menudo; tenía los ojos azules y le faltaba el dedo que está junto al meñique (el de la mano izquierda, creo). Su madre, sus cinco hermanos y su hermana deseamos fervientemente saber qué fue de él, ya que ninguno de nosotros espera que siga con vida. Dirijan sus mensajes a Ennis, Texas.

Albert D. Rust
—Columna de los «Amigos perdidos»
del *Southwestern*
3 de febrero de 1881

Capítulo 8

Los libros me hacen seguir adelante. Sueño con los ejemplares guardados en Goswood Grove, con enormes estanterías de caoba repletas de tesoros literarios y escaleras que se elevan hasta el cielo. Durante varios días seguidos, tras volver a casa frustrada por lo poco que he progresado con los chicos, me pongo los zapatos de goma y sigo el sendero de tierra elevada, me cuelo entre los mirtos de crepé y recorro los caminos cubiertos de musgo del antiguo jardín. Me quedo plantada en el porche igual que una niña frente al escaparate de Navidad de Macy's y me imagino todo lo que podría llevar a cabo si consiguiera echarles el guante a esos libros.

Loren Eiseley, que fue el protagonista de uno de los trabajos que más me gustó hacer en la universidad, escribió: «si existe la magia en el mundo, esta se encuentra en el agua», pero yo siempre he estado convencida de que, si la magia existe, se encuentra en el interior de los libros.

Necesito una buena dosis de magia. Me hace falta un milagro, un superpoder. Tras casi dos semanas, lo único que han aprendido mis alumnos es a gorronearme pastelitos y a dormir en clase… y a tener claro que les cortaré el paso si se les ocurre acercarse a la puerta antes de que suene el timbre, así que ni se molestan en intentarlo. Lo que hacen ahora es saltarse mis clases. No tengo ni idea de dónde están, pero sé que en mi aula no. Mis informes de faltas injustificadas descansan muertos de risa en el despacho sobre una pila enorme de papeles rosas muy parecidos. El maravilloso plan del director Pivoto para transformar el colegio por completo está a un tris de desaparecer bajo la típica excusa de *es que siempre hemos hecho las cosas así*. Es como el hastiado personaje que protagoniza el relato más famoso de Eiseley: devuelve al océano una por una las estrellas de mar que han acabado varadas en la playa mientras las olas no dejan de depositar más a lo largo de la interminable y despiadada orilla.

Como la mayoría de los libros del aula han desaparecido, he optado por leer en voz alta en clase fragmentos de *Rebelión en la granja*. A críos de instituto que deberían leer por su cuenta. No les molesta. Hay algunos que incluso me prestan atención, mirándome con disimulo entre la caterva de brazos cruzados, cabezas gachas y ojos cerrados.

LaJuna no está entre mis oyentes. Después de nuestro esperanzador encuentro en el Oink-Oink, ha faltado a clase desde el lunes. Estamos a jueves. Siento una decepción devastadora.

Al otro lado del pasillo, la profesora sustituta se desgañita durante mis sesiones de lectura para intentar contener el jaleo del aula de Ciencias. La profesora de Ciencias que empezó el curso conmigo ya ha tirado la toalla y ha dicho que tiene que volver a casa porque su madre ha sufrido un brote de lupus. Se ha marchado. Así sin más.

Yo sigo repitiéndome que no pienso a dejar el trabajo. Y punto. Conseguiré entrar en la biblioteca de Goswood Grove. Puede que mis expectativas sean demasiado altas, pero no puedo evitar pensar que ofrecerles la posibilidad de elegir a unos niños que, por lo general, cuentan con muy pocas alternativas, podría suponer una diferencia importantísima para ellos. Aparte de eso, me gustaría enseñarles que la forma más rápida para cambiar las circunstancias de uno es abrir un buen libro.

Los libros fueron mi vía de escape durante los largos y solitarios periodos que mi madre pasaba fuera de casa. Durante los años en los que crecí preguntándome por qué mi padre no me hacía demasiado caso, y también en las ocasiones en las que acudía a colegios donde, debido a mis salvajes rizos negros y mi piel aceitunada, tenía un aspecto diferente al de los demás, y los niños me preguntaban con curiosidad: *¿De dónde eres?* Los libros me hicieron creer que las chicas inteligentes que no encajaban con los grupitos populares eran capaces de resolver misterios, rescatar a cualquiera que estuviera en apuros, atrapar a peligrosos criminales, pilotar una nave espacial hasta un planeta lejano, empuñar armas y librar batallas. Los libros me enseñaron que no todos los padres comprenden a sus hijas o se esfuerzan por comprenderlas, pero que, a pesar de ello, estas pueden salir adelante. Los libros me hicieron sentirme hermosa cuando no lo era. Y capaz de lograr lo imposible.

Los libros forjaron mi identidad.

Y quiero que mis alumnos experimenten lo mismo. Que se produzca un cambio en esos rostros vacíos y desolados, en esas bocas adustas y en las apagadas y abatidas miradas que me contemplan día tras día desde los pupitres.

La biblioteca del instituto no me servirá de nada, ni siquiera de forma temporal. A los chicos no se les permite sacar los libros porque no se fían de ellos. La biblioteca municipal, situada en un antiguo edificio Carnegie a dos manzanas del colegio, está cayendo poco a poco en el olvido. La biblioteca más moderna, la que cuenta con las mejores instalaciones se encuentra, naturalmente, junto al lago, y fuera de nuestro alcance.

Debo descubrir qué tipo de ayuda puede proporcionarme el tesoro de Goswood Grove. Para ello, le he pedido al entrenador Davis que me preste uno de los prismáticos que usan los comentaristas durante los partidos. Como respuesta, se ha encogido de hombros y ha murmurado que le pediría a uno de los alumnos que me los trajera a última hora, aunque como hoy es jueves, necesitará que se los devuelva el viernes para el partido de fútbol.

Después de que suene el timbre de la última clase, me paseo por el aula vacía hasta que Lil' Ray y el chico flacucho que va siempre sin un pelo fuera del sitio aparecen por la puerta. Michael, el otro chico, es uno de los que más le hacen la pelota a Lil' Ray.

—Señor Rust. Señor Daigre. ¿Supongo que el entrenador Davis os ha dado algo para mí?

—Ajá.

—Sí, señorita. —Como ha sido el entrenador el que los ha hecho venir, los chicos muestran la actitud de un par de corderitos y, además, se dirigen a mí con educación. Lil' Ray se disculpa por no haber llegado antes. Michael asiente.

—No pasa nada. Agradezco que me lo hayáis traído. —Ambos contemplan el cajón de los pastelitos, pero no les ofrezco ninguno. Tras tener que aguantar que estos dos cafres se pasen las clases aporreando los pupitres y hablando por los codos, toda esta amabilidad me sorprende y me resulta casi molesta—. Dadle las gracias al entrenador Davis.

—Sí, señora —responde el flacucho de Michael cuando Lil' Ray me entrega los prismáticos.

Se disponen a marcharse cuando, de pronto, Lil' Ray levanta la cabeza como si le diera rabia preguntarme, pero a la vez se muriera de ganas por saber la respuesta:

—¿*Pa* qué quiere el prismático?

—¿Para qué quiere los prismáticos? —le corrijo—. No olvides que esta es la clase de Literatura, así que tienes que hablar con propiedad.

Michael se mira los pies y me dirige una sonrisa socarrona.

—Pero estamos en el pasillo.

Vaya por Dios, este chico está espabilado. Lleva dos semanas escondiéndolo muy bien.

—Sigue estando bajo mi jurisdicción —le digo con una sonrisa—. Técnicamente, mi territorio se extiende hasta la mitad del trozo de pasillo que está frente a mi aula. La otra mitad pertenece al aula de Ciencias.

Lil' Ray esboza una sonrisa y retrocede dos pasos gigantescos hasta situarse en zona segura.

—¿*Pa* qué quiere el prismático?

—Si mañana respondes a alguna pregunta... una que tenga que ver con *Rebelión en la granja*, te lo contaré después de clase. —Vale la pena intentarlo. Si consigo ganarme a Lil' Ray, puede que las tornas comiencen a cambiar. Es uno de los chavales más influyentes dentro del entramado social del instituto—. Puede ser la pregunta que prefieras, pero tienes que contestar en serio. No vale soltar cualquier chorrada para que los demás se rían.

Sueño con el día en que haya un debate de verdad en clase. Puede que mañana sea ese día.

Lil' Ray me fulmina con la mirada y vuelve la cabeza.

—Da igual.

—Avísame si cambias de idea.

Ambos se alejan de forma alborotada, dándose empujones y riendo con el desenfreno propio de dos cachorritos a los que han dejado sueltos por el pasillo.

Me guardo los prismáticos y espero a que den las cuatro en punto, la hora oficial de salida de los profesores. Los prismáticos, mi cuaderno y yo tenemos una misión por delante; y además, tras varios días pasados por agua, he quedado con tía Sarge a las 16:15 p. m. en mi casa para que me arregle por fin la gotera.

Con las llaves en la mano, recojo mi abultada mochila, y al darme la vuelta me topo, de entre todas las personas, con Yaya T, del Oink-Oink; la encorvada anciana se encuentra en la puerta del aula con lo que parece ser una caja de refrescos Mountain Dew apoyada en la cadera. Aunque sospecho que lo que hay dentro de la caja no son latas de refresco, pues apenas le cuesta cargarla y llevarla, cojeando, hasta mi mesa. Saca una tarjeta con algo escrito. Me indica con una severa inclinación de cabeza que examine el contenido de la caja.

No me atrevo a negarme, y al echar un vistazo, descubro que está repleta de lo que imagino que son galletas de cacao llenas de bultos; están apiladas en forma de pastel y separadas unas de otras con papel de hornear.

—Deja de comprar pastelitos —me ordena—. Estos son mis mazacotes de avena y pasas. Se preparan en un periquete y no hay que rascarse demasiado el bolsillo. Apenas llevan azúcar. Si los críos tienen hambre, se los zamparán, y si no, no les harán ni caso.

Pero no se te ocurra añadirles más azúcar. Déjalos como están. No uses chocolate en lugar de pasas a no ser que estés preparándolas para alguna fiesta. En clase olvídate del chocolate, ¿me oyes? Dales mazacotes que les quiten el hambre. Nada que les resulte más rico. Ese es el secreto, ¿de acuerdo?

Me entrega la tarjeta.

—Aquí tienes la receta. Fácil y barato. Avena, mantequilla, harina, una pizca de azúcar, pasas y plátanos maduros. De esos que dejan la cocina apestando. Tienen que estar tan blanditos como el barro. Los encontrarás tirados de precio al final del pasillo de las frutas y las verduras del Puerquito. ¿Alguna pregunta?

Contemplo la caja, aturdida. Después de pasar todo el día en el colegio, la cabeza me late, como de costumbre, y me siento como si me hubiera atropellado un autobús turístico. A mi cerebro le cuesta reaccionar.

—Ah… Pues… Eh… Vale.

¿Acabo de comprometerme a prepararles galletas a estos gamberros?

Yaya T me apunta con uno de sus rugosos dedos y frunce los labios como si hubiera tomado vinagre.

—Que te quede claro… —Señala las galletas con el dedo que usa para sermonear—. La próxima hornada es cosa tuya; no puedo sacarte las castañas del fuego siempre. Soy una anciana. Me duelen las rodillas. Tengo artritis en la espalda. Y los pies hechos polvo. Todavía no he perdido la chaveta, pero a veces se me olvidan cosas. Estoy mayor, soy una vieja tullida.

—Ah… de acuerdo. Es todo un detalle.

Un torrente de emociones me invade de forma totalmente inesperada: noto un nudo en la garganta y los ojos se me llenan de lágrimas. No suelo ser de las que llora. Lo cierto es que casi nunca lo hago. Cuando te crías mayoritariamente con gente que no es de tu familia, aprendes a tragarte los sentimientos para no causar molestias.

Trago saliva con fuerza y pienso: *¿Qué puñetas te pasa, Benny? Basta ya.*

—Gracias por tomarse tantas molestias.

—*¡Pfff!* No ha sido ninguna molestia —suelta Yaya T.

Finjo entretenerme cerrando la caja.

—Bueno, se lo agradezco de verdad. Y sé que los chicos también se lo agradecerán.

—De acuerdo, entonces. —Se vuelve hacia la puerta y se dispone a marcharse igual que ha llegado, por propia iniciativa—. Deja de cebar a los críos con pastelitos. Te están toreando. Son como pirañas, te dejarán seca. Sé lo que digo. Llevo dando clases de Catequesis desde antes de que nacieras. Mi difunto marido dirigió el coro durante sesenta y nueve años antes de partir al otro mundo. Trabajaba en el restaurante por el día y tocaba su música por la noche y los domingos. No les haces ningún favor a los chicos si los malcrías. Si quieres uno de esos pastelitos de crema de la tienda que vienen en esas cajas tan cucas y eres lo bastante mayor como para cortar el césped, arrancar los hierbajos, limpiarle las ventanas a alguien o llevarle la bolsa de la compra, búscate un trabajito y cómprate tú el pastel. Lo único que les doy yo por la cara, si de verdad tienen hambre, son galletas de avena. Y solo para que dejen de pensar en el hambre que tienen. Para que aprendan. Si tienen la suerte de pasarse el día en el colegio, en vez de estar trabajando, deberían dar gracias al cielo. Y valorarlo, igual que hacíamos en mis tiempos. —Se dirige a la puerta sin dejar de hablar—. Menudos consentidos. Tragando pastelitos sin parar.

Ojalá hubiera grabado su perorata en una cinta de cassette. O mejor, en una de vídeo. Se la pondría a mis alumnos una y otra vez hasta que cambiaran de actitud.

—¿Yaya T? —La detengo antes de que salga por la puerta.

—¿*Mmm?* —Se detiene, con los labios fruncidos de nuevo mientras se yergue.

—¿Ha cambiado de idea sobre lo de venir a hablar con ellos? Creo que les vendría muy bien escuchar sus historias.

De nuevo, hace un gesto con la mano para desestimar mi idea, como si se tratara de un mosquito enorme y molesto.

—Tesoro, yo no tengo nada que contarles.

Se marcha a toda prisa y me deja con la caja de mazacotes de avena y plátano. Que es más de lo que tenía hace unos minutos. Algo es algo.

También llego tarde a mi cita con Wonder Woman para que me arregle el tejado. Dejo las galletas en la caja fuerte de los pastelitos, también conocida como el cajón archivador de arriba, y me apresuro a marcharme a casa.

Tía Sarge está ya subida al tejado cuando llego y aparco. Hay una escalera de mano junto al porche, así que me subo hasta el último escalón y me apoyo en el tejado, que está aproximadamente a la altura de los bolsillos delanteros de mis pantalones, para mantener el equilibrio.

La saludo y me disculpo por llegar tarde.

—No te preocupes —murmulla ella con un clavo entre los labios, como si fuera un cigarrillo—. No me haces ninguna falta. Es todo trabajo de exterior.

Me quedo allí durante un momento y observo, con no poca admiración, cómo agarra el clavo de entre sus labios y lo fija a una teja con cuatro eficaces martillazos. Junto a ella hay un paquetito que parece albergar unas cuantas Texas extra, lo cual me preocupa un poco. Es evidente que hace falta algo más que el alquitrán para repararlo. Parece caro.

La escalera se tambalea al tiempo que subo una rodilla al tejado. Por suerte, hoy me toca poner la lavadora y llevo puestos los pantalones de trabajo más desgastados que tengo; de todas formas, ya va siendo hora de jubilarlos. Trepo con la misma elegancia de una foca amaestrada que intenta subirse a un caballo de circo.

Me dedica una mirada molesta.

—Si tienes algo que hacer, no te preocupes. Lo tengo todo controlado. —Adopta una fuerte actitud defensiva, como si estuviera acostumbrada a tener que defender sus opiniones. Puede que sea algo propio del ejército. Una manera de sobrevivir en un entorno de trabajo difícil.

Me pregunto si eso es lo que ocurre con mis alumnos. Tal vez su aparente desdén hacia mí no se trate de algo personal. La idea revolotea por los confines de mi mente, inesperada e interesante, y un poco subversiva. Siempre tengo la impresión de que el comportamiento de los demás es una reacción a algo que he hecho, en vez de considerar que simplemente forma parte de su manera de ser.

Mmm...

—Cuando acabe no tendrás ni una gotera más —me asegura—. Se me da bien la albañilería.

—Oh, estoy segura de ello. Y, de todas formas, aunque no fuera así, no me daría cuenta. Lo único que sé de tejados es que se colocan en la parte superior de las casas. —Gateo y me siento. Está empinado. Y más alto de lo que pensaba. Desde aquí, veo todo el cementerio y el campo de cultivo que está más allá del huerto. Menudas vistas—. Puede que, si me quedo a mirar, sepa cómo arreglarlo la próxima vez. Aunque creía que solo había que poner un poco de alquitrán alrededor del extractor o algo así.

—Hacía falta algo más que alquitrán. A no ser que quieras volver a tener goteras.

—Pues no. Es decir, claro que no, pero...

—Si lo que quieres es un apaño rápido, búscate a otra. —Se sienta sobre sus talones y me examina con la cabeza ladeada y la mirada entornada—. Si tienes algo más que decir, suéltalo. —Hace girar el martillo como si se tratara de un tenedor de plástico—. Esto de revolotear a mi alrededor es una pérdida de tiempo. Si tienes algo que decir, dilo y punto. Eso es lo que hago yo. Hay gente a la que no le gusta, pero es problema suyo. —Gesticula con la barbilla para otorgar fuerza a sus palabras. LaJuna me viene de inmediato a la cabeza. Lo de tener la piel curtida debe de ser cosa de familia.

—Es por el dinero. —Tiene razón. Me sienta bien soltarlo sin más. Señalo los clavos, las Texas y todo lo demás—. No puedo pagar todo esto. Creía que íbamos a hacer un apaño hasta que pudiera hablar con el casero. —Lo cual puede tardar todavía un poco. Intentar localizar a Nathan Gossett es como perseguir a un fantasma. También he tratado de ponerme en contacto con sus dos tíos a través de las oficinas de Industrias Gossett. Los Gossett e Industrias

Gossett exhiben una aversión apenas velada a tratar con el personal del colegio, ya que tales encuentros suelen implicar peticiones de fondos, donaciones y patrocinios.

Sarge asiente y vuelve al trabajo.

—Ya me he ocupado de ello.

—No pretendo que trabajes gratis.

—He localizado a tu casero. Me ha pagado él.

—¿Qué? ¿Quién? ¿Nathan Gossett?

—Eso es.

—¿Has hablado con Nathan Gossett? ¿Hoy? ¿Está por aquí? —Un esperanzador espasmo me sube por la garganta—. Llevo intentando ponerme en contacto con él, o con sus tíos en Industrias Gossett, toda la semana.

—No tienes la pasta suficiente como para que Will y Manford Gossett se molesten en atenderte, créeme. —De pronto, la brisa enfría el ambiente veraniego. Suaviza sus palabras al añadir—: Nathan no es tan capullo. Es solo que... no tiene ningún interés por Goswood.

—¿Sabes dónde puedo encontrarlo?

—Ahora mismo, no. Pero, como te he dicho, lo del tejado está ya solucionado.

—¿Cómo lo has encontrado? —Me alegra lo del tejado, pero lo que quiero es hablar con él. Con el acaparador de libros.

—Lo vi en el mercadillo orgánico. Va allí todos los jueves a primera hora de la mañana. Trae un montón de gambas que pesca con su barco. Tío Gable se encarga de venderlas por él.

—¿Todos los jueves? —Ya vamos llegando a alguna parte—. Si me paso la semana que viene, ¿lo veré por allí? ¿Podré hablar con él?

—Puede... Supongo que sí. —Golpea un clavo, saca otro de la caja con un movimiento fluido y lo clava también. *Bam, bam, bam, pum.* El sonido resuena en dirección al cementerio y el sendero de tierra. Dirijo hacia allí también la mirada y el pensamiento.

El silencio me devuelve al tejado. Cuando me giro hacia tía Sarge, me mira con los ojos entornados.

—Te aconsejo… que lo dejes estar. Cuanto menos lo molestes, menos pensará en largarte de aquí. Disfruta del tejado sin goteras y no llames la atención. —Vuelve a enfrascarse en su trabajo—. De nada.

—Gracias. —Y lo digo de todo corazón—. Aunque voy a echar de menos lo del goteo. Empezaba a dárseme bien saber cuándo iba a caer la siguiente gota.

Un par de clavos se caen de la caja y ruedan hasta mí. Los agarro y vuelvo a dejarlos en la caja.

—No te va a ayudar económicamente con… la causa para la que estés recaudando dinero, sea la que sea. Según la política de la familia Gossett, todas las peticiones deben pasar por el Departamento de Relaciones Públicas de Industrias Gossett. —La actitud defensiva vuelve a aparecer.

—Eso he oído. Pero no es su dinero lo que me interesa. —Sino los libros. Unos libros que están guardados en una casa cerrada, estropeándose. Unos libros que parecen no interesarles a nadie. Unos libros a los que les hace falta un nuevo hogar. Y amor. Me gustaría contárselo a tía Sarge, pero no puedo arriesgarme a que alguien le hable a Nathan Gossett de mí. La mejor baza para salir victoriosa es pillarlo por sorpresa—. Solo quiero hablar con él.

—Como quieras. —Pero su tono denota un *allá tú*. Coloca otro trozo de asfalto—. Debo terminar esto. Esta noche tengo que hacer de niñera otra vez mientras su madre va a trabajar.

Bam, bam, bam, pum.

—¿Siguen enfermos?

—Parece que se lo van pasando entre ellos.

—Qué mal. Y justo a principio de curso. —Me deslizo un poco hacia abajo para que vea que tengo pensado dejarla a lo suyo. Debo hacer una excursioncita antes de que oscurezca, y tras descubrir una posible pista sobre Nathan Gossett, estoy bastante emocionada—. Oye, eso me recuerda que LaJuna no ha venido a clase en toda la semana. ¿Está enferma también?

—No sabría decirte. —Su tono me revela que he pisado terreno pantanoso—. La madre de LaJuna es mi prima política… bueno, exprima política. Tiene tres críos de dos padres diferentes, además de LaJuna, que es hija de mi primo, con quien salió en el instituto. Si los niños están enfermos, no puede dejarlos en la guardería. Lo más seguro es que LaJuna se haya quedado con ellos.

Sus palabras son descorazonadoras.

—LaJuna no debería faltar a clase para poder ocuparse de los niños. —Me acuerdo de que la vi con un ejemplar de *Rebelión en la granja* metido en el bolsillo trasero del pantalón—. Es muy inteligente. Y estamos a principio de curso y cada vez va a ir más retrasada.

Tía Sarge me echa una mirada, vuelve a bajar la cabeza y golpea otro clavo con brío.

—Sois todos iguales —murmura lo bastante alto como para que yo lo oiga. Y luego añade más fuerte—: ¿No te has fijado en las dificultades que pasan muchos niños de por aquí? La madre de LaJuna gana 3,35 dólares la hora barriendo suelos y fregando baños en Industrias Gossett. Su sueldo no da ni para pagar la comida y la casa. ¿Creías que LaJuna trabajaba en el Oink para poder irse al cine y atiborrarse a palomitas? Tiene que ayudar a su madre a pagar el alquiler. Los padres de los críos hace mucho que se marcharon. Es bastante común por aquí. Da igual que sean negros o blancos. Crecen en un ambiente muy difícil y luego empiezan a meterse en líos. Las chicas se quedan embarazadas muy jóvenes, buscan por ahí lo que no se les dio en casa y acaban teniendo que criar a sus hijos por su cuenta. Seguro que no es algo habitual en el lugar de donde vienes, pero así son las cosas aquí.

Las mejillas me arden y se me revuelve el estómago.

—No tienes ni idea de dónde vengo. Entiendo mucho mejor de lo que crees lo que pasan estos chicos.

Pero mientras pronuncio esas palabras, me doy cuenta de que estoy pensando en las circunstancias de mi madre. Detesto admitirlo, aunque sea a mí misma, pues reabre viejas heridas y saca a la superficie los viejos resentimientos que nos han mantenido a mi madre y a mí separadas durante más de una década. Pero lo cierto es que mi madre encarriló nuestras vidas de la manera que lo hizo porque creció en una familia que era muy similar a las de aquí. No había dinero para la universidad, ni expectativas de futuro ni apoyo alguno, sino indiferencia, abuso y padres con problemas de adicción; ni siquiera tenía un modo de transporte fiable la mayoría de las veces. Vio un anuncio que ofrecía puestos de trabajo como azafata. Descubrió ese estilo de vida en la tele y le gustó. Hizo la mochila y se fue en autoestop desde un pueblucho industrial en las colinas de Virginia hasta Norfolk, donde consiguió trabajo gracias a su labia.

El mundo en el que me crio estaba a años luz del que ella conocía. Todos los problemas que surgieron entre nosotras, mis propias heridas y cicatrices y el sentimiento de dolor que por lo general suelo ignorar me han impedido ver ese hecho durante veintisiete años. Ahora no puedo eludir la verdad.

Mi madre cambió su suerte. Y la mía.

Sarge me echa una mirada.

—Es la impresión que me ha dado por las cosas que dices.

—Claro, como hemos compartido algunas intimidades —suelto— ya me conoces a la perfección. —Me arrastro hasta el borde del tejado. Ya me he hartado. Que se meta su actitud de mierda por donde le quepa.

Sé que la suerte de las personas puede cambiar. Lo he visto.

El martillo resuena a mi espalda al tiempo que saco un pie para poner a prueba la estabilidad de la escalera; bajo con cuidado hasta la hierba empapada, abro la puerta principal y me pongo los zapatos de goma; acto seguido, tomo los prismáticos y una carpeta del Bicho y me dispongo a cruzar el patio.

—La puerta está abierta —grito en dirección al tejado—. Entra en casa si lo necesitas. Cierra con llave cuando salgas.

Por alguna razón, ha hecho una pausa para ver cómo me marcho, con una teja colgando entre las rodillas.

—¿A dónde vas con eso? —Señala los prismáticos y la carpeta como si no acabáramos de intercambiar unas palabras tensas.

—A observar los pájaros —le suelto, y empiezo a caminar.

—Ten cuidado con las serpientes coral —exclama—. Su territorio está por allí atrás.

Un escalofrío me recorre por debajo de la ropa, pero no pienso sucumbir a él. Las serpientes coral no me dan miedo. Me río en la cara de las serpientes coral. Además, he estado en Goswood Grove varias veces y aún no he visto ninguna serpiente.

Aun así, las historias que he oído en el colegio me vienen a la mente. Historias de pozas, arrozales inundados, gallineros, aerolanchas, huecos oscuros debajo de los porches… y serpientes. Me acuerdo de un poemita mientras camino. Uno de los paletos lo escribió en un cuestionario que les pasé donde preguntaba cuál era la lección más importante que habían aprendido de las lecturas en clase de *Rebelión en la granja*.

Cómo diferenciar a las letales serpientes coral de las ratoneras, escribió. *Rojo y negro, puente de plata. Rojo y amarillo, estiras la pata.*

Aquel detalle no se mencionó en ningún momento durante las lecturas de clase, pero ahora me alegro de saberlo, pues, pase lo que pase, los prismáticos y yo nos vamos de excursión a Goswood Grove. Incluso desde fuera de la ventana, seré capaz de distinguir los títulos que adornan esas maravillosas hileras de libros que nadie lee.

Los prismáticos del entrenador, la señora carpeta y yo estamos a punto de preparar una lista de compras.

Capítulo 9

Contemplo la oscuridad y poso la mirada en el agua, que luce profunda y extensa bajo la luna, los faroles de los barcos y las sombras. Amarilla y blanca. Clara y oscura. Finjo que estoy en casa, a salvo, pero lo cierto es que, según pasan las horas y los días, este río me sumerge cada vez en más problemas. Tengo que volver a mi escondite para dormir, pero al mirar por encima de las barandillas, lo único en lo que puedo pensar es que la última vez que estuve a bordo de un paquebote como este fue cuando el amo Gossett nos agrupó a unos cuantos y nos mandó con Jep Loach a Texas para huir de los norteños. Estábamos encadenados los unos a los otros, la mitad no sabía nadar, y todos sabíamos lo que pasaría si aquel barco completamente abarrotado chocaba contra un banco de arena y se hundía.

Mi madre lloró y exclamó: *Quíteles las cadenas a los niños. Por favor, quíteselas…*

Ahora siento su presencia. Quiero que me haga más fuerte. Que me ayude a saber si estuvo mal lo que hice cuando oí los lamentos del interior de esos dos baúles mientras los cargaban a bordo. Cerca de allí había unos hombres armando ruido, lidiando con los últimos animales: dos pares de mulas peleonas, gritonas y mordedoras.

Solo tres hombres.

Cuatro mulas.

Dejé mi caja vacía en el suelo, me metí el colgante de la señorita en el bolsillo y eché a correr para ponerme detrás de la última mula. Abordé el barco con ella y ahí me quedé. Me escondí en un hueco entre unos fardos de algodón que medían más que dos hombres. Recé para no acabar enterrada viva dentro.

De momento, sigo aguantando.

—Mamá… —me oigo susurrar.

—*¡Shhhh!* —Alguien me agarra de la muñeca y me aparta de las barandillas laterales—. ¡Calla! Conseguirás que nos echen al río como no cierres el pico.

Junto a mí aparece un chico llamado Gus McKlatchy, que intenta apartarme del borde de la cubierta. Gus, que tiene doce o catorce años según el momento en que le preguntes, no es más que un harapiento chico blanco que proviene de algún lugar del *bayou*. Está tan flaco que puede meterse entre los fardos de algodón y esconderse como yo he estado haciendo. El *Estrella de Genesee* va lleno hasta los topes de mercancía, animales y personas. Es un cacharro viejo y maltrecho que se desliza por el agua a bastante profundidad, rozando los bajíos y arrecifes al tiempo que avanza con dificultad río arriba. De vez en cuando, aparecen barcos más rápidos que hacen sonar sus silbatos y adelantan al *Genesee* como si este estuviera anclado a los bajíos.

Los pasajeros a bordo son el tipo de personas que apenas tienen dinero para un pasaje en cubierta. De noche, se acuestan a la intemperie, con la mercancía, las vacas y los caballos. Las cenizas caen en espiral desde los innumerables barcos que pasan por al lado, y todos rezamos para que el algodón no se prenda fuego.

Apenas hay unos cuantos camarotes en la cubierta de la caldera para aquellos que pueden permitirse un pasaje con alojamiento incluido. La señorita Lavinia y Juneau Jane deben de estar en uno de ellos, si es que siguen vivas. Lo malo es que no hay forma de saberlo. Por el día, puedo camuflarme con los jornaleros, que son hombres de color, pero aun así sigo sin poder subir a las habitaciones de los pasajeros.

A Gus le ocurre justo lo contrario. Como es blanco, no pasa por jornalero, pero en caso de que le pidan el billete, lo único que podrá mostrar son sus manos vacías. Se pasea por el barco de noche. Es un ladrón, y aunque robar es pecado, ahora es el único que puede enseñarme cómo funciona todo. No somos amigos. Tuve que darle una de las monedas de la señorita Lavinia para que me dejara esconderme con él entre los fardos de algodón. Pero nos ayudamos el uno al otro. Ambos sabemos que si nos descubren nos lanzarán al río y dejarán que las ruedas de palas nos pasen por encima. Gus ha sido testigo de ello.

—Cállate —me regaña, y me arrastra de vuelta hasta nuestro escondite—. ¿Has *perdío* la chaveta o qué?

—He aprovechado que aún está oscuro para hacer mis necesidades —le digo. Si acaba pensando que soy lo bastante idiota como para conseguir que lo atrapen, se deshará de mí.

—Mea en el orinal. Anda que quedarte ahí *plantao* en el borde... —sisea Gus—. Si caes al agua y te vas al otro barrio, no tendré a nadie que esté *parriba* y *pabajo* durante el día. Lo demás me la trae al pairo. Me importa un bledo lo que hagas. Pero necesito que alguien se cuele *ande* van los trabajadores y me traiga pitanza. Estoy creciendo. No me gusta andar con hambre.

—No había pensado en el orinal —digo, refiriéndome al viejo cubo que Gus birló y metió a unos metros por debajo de nuestro escondite. Nos hemos montado una casa entera ahí abajo. Gus la llama «el palacio».

Un palacio para personas flacuchas. Hemos hecho un montón de túneles, como si fuéramos ratas. Incluso horadé un escondite para meter la bolsa de la señorita. Espero que Gus no haya dado con él mientras estoy ausente. Sabe que guardo algunos secretos.

Pero voy a tener que decírselo. Llevo casi dos días a bordo de este lentísimo paquebote y no he encontrado nada por mi cuenta. Me hacen falta las habilidades de Gus como ladrón, y cuanto más tarde en pedirle ayuda, más posibilidades hay de que algo horrible les ocurra a la señorita Lavinia y a Juneau Jane. Más posibilidades hay de que acaben muertas o deseando estarlo. Hay cosas peores que la muerte. Todo aquel que ha experimentado la esclavitud sabe que hay cosas mucho menos apacibles que estar muerto.

Para conseguir que Gus me ayude, debo contarle la verdad. Al menos, la mayor parte.

Y lo más seguro es que también tenga que darle otro dólar.

Espero hasta que volvemos a nuestra guarida hecha con fardos de algodón. Gus se mete en el hueco donde duerme sin dejar de rezongar por haber tenido que salir a buscarme.

Me coloco de costado y luego me pongo boca abajo para poder susurrarle, aunque, por el olor, noto que tiene los pies vueltos hacia mí.

—Gus, tengo que contarte algo.

—Voy a dormir —dice, molesto.

—Pero no puedes decírselo a nadie.

—No tengo tiempo para tus chorradas —suelta él—. Me estás dando más problemas que un carro lleno de cabras de dos cabezas.

—Prométemelo, Gus. Podrías ganarte otro dólar si eres capaz de guardarme el secreto. Te hará falta al bajar del barco.

Gus no es tan duro como aparenta. Está asustado, igual que yo.

Trago con fuerza y le cuento que la señorita y Juneau Jane entraron en aquel edificio y no volvieron a salir, que luego vi cómo trasladaban unos baúles al barco y oí unos ruidos que venían desde el interior, que un hombre dijo que había un perro dentro y que justo después el medallón de la señorita cayó al barro. Omito que soy una chica vestida con ropa de hombre y que de pequeña era la criada de la señorita. Me asusta que eso sea la gota que colme el vaso. Además, no hace falta que lo sepa.

Entonces se incorpora. Me doy cuenta porque lo oigo levantarse en la oscuridad, darse la vuelta y volverse a meter entre los fardos.

—Eso no quiere decir *na.* ¿Cómo sabes que no les robaron o las mataron y las dejaron *tirás* en ese edificio que el tuerto y el tal Moses vigilaban para... cómo se llamaba... el Washbacon ese?

—Washburn. Los baúles pesaban mucho.

—Eso es que desplumaron a las chicas y metieron todas sus cosas en los baúles. —Está claro que Gus sabe más sobre lo que hace la gentuza que yo.

—Oí ruidos que venían del interior. Golpes. Gimoteos.

—El hombre dijo que el jefe había metido ahí a su nuevo perro, ¿no? ¿Cómo sabes que los ruidos no los hacía el chucho?

—Porque *sé* qué ruidos hace un perro. Me han dado miedo toda la vida. Noto cuando hay uno cerca. Incluso lo huelo. No había ningún perro en los baúles.

—¿Cómo que te dan miedo? —Gus escupe sobre el algodón—. Los perros es bueno tenerlos *arrimaos*. Te hacen compañía. Te traen una ardilla o un pato o un ganso o lo que hayas *cazao*. Van tras las zarigüeyas para que puedas cenártelas. A todo el mundo le gustan los perros.

—Las que estaban dentro de los baúles eran la señorita Lavinia y Juneau June.

—¿Y qué quieres que haga yo?

—Que uses tus dotes de ladrón. Cuélate esta noche en la cubierta de la caldera. A ver si encuentras algún rastro de ellas en los camarotes.

—¡Ni pensarlo! —Gus se echa hacia atrás y se aleja.

—Te pagaré un dólar. Un dólar entero.

—No estoy tan *desesperao*. Esta historia tuya no es asunto mío. Ya tengo bastantes problemas. La primera regla del río es no acabar *ahogao*. Si te pillan rondando a los pasajeros de primera clase, primero te pegan un tiro y luego te ahogan. Si quieres mi opinión: mira por ti. Vivirás más de esa forma. Esas chicas deberían habérselo *pensao* mejor antes de meterse ahí. Y *sansacabó*. No es cosa tuya tampoco.

No le contesto de inmediato. Para convencer a Gus debo tomarme mi tiempo, debo hilar muy fino para que ni siquiera note la punzada de la aguja.

—No te falta razón. Sobre todo, en lo que respecta a la señorita Lavinia. Es de esas chicas altaneras. Se cree que puede mover un dedo y tener el mundo entero a sus pies. La malcriaron desde el principio.

—*Pos* eso. Tú misma lo dices.

—Pero Juneau Jane no es más que una chiquilla —murmuro, como si estuviera intentando convencerme a mí misma, en vez de a él—. Si todavía no lleva faldas largas. Y la señorita se la ha jugado. No es justo que le ocurra eso a una niña.

—No oigo *na*. Estoy durmiendo.

—El día del juicio final llegará para todos algún día. Dentro de mucho. No sé qué contestaré cuando esté frente al trono y el Señor me pregunte: «¿Por qué dejaste que sucediera algo horrible cuando pudiste haberlo evitado, Hannie?». —Le he contado que me llamo Hannie, que es el diminutivo de Hannibal, un nombre de chico.

—No soy religioso.

—Su madre es una de esas mestizas. Una bruja de Nueva Orleans. ¿Has oído hablar de ellas? Lanzan maldiciones a la gente y cosas así.

—Si esa tal Juneau Jane es hija de una bruja, ¿por qué no escapa volando? ¿Por qué no se cuela por la cerradura?

—Quizá sí que pueda. Puede que ahora mismo esté escuchando todo lo que decimos para ver si vamos a ayudarla o no. Si se muere se convertirá en fantasma. Una bruja fantasma que no se despegará de nosotros. Las brujas fantasma son las peores.

—O-oye… Deja de… Deja de decir eso. Estás majara.

—Eso es lo que hacen las brujas fantasma. Vuelven majaras a la gente. Lo he visto con mis propios ojos. Si se enfadan, no te dejan tranquilo. Te envuelven el cuello con sus frías manos y…

—Ya voy. —Oigo que Gus se pone de pie tan rápido que los residuos de algodón le arañan la piel; suelta una sarta de maldiciones en voz baja—. Deja de decir sandeces. Ya voy. Y ten el dólar a mano.

—Te lo daré en cuanto vuelvas. —Señor, espero no haber hecho con él lo mismo que hizo la señorita con Juneau Jane—. Pero ten cuidado, Gus, ¿vale?

—Como si fuera a servir de algo. Esta ocurrencia tuya no es más que una chaladura, eso es lo que es.

Se marcha y yo me quedo esperando. Y cruzando los dedos para que todo salga bien.

Doy un respingo con cada ruidito que oigo. Ya es de madrugada cuando advierto el crujido de los fardos de algodón.

—¿Gus? —susurro.

—Gus ha *acabao* en el agua. —Pero noto de inmediato que está de buen humor. Se está comiendo unas galletas que ha birlado de los camarotes. Me da un trozo. Está buena, pero las noticias que trae no lo son.

—No están allá arriba —dice—. Por lo menos, yo no las he visto y eso que he *mirao* por *tos laos*. Menos mal que nadie se ha despertado y me ha pegado un tiro, pero te voy a decir una cosa: ya sé dónde voy a sisar la noche antes de llegar a Texas. Antes de que los pasajeros de la cubierta de arriba se despierten y descubran que sus relojes, carteras y joyas han desaparecido, hará un buen rato que yo me habré largado.

—Más vale que te andes con ojo. Eso que haces no está bien. —Pero el estilo de vida de Gus es lo que menos me preocupa en este momento—. Es imposible que hayan desaparecido dos baúles así sin más. O dos chicas.

—Me has dicho que una de ellas es medio bruja. A lo mejor ha desaparecido aposta. ¿No lo has *pensao*? Igual ha desaparecido, y ya de paso, ha hecho desaparecer a la otra chica y los dos baúles. Seguro que no le ha *costao na* si es medio bruja. —Unas migas de galleta y unas gotitas de saliva me aterrizan en el brazo—. Creo que eso es lo que ha *pasao*. Tiene bastante sentido, ¿no crees?

Me limpio los restos de comida, apoyo la cabeza e intento pensar.

—Deben de estar en algún lugar del barco.

—A no ser que las tirasen al agua hace kilómetros. —Gus me ofrece otro trozo, pero yo lo rechazo.

—No está bien que digas eso. —El estómago se me revuelve y arde.

—Solo era una idea. —Gus se chupetea los dedos con ganas, sin dejar de hacer ruido. A saber dónde han estado esos dedos desde la última vez que se dio un agua—. Creo que mejor echamos una cabezadita —dice, y lo oigo acomodarse en su sitio habitual—. Que nos pille *descansaos* cuando salgamos del Misisipi y nos metamos en el río Rojo. Hay que apuntar el morro a Caddo Lake y

Texas. Texas, ese sí que es un buen lugar. He oído que el ganado va suelto por ahí desde la guerra… vaya, que uno no *pue* evitar hacerse rico. Y *aprisa*, además. Solo hay que reunir unos cuantos animales y hacerse un rebaño. Eso voy a hacer yo. Gus McKlatchy se va a hacer rico. *Na* más me hace falta un caballo y el equipo para agenciarme unos cuantos…

Relajo los músculos y dejo de hacerle caso; empiezo a preguntarme en qué lugar del barco estarán escondidas la señorita y Juneau Jane. Intento quitarme de la cabeza la idea de que hayan podido tirar los baúles al río y estos estén llenándose de agua poco a poco.

Gus me da un golpecito con el dedo del pie.

—¿Estás escuchándome?

—Estaba pensando.

—Bueno, solo digo —habla despacio y bosteza— que igual es buena idea que te vengas a Texas conmigo. Puedes vigilar mi rebaño. Nos forraremos y luego…

—Ya tengo casa en Goswood Grove —lo interrumpo antes de que continúe hablando—, y personas que esperan mi regreso.

—Las personas tampoco son tan importantes. —Deja escapar un ruidito estrangulado y tose con fuerza para disimular. Está claro que he hurgado en alguna herida, pero no me disculpo. ¿Por qué debería sentirme mal por un chico *blanco*?

—Para mí no existen esos lugares. —Ni siquiera sabía que tenía esas palabras guardadas hasta que las oigo salir de mis labios—. En ningún lugar me haré rico tras echarles mano a unas cuantas vacas.

—En Texas.

—Ni siquiera en Texas.

—Si tú quieres, sí.

—Soy de color, Gus. Siempre lo seré. Y nadie permitirá que gane demasiado dinero. Si consigo quedarme con una parte de la granja de aparcería, podré darme por satisfecha.

—A veces hay que soñar a lo grande. Eso me dijo mi viejo una vez.

—¿Tienes padre?

—En realidad, no.

Nos quedamos callados durante un rato. Navego por mis pensamientos como si fueran un río, trato de averiguar qué es lo que quiero. Intento imaginar cómo sería la vida en algún lugar silvestre de Texas. O tal vez en el norte, en Washington, D. C., Canadá u Ohio, con aquellos que huyeron de sus amos hace años y lograron su libertad de forma clandestina, mucho antes de que los soldados bañaran esta tierra con sangre y el ejército del norte nos dijera que no teníamos que pertenecer a nadie, ni un solo día más.

Pero yo sí pertenezco a alguien. Mi sitio está en esa parcela de tierra, con Jason, John y Tati. Labrando el campo, deshierbando los cultivos y recogiendo la cosecha. Formo parte de la tierra, del sudor y la sangre.

Ni siquiera conozco otro tipo de vida. Una no puede imaginarse lo que nunca ha visto.

Tal vez sea esa la razón por la que cada vez que mamá me llama en sueños, me despierto inquieta y empapada en sudor. Me asusta la inmensidad de todo lo que puede haber ahí fuera. Tengo miedo de todo aquello que no veo. Que nunca veré.

—¿Gus? —susurro con suavidad, en caso de que se haya quedado dormido.

—¿Quééé? —Bosteza.

—No estoy enfadado contigo. Sino con la manera en que funcionan las cosas.

—Ya lo sé.

—Gracias por ir a buscar a la señorita y a Juneau Jane. Te daré el dólar que te prometí.

—No hace falta. He *arramblao* con las galletas y con eso basta. Espero que no estén muertas… las chicas.

—Yo también.

—Es que no quiero que se me aparezcan sus fantasmas.

—No creo que lo hagan.

Volvemos a quedarnos callados. Y, luego, añado:

—¿Gus?

—Estoy dormido.

—Vale.

—¿Qué pasa? Ahora que me has *jorobao*, dímelo y ya está.

Me muerdo el labio. Decido pedirle algo; es como cuando cae una hoja a un río: nunca se sabe hasta dónde puede llevarla la corriente, en qué lugar de la orilla acabará.

—¿Podrías hacerme un favor cuando llegues a Texas? ¿Mientras te paseas por ahí en busca de ganado y eso?

—Quizá.

—Cuando hables con la gente de por allí, porque sé que hablas por los codos, ¿podrías preguntar si conocen a alguna persona de color que se apellide Gossett o Loach? Si encuentras a alguien que responda a alguno de esos nombres, tal vez podrías preguntarles si han perdido a un familiar que se llame Hannie. Si te dicen que sí, cuéntales que Hannie sigue donde siempre, en Goswood Grove. En el mismo lugar.

Un sentimiento de esperanza revolotea en mi garganta; torpe, como una criatura que acaba de nacer e intenta ponerse de pie. Lo entierro con fuerza. Es mejor que de momento no lo deje crecer demasiado.

—Puede que mi familia esté por allí. En Texas y en el norte de Luisiana. Todos llevamos tres cuentas azules en un cordel colgado alrededor del cuello. Son cuentas de África. De mi abuela. Te las enseñaré cuando haya suficiente luz.

—Sí, supongo que podría preguntar aquí y allá. Si me acuerdo.

—Te lo agradecería.

—Aunque nunca había oído cuatro palabras más tristes.

—¿A qué te refieres?

—A eso que has dicho al final de tu historia. —Hace un ruido con los labios, adormilado, y yo intento recordar qué le he dicho. Finalmente, repite mis palabras—: «En el mismo lugar». Esas son las cuatro palabras.

Entonces nos quedamos en silencio y dormimos. Los primeros rayos del sol se asoman por encima de los fardos de algodón cuando nos despertamos. Gus y yo nos espabilamos a la vez, nos incorporamos y nos damos la vuelta para mirarnos, preocupados. Ya no se oye el *plas plas* de las palas ni el ruido del motor. El fardo de algodón que nos cubre la cabeza se sacude de lado a lado. Ambos nos ponemos de cuclillas al mismo tiempo.

Aparte del fuego, esto era lo que más nos preocupaba. El algodón no se transporta hasta Texas: sale de Texas y del sur de Luisiana y se lleva a las fábricas de tela del norte. Nuestro palacio de algodón será descargado en algún lugar antes de llegar a Texas. Pero no sabemos dónde.

La primera noche que pasamos en el escondite, nos turnamos para dormir, pero estos últimos días no nos hemos molestado en estar pendientes. Las aguas del río fluyen con suavidad, hace buen tiempo y el barco pasa de largo los pueblos y las plantaciones que disponen de embarcadero. Ni siquiera se detiene para que aquellos que hacen señas desde los muelles puedan embarcar. El *Estrella del Genesee* va cargado hasta los topes, y así seguirá la cosa. Solo de vez en cuando se detiene el tiempo necesario para reponer la madera de la caldera. No es un barco demasiado amigable, no quiere saber nada de gente nueva.

Gus dice que es un barco peculiar. Que hay algo que no acaba de cuadrar. Los pasajeros, si hablan, lo hacen entre susurros, y el *Genesee* se desliza igual que un fantasma que quiere pasar desapercibido entre los vivos.

—Nos hemos parado —le susurro a Gus.

—Estarán cargando madera. Me parece que hemos *atracao* en el embarcadero de alguna granja. No oigo los típicos ruidos de la ciudad.

—Ni yo. —No es raro que los barcos se detengan en cualquier lugar para cargar combustible. La gente que vive en los pantanos y los granjeros se ganan la vida cortando madera para los barcos del río. Blancos que se encargan del trabajo que solían hacer los esclavos.

Los fardos de algodón se sacuden con fuerza. El palacio se balancea sobre nosotros, que estamos pegados el uno al otro, y dos fardos se desmoronan a la vez.

—¿Y si están cargando más cosas aparte de madera, o descargando algunas de las mercancías? —susurro.

Gus lanza una mirada nerviosa.

—Espero que no. —Se menea hasta ponerse de pie y susurra—. Hay que largarse. —Y entonces se dirige al túnel.

Yo agarro mi sombrero, desentierro la bolsa de la señorita, me la meto en los pantalones y empiezo a escarbar como un conejo que intenta escapar de las fauces de un perro metiéndose en su madriguera. Las cáscaras y las ramitas me tiran de la ropa y me arañan la piel mientras me esfuerzo por salir de allí y, a la vez, sujetar la estructura. El aire se llena de polvo y algodón, me cubre los ojos y me tapona la nariz hasta que soy incapaz de ver o respirar. Noto una presión en los pulmones, pero sigo escarbando. La alternativa es morir.

Los hombres de afuera gritan y dan órdenes. Se oyen los golpes de la madera al chocar. El ruido del metal al encontrarse con más metal. Las paredes de algodón se inclinan.

Llego al final del túnel y caigo en la cubierta, medio ciega y ahogándome por el polvo. Estoy demasiado mareada como para preocuparme por si alguien me ha visto. Lo más importante ahora es poder respirar de nuevo.

La luz del exterior es apenas gris, y las lámparas colgantes siguen encendidas. Los hombres corren de aquí para allá y los pasajeros instalados en cubierta se apresuran a salir de sus sacos de dormir y sus tiendas para sujetar los cubos y las bolsas de viaje, las pipas de fumar y las sartenes que se deslizan cuesta abajo al tiempo que el *Estrella de Genesee* se inclina sobre el agua. Hay demasiado alboroto para que nadie se fije en mí. Los jornaleros y los hombres blancos salen disparados con fardos, cajas y barriles cargados a la espalda. Al haber subido un nuevo cargamento de madera, uno de los lados del barco pesa demasiado. Debido a su bajo calado, ha empezado a darse la vuelta. La embarcación chirría al desplazarse un poco más hacia el lado. El caos reina en la cubierta principal, los hombres y las mujeres agarran frenéticos las bolsas, los perros y los niños, mientras el ganado se escurre. Las gallinas aletean en sus jaulas. Las vacas mugen desesperadas y resbalan contra los corrales. Los caballos y las mulas intentan mantener el equilibrio sobre los tablones de la cubierta, golpean los establos y relinchan. Sus lamentos se oyen a través de una bruma blanco azulada tan espesa que podría recogerse a cucharadas.

La madera se astilla. Una mujer grita: «¡Mi bebé! ¿Dónde está mi bebé?».

Un barquero pasa apresuradamente con un montón de madera. Supongo que será mejor que salga de aquí antes de que se fije en mí.

Me dirijo a los corrales de ganado del centro de la cubierta principal con la idea de aproximarme a los establos donde se encuentran la vieja Ginger y el caballo gris de Juneau Jane y fingir que me han mandado para calmarlos. Pero la confusión es tal que ni siquiera puedo acercarme. Acabo apretujándome contra las barandillas exteriores, ya que, si el barco se da la vuelta, al menos podré saltar. Espero que Gus esté en algún lugar donde pueda hacer lo mismo.

Con la misma rapidez con la que ha empezado a inclinarse, el *Genesee* chirría pesadamente y vuelve a erguirse sobre el agua. La mercancía y los pasajeros se deslizan y caen de forma estrepitosa. Los caballos y el ganado se tambalean y dejan escapar sus lamentos. Todos se apresuran a enmendar el estropicio.

Pasa algún tiempo antes de que las cosas se calmen y la tripulación continúe cargando madera. En la orilla del río no hay mucho más que una pequeña zona despejada en medio de un extenso tramo de arena. Está repleta de troncos de leña. Los trabajadores de color e incluso algunos de los pasajeros elevan y bajan la rampa con rapidez para subir la carga a bordo. Da la impresión de que están cargando el barco de más. Pretenden transportar tanto combustible como sea posible. El *Genesee* no volverá a detenerse hasta dentro de mucho.

Quizá sea mejor que bajes ahora, Hannie, me digo a mí misma. *Baja y vuelve a casa siguiendo el río.*

Algo duro y húmedo me golpea la oreja de pronto; me hace ver las estrellas y consigue que me retumbe la cabeza.

—Ponte a trabajar, chico —una voz se filtra a través del ruido. Una cuerda llena de nudos me baja por el hombro y la pierna y aterriza en la cubierta—. Ve a por madera. No te pagan por estar mirando.

Tras bajarme el sombrero, me escabullo por la rampa y me mezclo con los demás, que me atan fardos de madera a la espalda. Cargo todo lo que soy capaz. No quiero que vuelvan a azotarme. El mozo de cubierta aúlla: «¡Más madera! ¡Más madera!».

Por encima de todo el jaleo, oigo la voz grave de Moses:

—¡Nivelad la carga! ¡Venga, más rápido!

Sigo ocultando el rostro bajo el sombrero y avanzo con los demás. No miro a nadie. No hablo. Me aseguro de que no me vean la cara.

Es una señal, Hannie, me digo mientras trabajo. *Tienes la oportunidad de abandonar el barco. Ya mismo. Puedes marcharte y volver a casa. Simplemente escóndete entre los árboles.*

Cada vez que bajo la rampa, pienso: *Hazlo ya.*

Cada vez que subo, me digo: *A la próxima. La próxima vez que bajes, te marchas.*

Pero para cuando acabamos de cargar la madera, sigo en el barco. El *Estrella de Genesee* tiene el aspecto de una mujer a la que se le ha retrasado el parto, pero al menos está nivelado.

Me sitúo en las tablas cercanas a la parte de atrás y observo cómo los hombres terminan de descargar el azúcar, la harina, las cajas y los barriles de whisky para pagar la madera. Lo último que hacen antes de subir la rampa es apartar a la gente de en medio y hacer descender a dos caballos. Uno es alazán y el otro, gris.

La vieja Ginger y el caballo de Juneau Jane.

Después de todo, alguien ha decidido no llevarlos hasta Texas.

Vete, me digo a mí misma. *Vete de una vez.*

Me quedo ahí plantada, paralizada mientras la idea revolotea en mi mente. No veo a nadie en la orilla. Los únicos que se mueven son los peones que están subiendo las rampas. Tal vez, si espero a que el barco se aleje de la arena pueda agenciarme un cubo o algo que flote, meterme en el agua y patalear hasta la orilla. La rueda de paletas no succionará con tanta fuerza mientras el *Genesee* esté generando vapor.

Puede que acabe hecha pedazos y que los caimanes se den un festín.

Intento decidirme mientras el *Estrella de Genesee* se dirige hacia el canal. Si salto, ¿me dejarán marchar o me dispararán?

Antes de que pueda tomar una decisión, una mano enorme me agarra con fuerza por el cuello de la camisa. Noto el contacto de un cuerpo alto y firme, tibio y empapado de sudor.

—¿Sabes nadar? —La voz, profunda y húmeda, me roza la oreja igual que la bruma del río, pero la reconozco de inmediato. Moses.

Le dirijo una leve inclinación de cabeza.

—Pues lárgate del barco. —Otra mano aparece entre mis piernas y, antes de que me dé cuenta, estoy surcando el aire por encima de las barandillas.

Vuelo libremente, aunque no por mucho tiempo.

AMIGOS PERDIDOS

La señorita Salliie [*sic*] Crump, de Marshall, Texas, solicita información sobre sus hijas, Amelia Baker, Harriet y Eliza Hall y Thirza Matilda Rogers, propiedad de John Baker, natural de Abingdon, Washington County, Virginia. A Sallie Crump se la llevó David Vance a Misisipi quince o veinte años antes de que el sur se rindiera; desde allí la mandaron a Texas y lleva desde entonces viviendo en Marshall. Cualquier información que proporcione pistas sobre el paradero de sus hijas perdidas llenará de gozo el corazón de su amada madre.

T. W. Lincoln
Periódicos de Virginia y *Atlanta Advocate*,
publiquen una copia, por favor.

—Columna de los «Amigos perdidos»
del *Southwestern*
1 de julio de 1880

Capítulo 10

Benny Silva – Augustine, Luisiana, 1987

Justo cuando pierdo la esperanza, localizo lo que estoy buscando. El señor Crump, que está al mando del mercadillo orgánico de los jueves por la mañana, ya me ha dicho que no sabe a qué hora exacta aparecerá Nathan Gossett, pero que llegará en una camioneta azul. Por fin, veo una camioneta azul con unos congeladores en la parte de atrás; el conductor es varias décadas más joven que la mayoría de los comerciantes del mercadillo. Menuda suerte he tenido, y menos mal, porque ando justísima de tiempo. Le he rogado a la nueva profesora de Ciencias del aula de en frente que meta a mis alumnos de primera hora en su clase si no llego al colegio antes de que suene el timbre.

Ya son las siete y veinticinco. Dispongo de poco más de treinta minutos para llegar. Mi tercera semana como profesora ha ido un pelín mejor que las dos primeras, así que algo he avanzado. Los mazacotes me han sido de ayuda. A los críos con hambre les gustan lo bastante como para comérselos. Los que no están famélicos prefieren pasar. Tal y como me prometió Yaya T, cuesta muy poco prepararlas, y ya no me gasto un dineral en pastelitos, pues soy la única que se los come.

El hecho de que les hornee galletas los predispone a comportarse mejor. Creo que les sorprende que me preocupe lo suficiente por ellos como para tomarme la molestia. Eso, o les intimida que esté en contacto con Yaya T. Confieso que he dejado caer su nombre de vez en cuando a modo de estrategia. Todos los chicos de la ciudad la conocen. Es una persona tan servicial como macarra; además, como matriarca de la familia Carter, los propietarios del famoso Oink-Oink, controla el suministro de la carne ahumada, las pelotas de Boudin y quince clases de tarta. Con ella no se juega.

Lo cierto es que me gustaría que estuviera aquí conmigo. Lo más probable es que fuera capaz de llevar a cabo la tarea que tengo por delante en menos de cinco minutos. Reflexiono sobre ello mientras contemplo a Nathan Gossett descargar uno de los frigoríficos y llevarlos adentro; de camino, saluda a un anciano que lleva una chaqueta de los veteranos del ejército y un mono. ¿El que se encarga de venderle la mercancía, tal vez?

Nathan no es exactamente como esperaba. Nada en él revela que tiene dinero. No sé si se trata de algo intencionado o si hoy es el día en que hace la colada, pero los vaqueros desgastados, las botas camperas, la camiseta descolorida de un restaurante y la gorra de béisbol le dan el aspecto de alguien a quien le espera una mañana de arduo trabajo. Tras una semana y media de evasivas por parte de Industrias Gossett, esperaba encontrarme con un tío estirado y antipático. Puede que altivo y egocéntrico. Pero parece... cercano. Afable, incluso. ¿Qué llevaría a una persona así a abandonar un lugar como Goswood Grove, comprar un barco para la pesca de gamba y dejar que el legado de su familia se pudra?

Puede que esté a punto de averiguarlo.

Me preparo psicológicamente, igual que un luchador a punto de entrar en el cuadrilátero, y permanezco junto a la puerta del amplio cobertizo descubierto, con la esperanza de que salga solo. Algunos vendedores pasan por allí y llevan sus mercancías hasta sus puestos. Productos frescos. Mermeladas, jaleas y miel de la zona. Unas cuantas antigüedades. Cestas elaboradas a mano, manoplas, colchas y pan recién hecho. Se me hace la boca agua mientras los valiosos minutos siguen corriendo. Pienso volver por aquí cuando tenga más tiempo. Soy una loca de los mercadillos. En California, decoré todo el apartamento con cosas de segunda mano.

Para cuando mi objetivo sale, estoy hecha un manojo de nervios, y me quedo, de forma inoportuna, sin habla.

—¿Nathan Gossett? —Parece que vaya a entregarle algún documento legal, así que extiendo la mano de forma amistosa. Él arquea una ceja, pero acepta el saludo de forma educada, con un apretón firme pero no demoledor. Tiene la mano callosa. Eso no me lo esperaba—. Perdone que lo moleste mientras está ocupado. No le quitaré mucho tiempo, se lo prometo. Soy la nueva profesora de Literatura del instituto de Augustine. Benny Silva. Supongo que mi nombre le suena... —Seguro que ha oído alguno de los mensajes que le he dejado en el contestador o ha visto mi nombre en el contrato de alquiler, y si no, la recepcionista de Industrias Gossett le habrá comentado que he intentado ponerme en contacto con él, ¿verdad?

Se queda callado y yo me apresuro a llenar el incómodo silencio.

—Quería comentarle un par de cosas, pero sobre todo he venido por los libros de la biblioteca. Me está costando mucho que mis alumnos se interesen, aunque sea un poco, por la lectura. Y ya no digamos por la escritura. Menos del cuarenta por ciento de los estudiantes del instituto leen a un nivel adecuado para su edad, y lo siento por el gran George Orwell, pero los raídos ejemplares que tengo en clase de *Rebelión en la granja* me están resultando del todo inútiles. La biblioteca del instituto no les deja sacar los libros del aula y la de la ciudad solo está abierta tres tardes a la semana. Así que, he pensado que... si pudiera crear una biblioteca en mi clase, una realmente sensacional, tentadora, colorida y espléndida, la situación sería muy diferente. Dejar que los chicos elijan los libros que quieren leer, en vez de tener que conformarse con los que les damos los profesores, resulta empoderador.

Hago una pausa —debo recuperar el aliento—, pero la única reacción que recibo es una ligera inclinación de cabeza, la cual no sé interpretar todavía. De modo que prosigo con mi apasionada y frenética argumentación:

—Los niños deben tener la oportunidad de probar cosas nuevas que puedan interesarles, de sentirse atraídos por lo que les cuenta un libro. La lectura constituye el punto de partida de todo triunfo; incluso las notas de esos nuevos exámenes estandarizados estatales dependen de la lectura. Si no sabes leer, no podrás entender los enunciados de los problemas de Matemáticas o de Ciencias, así que dará igual lo bien que se te pueda dar cualquiera de las dos materias. Repetirás curso. Creerás que eres estúpido. Y eso por no mencionar cosas como las pruebas de acceso a la universidad. ¿Cómo conseguirán la oportunidad de ir a la universidad o de que les concedan una beca sin una buena comprensión lectora?

Me fijo en que está agachando la cabeza, ocultándose bajo la gorra de béisbol. Estoy siendo demasiado intensa.

Me seco el sudor de las manos en la falda recta que llevo puesta; la he lavado y planchado con esmero y combinado con unos zapatos de tacón que me dan un aspecto más profesional y me añaden unos centímetros de altura. Me he recogido la ondulada cabellera, fruto de mi herencia italiana, en un moño francés, me he puesto mis joyas favoritas… todo lo que se me ha ocurrido para causar buena impresión. Pero los nervios me la están jugando.

Tomo aire.

—No pretendía abrumarlo. Tenía la esperanza de que, ya que los libros parecen estar muertos de asco en las estanterías, tal vez se planteara donarlos para una buena causa. Al menos unos cuantos. Me gustaría incorporar a mi aula tantos como fuera posible y, tal vez, intercambiar el resto con el librero para el que trabajaba durante mis años de universidad. Estaría encantada de seleccionarlos yo misma y consultarle todo lo que hiciera falta, ya fuera por teléfono o en persona. Según tengo entendido, no vive en el pueblo.

Los hombros se le ponen rígidos. Los bíceps se le tensan debajo de la piel bronceada.

—Así es.

Nota mental: *No volver a mencionarle eso.*

—Sé que sorprenderlo aquí no es la estrategia más adecuada, pero no se me ocurría ninguna otra forma. Y lo he intentado.

—Así que… ¿Lo que quiere es una donación para su biblioteca? —Ladea la cabeza como si estuviera esquivando un gancho de derecha. Me distraigo durante un momento. Tiene unos ojos de lo más interesantes, de un tono casi agua marina que podría ser verde, avellana o gris azulado. Ahora mismo, el cielo matutino de Luisiana se refleja en ellos. Lóbrego. Ligeramente nublado. Gris y agitado—. Las donaciones de la fundación familiar se gestionan a través del Departamento de Relaciones con la Comunidad de la empresa. Dotar de libros a una clase me parece un motivo válido. El deseo de mi abuelo era que la fundación apoyara ese tipo de cosas.

—Me alegra mucho oírlo decir eso. —Percibo dos cosas. La primera es que, a pesar del resentimiento latente que alberga la ciudad hacia los Gossett, el nieto más joven da la impresión de ser un tipo decente. Y la segunda es que esta conversación le ha fastidiado un día que, por lo demás, iba de maravilla. Su actitud ha pasado de cordial a recelosa, además de un tanto melancólica—. Pero… ya he intentado que Industrias Gossett me dé una respuesta. He dejado tantos mensajes que hasta los recepcionistas reconocen mi voz. No ha habido más contestación que «Rellene un formulario», cosa que ya he hecho. Sin embargo, me es imposible esperar semanas o meses. Debo averiguar la forma de enseñar a los alumnos ya. Si pudiera, yo misma compraría los libros, pero acabo de mudarme, es mi primer año como profesora y… en fin… no puedo permitírmelo.

Un rubor me tiñe las orejas y se extiende hasta mis mejillas, antes de incendiar poco a poco el resto de mi cuerpo. Qué humillante. No debería tener que suplicar para poder hacer mi trabajo.

—Y por eso he pensado que, ya que todos esos libros están guardados en la biblioteca de Goswood Grove, sería buena idea darles uso a unos cuantos.

Él parpadea, sorprendido, y aprieta la mandíbula ante la mención de Goswood Grove. Me doy cuenta de que acaba de comprender justo ahora lo que le estoy pidiendo. Probablemente se esté preguntando por qué conozco la existencia de esos libros.

¿Cuánto debería contarle? Después de todo, he estado entrando sin autorización.

—Una de mis alumnas me habló de la biblioteca de su abuelo. Como vivo prácticamente al lado, me acerqué y eché un vistazo por la ventana. No pretendía invadir la finca, pero soy una bibliófila sin remedio.

—¿Vive al lado?

—Soy su inquilina. —Está más desvinculado de sus propiedades de lo que pensaba—. Tengo alquilada la casita que está junto al cementerio… ¿Esa donde vivía la señorita Retta? Debería haber dicho eso al principio. Supuse que reconocería mi nombre. Soy la chica a la que tía Sa… es decir, Donna le arregló el tejado.

Asiente, como si todo empezara por fin a cobrar sentido para él, aunque no en el buen sentido.

—Disculpe. Sí. La casa permaneció bastante tiempo vacía después de que la señorita Retta sufriera el derrame cerebral. Se ve que su familia pudo por fin vaciarla. Me imagino que la agente inmobiliaria pensó que estaba haciéndome un favor al alquilarla, pero la casa todavía no estaba en condiciones para ello.

—Ah, no, no he venido a quejarme. Me encanta la casa. Es ideal para mí. Me gusta vivir a las afueras y los vecinos son tan silenciosos que nunca los oigo.

Al principio la broma del cementerio le pasa inadvertida, pero luego la mejilla se le contrae.

—Cierto. —Aunque lo dice sin mucha alegría—. Aunque me gustaría que supiera que se trata de un alquiler a corto plazo. Los planes aún no han sido anunciados, así que le agradecería que no dijera nada al respecto, pero debería ponerla al corriente, ya que es un asunto que le afecta directamente. La junta directiva del cementerio quiere anexar esa parte de la propiedad. La venta no se llevará a cabo hasta Navidad, pero después, deberá mudarse a otro sitio.

La ansiedad me golpea con la fuerza de un tsunami y eclipsa mi curiosidad, los libros para mis alumnos y todo lo demás. ¿Organizar una mudanza en pleno curso escolar? ¿Buscar una casa para alquilar en un pueblo en el que apenas hay nada disponible, y mucho menos a este precio? ¿Hacer el traslado de los servicios de luz, agua, etcétera? Me abrumo solo de pensarlo.

—¿No puedo quedarme allí hasta que acabe el curso?

—Lo siento. Ya me he comprometido. —Desvía la mirada de manera evasiva.

Me coloco una mano en el pecho para apaciguar el sentimiento de pánico instantáneo que siento ahora mismo y que me embargaba siempre que mi madre me decía que volvíamos a mudarnos. Al haber estado gran parte de mi niñez de aquí para allá, me he convertido en una adulta a la que le gusta tener su nido. El hogar es sagrado. Es el lugar donde se alojan mis libros, mis sueños y mi cómoda butaca de lectura. Necesito vivir en esa casita de madera, asentada en un terreno tranquilo junto al cementerio, donde pueda recorrer los senderos o el antiguo camino de tierra que servía como dique, donde pueda tomar aire puro, recuperar fuerzas y poner en orden mis pensamientos.

Reprimo el disgusto, tenso el cuello y respondo:

—Lo entiendo. En ocasiones no hay más remedio… supongo.

Hace una mueca, pero también advierto que su decisión se afianza.

—Bueno… ¿Y qué hay de los libros? —Al menos puedo intentar llegar a un acuerdo, se me acaba el tiempo para sacar algo positivo de este encuentro.

—Los libros… —Se restriega la frente. Está harto de mí, o de la situación o de que le pidan favores. Probablemente, las tres cosas—. La agente inmobiliaria tiene llave de la casa. Le diré que se la deje. No sé muy bien lo que encontrará allí dentro, pero al juez le gustaba leer, y además nunca podía negarles nada a los críos que vendían enciclopedias o le ofrecían suscripciones al *Reader's Digest* o lo que fuera. La última vez que estuve en la biblioteca, había cosas apiladas por todas partes y los armarios estaban llenos de libros todavía metidos en su embalaje. Alguien debería deshacerse de toda esa basura.

Durante un momento me quedo sin habla. *¿Deshacerse de toda esa basura?* ¿Qué clase de neandertal habla así de los libros?

Entonces, me acuerdo de algo.

—La agente inmobiliaria tuvo una urgencia médica. No está en su despacho. El cartel lleva en la puerta desde hace más de una semana.

Frunce el ceño: según parece, no estaba al tanto de ello. Acto seguido, se mete la mano en el bolsillo, examina su llavero y comienza a desenganchar una llave. Para cuando logra sacarla, está de los nervios.

—Llévese los libros que puedan serle de utilidad y, por cierto, me gustaría que esto quedara entre nosotros. Si se topa con Ben Rideout mientras está cortando el césped, dígale que ha ido a poner en orden algunos de mis asuntos. No le hará preguntas.

La actitud de Nathan se endurece de forma rápida y dramática, se trata de algo instintivo, igual que mis sentimientos de pánico por tener que mudarme.

—No me envíe ninguna lista. Me da igual. No quiero saberlo. No quiero nada de esa casa.

Se aleja de forma brusca y en menos de un minuto se sube a su camioneta y se marcha.

Yo permanezco allí, boquiabierta y contemplando el trozo de latón patinado que tengo en la mano. Es como una de esas antiguas llaves maestras, pero más pequeña. Tiene los extremos adornados con arabescos y es tan diminuta que parece la llave de un baúl, del cofre de un pirata o de la puertecita al País de las Maravillas de Alicia. Unas esquirlas de sombría luz matinal se deslizan por encima y proyectan extraños reflejos en mi piel. Durante un instante, casi soy capaz de distinguir la forma de un rostro.

Pero desaparece igual de rápido.

Un sentimiento de fascinación se apodera de mí con una intensidad exagerada, me invade un anhelo voraz e insaciable. Hago acopio de toda mi fuerza de voluntad para evitar dirigirme a Goswood Grove de inmediato y descubrir a dónde puede conducirme esa llave.

Por desgracia, hay un montón de adolescentes esperándome para seguir con la lectura de *Rebelión en la granja*... y para que les abra el cajón de los mazacotes. Si el tráfico se porta bien, puede que todavía llegue a tiempo para dar mi primera clase y comenzar mi jornada sin incidentes.

El Bicho y yo atravesamos toda la ciudad, esquivando camiones de Industrias Gossett y camionetas de granjeros. La profesora de Ciencias está encantada de verme cuando me cuelo por la puerta de atrás. El timbre suena menos de tres minutos después y los alumnos entran a clase en tropel.

Por suerte, mis alumnos de primera hora son de séptimo grado, así que es más fácil intimidarlos para que se sienten. En cuanto me hago oír por encima del jaleo, les digo que, después de que terminemos de ver los adverbios, les leeré un fragmento de *Rebelión en la granja*, que es un libro que están leyendo los mayores, pero que estoy segura de que ellos entenderán también.

Se quedan boquiabiertos y se enderezan en las sillas. *Señorita Silva, hoy parece curiosamente menos agotada, está casi distraída*, me revela la expresión de sus rostros.

Si ellos supieran.

Saco el suministro de mazacotes.

—La parte de abajo de esta tanda se me quemó. Lo siento. Pero el sabor es bastante decente. Ya sabéis las normas. Nada de empujones ni gritos, o cierro la caja. Tomad una si queréis.

Intento, de forma poco entusiasta, explicarles los adverbios, pero acabo tirando la toalla y me pongo a leerles *Rebelión en la granja*. Mientras tanto, la llave de latón no solo ocupa mi bolsillo, sino también mis pensamientos. Estoy distraída.

La saco entre clases, la examino posada sobre la palma de mi mano y pienso en todas las manos que la habrán agarrado antes que yo. La estudio bajo diferentes ángulos de luz, intento recrear la imagen del rostro, pero no lo consigo.

Finalmente, me rindo y me pongo a mirar el reloj cada pocos minutos, deseando que el tiempo pase más rápido. Cuando suena el último timbre, estoy exultante, y lo único que ensombrece mi estado de ánimo es que LaJuna ha faltado a cuarta hora. Volvió a clase los primeros tres días de la semana, pero ahora, *puf*, se ha desvanecido como una voluta de humo.

Medito sobre ello mientras enderezo los pupitres, oigo el ruido de los autobuses escolares al pasar de largo y espero impaciente a que llegue la hora de salida de los profesores.

En cuanto eso sucede, me marcho con la rapidez de un guepardo que persigue a su presa.

No es sino hasta que llego a casa y me encuentro atravesando los jardines de Goswood Grove que todo el asunto empieza a parecerme algo dudoso. ¿Por qué me ha dejado Nathan Gossett la llave, así como así? *No me envíe ninguna lista. Me da igual. No quiero saberlo. No quiero nada de esa casa.* ¿Todo esto no significa nada para él? ¿Ni un poco? ¿De verdad no siente ningún vínculo con la historia de la casa? ¿Con *su* historia?

¿Estoy aprovechándome de eso injustamente?

Sé por qué me invade un sentimiento de culpa. Conozco los enfrentamientos y los problemas que pueden surgir en una familia. Las diferencias irreconciliables. Las heridas, el resentimiento y los diversos puntos de vista que impiden que todos los bandos se encuentren a mitad de camino. Tengo hermanastras por parte de padre a las que apenas conozco, una madre a la que no veo desde hace 10 años y a la que no tengo la intención de volver a ver ni puedo perdonar por lo que hizo. Por lo que me obligó a hacer.

¿Me he aprovechado de los mismos fantasmas que me atormentan a mí? ¿Los he reconocido, de algún modo, en Nathan Gossett y los he usado para conseguir lo que quiero?

Es una pregunta legítima y, aun así, me encuentro de todas formas en el porche de Goswood Grove, tratando de descubrir qué puerta abre mi llave y diciéndome a mí misma que no me importa que la frase «llévese lo que quiera» sea un cañonazo lanzado en el campo de batalla de esa familia. El mejor sitio donde pueden estar esos libros es en las manos de aquellos que los necesitan.

Las cerraduras de algunas de las puertas son demasiado modernas para la llavecita de latón. Es evidente que varias generaciones se han alojado en la casa a lo largo de los tiempos, sus múltiples ocupantes la han ido modernizando del mismo modo en que alguien encajaría las piezas de un puzle: una ventana por aquí, una cerradura por allá, un antiguo aparato de aire acondicionado en marcha en la parte de atrás, a pesar de que la casa está vacía, una cocina que se añadió, sin ninguna duda, mucho después de que la casa fuese edificada. Lo más probable es que antes de aquello hubiera una en el jardín, construida a poca distancia de la edificación principal para aislar el calor y el ruido y limitar el peligro de incendios.

Un acceso con dos puertas de entrada brinda paso a la cocina. Veo, a través de las ventanas, que una de ellas lleva directamente a una despensa y que la otra conduce a la izquierda, al interior de la cocina. Las clavijas de la ornamentada cerradura de latón giran sin ninguna dificultad, como si alguien la hubiera abierto ayer mismo. El polvo, la pintura y una rama despistada de hiedra se desprenden al abrir la puerta. La hiedra se desliza por mi cuello y yo me estremezco llevando a cabo un bailecito incómodo; la aparto de un manotazo mientras atravieso el umbral a toda prisa y luego me quedo ahí plantada, reacia a cerrar la puerta tras de mí.

La casa está cargada y húmeda, a pesar de que el aire acondicionado está enchufado. A saber qué hace falta para regular el ambiente en un edificio tan grande como este, repleto de unos antiquísimos ventanales que se extienden desde el suelo hasta el techo y unas puertas que se apoyan en sus marcos como si fueran ancianas descansando contra las paredes.

Recorro la cocina, la cual debió de estar equipada a la última durante los años 50 o los 60. Los aparatos eléctricos exhiben curvas propias de la época de la carrera espacial, y los indicadores y medidores son dignos del interior de una nave espacial. Los azulejos blancos y negros rematan la sensación de haber dado un salto en el tiempo. No obstante, todo tiene una apariencia ordenada. Las vitrinas acristaladas están casi vacías. Veo una fuente por ahí. Una pila de platos de la marca Melmac por allá. Una sopera con el mango roto. El panorama en la antecocina no es muy diferente, aunque los armarios son mucho más antiguos: la goma laca agrietada y llena de burbujas da testimonio al hecho de que lo más probable es que sea la original de la casa. Todo utensilio de plata o porcelana elegante que guardaran en el pasado aquellos estantes han desaparecido en su mayoría. Los cajones de los cubiertos, que están medio abiertos, se encuentran vacíos. Una extraña serie de vestigios acumulan polvo tras las puertas de vidrio emplomado. La sensación general que transmite el lugar es la de la casa de una anciana el día anterior a que se venda la propiedad, después de que la familia se haya repartido la herencia.

Recorro las estancias, sintiéndome como una mirona mientras atravieso un comedor amueblado con una imponente mesa de caoba y múltiples sillas con el asiento forrado de terciopelo verde. Unos enormes retratos pintados al óleo de los ocupantes de la casa a lo largo de los tiempos cuelgan de las paredes. Mujeres ataviadas con elaborados vestidos y cinturas imposiblemente ceñidas. Hombres con chalecos que posan con bastones coronados de oro o perros de caza. Una niña pequeña con un atuendo de encaje blanco de principios de siglo.

El diseño del salón adyacente es un poco más moderno. Hay un sofá, unas butacas de color burdeos y una televisión que descansa en un armario con altavoces incorporados. Algunos miembros más recientes de la familia Gossett me contemplan desde los retratos colgados y los atriles que están sobre el mueble de la tele. Me detengo frente a un despliegue de fotografías de la graduación de cada uno de los tres hijos del juez. Hay un título universitario enmarcado debajo de cada fotografía: Will y Manford se graduaron en Empresariales por la Universidad Rice, y Sterling, el pequeño, acudió a la Facultad de Agricultura de la Universidad Estatal de Luisiana. Solo con mirarlo resulta fácil adivinar que es el padre de Nathan. Se parecen mucho.

No puedo evitar pensar: *¿No quiere Nathan conservar alguna de estas fotos? ¿Ni siquiera para recordar a su padre, que murió siendo muy joven?* En esa foto, Sterling Gossett no parece mucho más grande que Nathan. Supongo que no vivió muchos años más.

Me resulta demasiado triste seguir divagando al respecto, así que atravieso el salón en dirección a la estancia que sé que me voy a encontrar a continuación. Conozco la disposición de la casa gracias a mis numerosos fisgoneos desde el porche. Aun así, cuando

cruzo el umbral y entro en la biblioteca de Goswood Grove, me
quedo sin aliento.

Se trata de una habitación soberbia, idéntica a como era antaño. Salvo por la incorporación de las lámparas eléctricas, los inte-
rruptores de la luz, un par de enchufes y una enorme mesa de billar
que seguramente no es tan antigua como la casa, nada se ha moder-
nizado. Recorro con la mano la funda de cuero de la mesa de billar
al pasar y tomo uno de los numerosos volúmenes que hay apilados
encima. El juez tenía tantísimos libros que estos se encuentran di-
seminados como los brotes de hiedra del exterior de la casa. Ocupan el suelo, el hueco bajo el inmenso escritorio, la mesa de billar y
cada centímetro de cada estante.

Me deleito con lo que tengo delante, me quedo hipnotizada,
embelesada con el cuero, el papel, los bordes dorados, la tinta y las
palabras.

Me dejo llevar. Me pierdo en todo ello.

Permanezco tan ensimismada que ignoro cuánto tiempo ha
pasado antes de darme cuenta de que no estoy sola.

Capítulo 11

El río se aferra a mi ropa mientras arrastro el cuerpo hacia la arena; me quedo ahí tirada, tosiendo, escupiendo agua y vaciando el contenido de mis entrañas. Sé nadar, y el hombre me lanzó lo bastante cerca de la orilla como para llegar sin demasiada dificultad, pero este río tiene vida propia. Un amasijo de ramas se desvió en mi dirección después de que el barco emprendiera la marcha; cuando pasó por al lado, me quedé enganchada y me arrastró hacia el fondo. Tuve que emplearme a fondo para soltarme.

Oigo que un caimán se desliza por el lodo a poca distancia de donde estoy, me pongo a cuatro patas, toso más agua y saboreo la sangre.

Entonces me toco el cuello y noto la piel desnuda.

No tengo el cordel de cuero. Ni las cuentas de la abuela.

Las piernas me tiemblan mientras me levanto y me acerco a la orilla para buscarlos. Me subo la camisa y compruebo la parte de debajo. La bolsa de la señorita se me resbala por los pantalones mojados, pero no hay ni rastro de las cuentas.

Quiero aullar al río y soltar una sarta de improperios, pero caigo sobre las manos y las rodillas, expulso el resto del agua de los pulmones y pienso: *Si vuelvo a ver a ese Moses, lo mato.*

Me ha quitado lo único que me quedaba de mi familia. El último pedazo de ellos ha desaparecido en el río. Puede que sea una señal. Una señal para que vuelva a casa, de donde nunca debería haberme marchado. En cuanto llegue, decidiré a quién contarle lo ocurrido. Quizá las autoridades vayan a por los que se llevaron a la señorita Lavinia y a Juneau Jane, pero la información no puede salir de mí. Tengo que encontrar otra manera de hacérselo saber.

Miro río arriba y río abajo una vez más y me pregunto si estaré muy lejos de algún lugar donde poder tomar un ferry que cruce estas impetuosas e inmensas aguas hasta la parte en la que está mi casa. No veo a nadie por los alrededores. Tampoco edificios, y el único sendero que hay es el de donde hemos recogido la madera. Debe de llevar a algún lugar. Puede que, gracias a una intervención divina, nadie haya ido todavía a por los caballos.

Es la única esperanza que me queda, así que allá me voy.

Antes de llegar, oigo a unos hombres, el tintineo de las hebillas de un arnés, el chirrido de las varillas y un balancín. El suave resoplido de un caballo. Aminoro la marcha, pero tengo la esperanza de que los leñadores sean hombres de color y me ayuden. Cuanto más me acerco, más segura estoy de que están hablando en otro idioma. No es francés —sé reconocer algunas de las palabras—, sino otra cosa.

Puede que sean algunos de los indios que todavía viven en los pantanos, los que se casaron con los blancos y los esclavos que huyeron a los bosques para esconderse hace años.

Un cosquilleo me recorre. Una advertencia. La gente de color debe ir con mucho cuidado. Las mujeres, también. Yo soy ambas cosas, así que el peligro se multiplica por dos, y lo único que tengo para defenderme es una pistola Derringer con dos cartuchos que se ha mojado y probablemente esté estropeada.

Un perro ladra, y los dos hombres guardan silencio. Me detengo de golpe y me lanzo a los matorrales. El perro se acerca y yo me quedo paralizada. Incluso aguanto la respiración.

Largo, chucho.

Espero a que el chucho me delate. Va de un lado a otro y olfatea enérgicamente. Sabe que ha encontrado algo.

Uno de los hombres brama una palabra que se asemeja a un gruñido.

El perro echa a correr de inmediato.

Apoyo la frente en el brazo y tomo aire.

Los muelles de un carro chirrían. La madera choca contra sí misma. Una mula rebuzna. Un caballo relincha y resopla y golpea el suelo con las patas. Los hombres murmuran y refunfuñan mientras cargan sus mercancías.

Me arrastro hasta la zona menos frondosa de los matorrales, donde puedo ver a través de algunos huecos.

Dos hombres. Ni blancos. Ni indios. Ni negros. Algo intermedio. Su olor flota en el viento. Sudor, sebo agrio, mugre, whisky y el tufo de alguien que no se ha molestado en lavarse. Sus cabelleras, largas y oscuras, asoman por debajo del sombrero y el barro apelmaza sus andrajosas ropas.

El perro está débil y delgado, y tiene una calva ensangrentada de tanto rascarse la piel sarnosa. El aspecto del mulo que tira del carro no es mucho mejor. Es mayor y está herido, el roce del arnés le ha hecho llagas y las moscas se han dado un festín con las zonas que se le han quedado en carne viva.

Un buen hombre no trata a su mulo así.

Ni a su perro.

Me quedo en mi escondite y presto atención a su extraña lengua, intento no moverme mientras conducen nuestros caballos al carro y los amarran con rapidez; luego se suben en el carro y sueltan el freno. Veo cómo la vieja Ginger sacude las patas, que tienen unas marcas en forma de calcetines, y protesta por la presencia de los mosquitos búfalo, los jejenes y las moscas de venado. Quiero echar a correr y recuperarla, llevármela de aquí, pero sé que tengo que escabullirme mientras pueda, marcharme antes de que las serpientes y las panteras aparezcan y los demonios se alcen del *bayou*. Antes de que el *rougarou*, el hombre lobo, salga de las aguas negras y merodee en busca de comida.

Un breve y agudo chirrido de metal aleja ese pensamiento cuando el carro se pone en marcha. Capto un destello dorado a través del hueco de las hojas. Sé lo que es antes de que mi mente pueda evocar la imagen de los dos enormes baúles con esquinas protectoras de latón.

Han dejado aquí lo que fuera que cargasen río arriba en el *Estrella de Genesee*.

Puede que ahora los baúles estén vacíos. Tal vez debería olvidarme de que los he visto y ocuparme de salvar mi pellejo. Pero en cambio, voy tras el carro, y me quedo a una distancia suficiente como para que ni siquiera el perro se dé cuenta.

La cabeza me palpita y estoy chorreando de sudor; los mosquitos y las moscas de venado se posan sobre mí y me pican. No puedo apartármelos de un manotazo ni echar a correr. Debo permanecer en silencio.

Sea cual sea el lugar adonde se dirigen los hombres, está muy lejos. Parece que recorremos kilómetros y más kilómetros. Las piernas me fallan y los troncos de los árboles se ponen a dar vueltas alrededor de mis ojos; sol y sombras, hojas y ramas torcidas. Me tropiezo con la raíz de un ciprés y caigo con fuerza en la orilla de un pantano. Me pongo de espaldas y echo la vista al cielo, contemplo los fragmentos azules que asoman, como las telas que hacía mamá en casa, con el tinte aún fresco de los campos de añil.

Me quedo ahí tumbada, a la espera de lo que esté por llegar.

A lo lejos, el eje del carro hace sonar su melodía: *ñiiiic, clic-clic, ñiiiic, clic-clic, ñiii…*

La charla entre ambos hombres se vuelve más agitada y ruidosa. Puede que hayan empezado a darle al whisky.

Me acurruco junto al ciprés, me cubro la piel todo lo posible de los mosquitos y las moscas negras, cierro los ojos y espero a que sus voces se desvanezcan.

No sé si me quedo dormida o solo me amodorro un rato, pero no siento nada. No tengo ninguna preocupación.

Algo me roza la cara y me aparta de la pacífica sensación. Los ojos me arden cuando intento abrirlos, los noto legañosos y secos. Las sombras de los árboles se han alargado con el sol de la tarde.

Vuelvo a sentir el roce, tan suave como un beso. ¿Es Jesús, que viene a por mí? Puede que, después de todo, me ahogase en el río. Pero lo que me roza apesta a barro y carne podrida.

¡Algo intenta comerme! Salta a un lado cuando le doy un golpe, y al mirar, me encuentro con el perro escuálido y lleno de garrapatas de antes. Baja la cabeza medio calva, me mira con unos ojos marrones llenos de prudencia y mete la cola entre las patas, aunque mueve la punta entre sus rodillas traseras, como si esperara que fuera a tirarle algo de comer. Permanecemos así, mirándonos con suspicacia durante un rato, antes de que pase por delante de mí y se ponga a beber el agua de lluvia que ha quedado recogida en el hueco de la raíz del ciprés. Me lanzo hacia delante y hago lo mismo. El perro y yo bebemos mano a mano del mismo cuenco.

El agua me recorre el cuerpo, me aviva los brazos, los pies y la mente. El perro se sienta y me observa con atención. No parece tener prisa por marcharse. Debe de estar cerca de casa.

—¿De dónde has salido? —susurro—. ¿Vives por aquí?

Cambio de postura para ponerme las piernas por debajo y el perro retrocede.

—Vale —susurro. Es el perro más triste y hecho polvo que he visto; tiene arañazos, partes hinchadas y calvas por todo el cuerpo—. Vete a casa. Llévame hasta allí.

Me pongo de pie, él se escabulle y yo lo sigo mientras serpentea por el bosque. No quiere recorrer el sendero, así que lo cruzamos y bajamos por una zona de caza. El olor a brasas de un ahumadero se concentra en el fondo de mi boca. El perro me lleva directamente hasta allí, a la parte trasera de una guarida situada en un terreno elevado del bosque. Hay una casita de madera, un granero, un ahumadero y una letrina. Las chimeneas están hechas de palos y barro, como las de las antiguas cabañas de Goswood Grove. En este lugar todo está inclinado hacia un lado o hacia el otro; el *bayou* avanza y devora la zona poco a poco. Hay una canoa apoyada en la pared de la cabaña con todo tipo de trampas para castores y otros animales. Los restos de un ciervo cuelgan de un árbol, y la aglomeración de moscas es tal que trepan las unas sobre las otras para llegar a su objetivo.

Es como un cementerio, no se oye el más mínimo ruido. Me agacho detrás de una pila de madera tan alta y ancha como la cabaña;

observo y presto atención mientras el perro continúa hasta el patio, olfatea por allí y cava un agujero para tumbarse y refrescarse. Un caballo resopla y arma jaleo; da coces a la pared de madera del granero, lanzando una lluvia de piedrecitas y mugre. Una mula rebuzna. El ruido es tan fuerte que los pájaros salen volando, pero la cabaña permanece en calma.

Me arrastro hasta el granero y echo un vistazo. El carro está situado en el pasillo. Ginger y el caballo gris de Juneau Jane se encuentran juntos en uno de los establos y el viejo mulo, en el de al lado. Los tres están cubiertos de sudor. Han estado bregando entre ellos para ver quién es el jefe. La sangre gotea de la pata del gris, pues se ha hecho una herida al golpear las barandas. Me acerco un poco más para ver la parte trasera del carro. Uno de los barriles de whisky y los baúles han desaparecido.

Doy unos cuantos pasos más y atisbo los enormes cofres con las esquinas de latón; están en el suelo del granero, aunque cuando me acerco a examinarlos, me doy cuenta de que están abiertos y vacíos. El olor resulta tan horrible como mi descubrimiento. Es el hedor de unos estómagos que han expulsado su contenido y el de unos cuerpos que han evacuado sus desperdicios, pero por lo menos no huele a cadáver. Eso me reconforta, aunque solo sea un poco. Prefiero no pensar en lo que significa que hayan metido a la señorita y a Juneau Jane en esa cabaña. Si es así, no sé si podré ayudarlas.

Examino el granero con la esperanza de que hayan dejado algún rifle, pero en las paredes solo hay arneses colgados, todavía húmedos de las tareas matutinas, además de media docena de antiguas bridas confederadas con los medallones de latón de la frontalera grabados con las letras CSA. También veo sillas de montar como las de Jeff Davis, amontonadas sobre la parte superior de unos barriles vacíos, cantimploras del ejército confederado, una lámpara de queroseno y unas cerillas en una caja de latón que sirve para encenderlas.

Desentierro un trozo de hule que está medio clavado en el heno, lo pongo en el suelo y empiezo a recoger provisiones. Cerillas, una cantimplora, un bote de hojalata, un trozo de vela y un poco de carne del ahumador. Lleno la cantimplora con el barril de agua de lluvia, me la cuelgo del hombro y agarro una cuerda y ato el hule a un palo. El perro se acerca, yo le lanzo un poco de carne y los dos nos quedamos contentos. Me sigue cuando me llevo el hatillo al bosque y lo dejo sobre la rama de un árbol, donde podré recogerlo sin dificultad en caso de que tenga que salir pitando.

El perro y yo nos agachamos entre la maleza y, entonces, observo la cabaña y pienso en qué hacer a continuación. Supongo que ir a buscar los caballos. Luego me preocuparé por el resto.

Mientras vuelvo al granero me fijo en una zona que hay entre los establos y la pared del fondo. No mide más de un metro, pero está totalmente cerrada, y no se ve desde el exterior. No recuerdo haber visto ninguna puerta desde el pasillo. Solo se me ocurre una razón para construir un granero como este, con una habitación secreta.

Una vez dentro, reviso los alrededores y encuentro un hacha atravesada en una presilla de metal; no está ahí por casualidad, sino para mantener cerrado un cerrojo, para ocultarlo. Un listón de madera sostiene erguido el otro lado. Cuando muevo el listón y levanto el hacha, el trozo de pared se desprende, igual que la tapa lateral de una jaula.

Tenía razón. La habitación es un escondite idéntico a los que utilizaban los cazadores furtivos de esclavos antes de que nos liberasen. Incluso en la oscuridad, veo las cadenas colgadas de unas clavijas. Esta clase de hombres cazaban a los fugitivos en los pantanos. Apresaban a los que recorrían los caminos: personas de color libres con sus documentos en regla, mulatos y mestizos, esclavos que cumplían con las tareas que les mandaban sus amos y llevaban una autorización. Esta clase de hombres no se molestaban en preguntar. Simplemente cubrían la cabeza del hombre, mujer o niño con una bolsa y los dejaban atados bajo una lona en la parte trasera del carro, los ocultaban en el pantano y se los vendían a algún comerciante que pasara con una triste cáfila rumbo a alguna subasta. Esta clase de hombres hacen negocios del mismo modo que Jep Loach.

Me llega un olor que se filtra desde la oscuridad de la habitación. El mismo que percibí en los baúles. El del contenido del estómago y las tripas, agrio y descompuesto.

—¿Estáis aquí? —susurro, pero no hay respuesta. Presto mucha atención. ¿Es una respiración eso que oigo?

Me muevo a tientas y me topo con un cuerpo tibio tirado sobre la paja, y luego con otro. La señorita Lavinia y Juneau Jane no están muertas, pero tampoco vivas. Lo único que llevan puesto es la ropa interior. Ni los susurros ni las sacudidas ni los tortazos las espabilan. Asomo la cabeza por la puerta y compruebo la casa de nuevo. El perro está sentado en la entrada del granero, mirándome, pero se limita a menear su cola medio pelada de un lado a otro, acordándose de la carne que le he lanzado. No me dará problemas.

Sigue, Hannie, me digo a mí misma. *Date prisa y haz lo que tengas que hacer antes de que venga alguien.*

Pesco ronzales, correas y bridas, y dos de esas sillas de montar que se usaban durante la guerra, las que están en mejor estado. Las ratas han mordisqueado las cinchas y tiras de cuero, que tienen una pinta endeble, pero aguantarán, o eso espero. No me queda otra. La única forma de que las chicas no se caigan de los caballos es sujetándolas a algo. Tengo que subirlas y atarlas panza abajo, igual que hacían los patrulleros con los esclavos fugitivos en los malos tiempos.

Subir a Juneau Jane es pan comido, a pesar de que el caballo castrado es alto. No pesa demasiado y el animal se alegra tanto de verla que mientras la acomodo se comporta con la misma docilidad que un caballo de juguete. La señorita Lavinia es harina de otro costal. No es ligera ni femenina. Es robusta. Pesa más que una cesta de 45 kilos de roble blanco llena de algodón, eso seguro. Pero soy fuerte, y el miedo hace que el corazón me lata con tanta energía que tengo el vigor de dos mujeres fornidas. La subo al carro, coloco a Ginger a su lado y me pongo a tirar y empujar hasta que la señorita cae sobre la silla y puedo atarla. Su hedor hace que la carne seca, la bilis y el agua de lluvia repten hasta mi garganta y yo trago, y trago y trago, compruebo la casa, compruebo la casa, compruebo la casa, agradecida por el arsenal de whisky que los hombres tomaron del barco. Deben de estar borrachos como cubas ahí dentro. Espero que no se espabilen hasta mañana por la mañana, o de lo contrario las tres acabaremos en esa ratonera.

Ato el hacha roma y vieja a una de las sillas y, por último, medito sobre qué hacer con el mulo. Hay menos posibilidades de que me alcancen si cuento con la ayuda de unas cuantas pezuñas y ellos no. Aunque si intento llevarme al mulo, lo más probable es que siga de gresca con los caballos y arme jaleo. Podría soltarlo, y si tengo suerte, se irá al bosque en busca de forraje. Si no, se quedará cerca del granero.

Al abrir la puerta del establo, le digo a esa criatura medio muerta de hambre:

—No hagas ruido. Si sabes lo que te conviene, no volverás aquí nunca más. Esos hombres son muy malos. Se han portado fatal contigo.

El pellejo del pobre mulo se parece al de los ancianos que los Loach enviaron a Goswood Grove como dote de boda. Los Loach solían marcar a los bebés cuando cumplían un año. Decían que así era más difícil que alguien se los robara. También marcaban a los fugitivos y a todos los esclavos que compraban.

A este pobre y viejo mulo lo han marcado al rojo vivo una decena de veces, incluidos ambos ejércitos. Tendrá que llevar para siempre sus cicatrices.

—Ahora eres un mulo libre —le digo—. Vete.

Me sigue cuando saco a los caballos del cobertizo, pero lo ahuyento y se queda a una distancia prudencial mientras nos alejamos de la cabaña y nos adentramos en los bosques. Dejo que el perro nos siga también.

—Supongo que tú también eres libre —le digo cuando estamos lo bastante lejos—. Los hombres así tampoco deberían tener perro.

A la señorita Lavinia y a Juneau Jane les cuelga la cabeza sobre los estribos. Espero que ninguna haya muerto o esté a punto de hacerlo, pero así son las cosas. No hay nada que yo pueda hacer salvo llevármelas de allí sin hacer ruido, con cuidado y prestando atención; no debo acercarme a los caminos, ni a los pozos, ni a las cabañas de los pantanos, ni a las ciudades ni a las carretas ni a la gente. Debemos permanecer ocultas hasta que la señorita Lavinia y Juneau Jane vuelvan en sí. No hay modo de explicar qué hace un supuesto chico de color con dos jóvenes blancas medio desnudas y atadas panza abajo sobre dos caballos.

Me matarán antes de poder abrir la boca siquiera.

AMIGOS PERDIDOS

Señor editor:

Busco información de mis hijos. Pertenecíamos al señor Gabriel Smith, rector de una universidad de Misuri. Nos vendieron a un comerciante de esclavos y nos llevaron a Vicksburg, Misisipi. A Pat Carter y a mí nos vendieron juntas, y dejaron a Ruben, David y Sulier, su hermana, en el patio de subastas. Me contaron que a Ruben lo hirieron en Vicksburg y lo llevaron al hospital, y que los pequeños se quedaron con Thomas Smith en Misuri. Los que se quedaron eran Abraham, William y Jane Carter. A su padre lo mató un comerciante de esclavos, James Chill, que prefirió morir a ser vendido y separado de su familia. Escriban a la atención del reverendo T. J. Johnson, Carrollton, La.

Mincy Carter
—Columna de los «Amigos perdidos»
del *Southwestern*
10 de enero de 1884

Capítulo 12

Recorro la casa en silencio, siguiendo el rastro del ruido. Me vienen a la cabeza ratones, ardillas y las gigantescas ratas almizcleras que he visto nadando en los canales y las charcas de agua estancada durante mis paseos.

Las imágenes de fantasmas, gules y extraterrestres con aspecto de insectos horribles se infiltran en mis pensamientos. De asesinos en serie y vagabundos. Siempre he sido fanática de las películas de terror y me enorgullece el hecho de que cuando veo ese tipo de cosas en la tele, nunca me las tomo en serio. Incluso tras varios años saliendo juntos, a Christopher le repateaba que yo estuviera demasiado entretenida intentando averiguar los giros de la película como para asustarme de verdad. «Te gusta demasiado analizar las frases, caray», se quejaba él siempre. «Así le quitas toda la gracia».

«Es todo mentira. Lo hacen con efectos especiales. No seas miedica», me burlaba yo. Cuando creces siendo una niña a la que dejan sola cada dos por tres, no puedes ponerte de los nervios al mínimo ruido.

Pero en esta casa, que cuenta con numerosos años de historia de los que solo puedo hacer conjeturas, percibo mi propia vulnerabilidad con extraña claridad. Estar sola en una casa antigua repleta de sombras es muy diferente a verla por la tele.

Está claro que los ruidos que se oyen por la zona de la cocina no son los que hace alguien al entrar despreocupadamente por la puerta. Quienquiera que esté allí dentro, él, ella o *eso*, pretende pasar desapercibido. Se mueve en silencio, con cautela, con una prudencia deliberada… al igual que yo. Quiero ver a la criatura antes de que me vea a mí.

Me detengo en la puerta de la antecocina y examino las largas hileras de enormes armarios de caoba y las gastadas encimeras, donde los criados deben de haber preparado comidas de lo más elaboradas. Los espejos de los aparadores a ambos lados reflejan simplemente a sus homólogos y los armarios superiores. No hay nada turbio ni fuera de lo común… salvo…

Me muevo para conseguir una perspectiva mejor y veo, estupefacta, que un trasero flacucho enfundado en unos vaqueros con bordados plateados sale del armario de la esquina inferior izquierda.

Pero ¿qué narices?

Reconozco los vaqueros y la camisa con cuadros de colores. Los he visto durante la clase que doy a cuarta hora. Aunque no tan a menudo como me gustaría.

—¡LaJuna Carter! —exclamo antes de que se haya enderezado siquiera. Se da la vuelta y se queda ahí plantada—. ¿Qué haces?

No le pregunto si tiene permiso para estar aquí. No me hace falta. La expresión de su cara lo dice todo.

Hace un gesto desenfadado con la barbilla que me recuerda a la tía Sarge.

—Nada malo. —Sus dedos largos y finos descansan en los delgados huesos de su cadera—. ¿Cómo cree que descubrí estos libros? Que sepa que el juez me dio permiso para pasarme por aquí. Antes de morir me dijo: «Ven siempre que quieras, LaJuna». De todas formas, no venía nadie más… a no ser que fuera para sacar tajada. Los hijos y los nietos del juez estaban demasiado apegados a sus casas del lago, demasiado ocupados pescando en sus barcos. Y se iban a la playa, porque también tenían apartamentos allí. Había que aprovecharlo. Con todas esas casas, había mucho que hacer. No les quedaba tiempo para venir a este decrépito caserón a visitar a un viejo en silla de ruedas.

—Esta casa ya no es del juez.

—No vengo a robar, si eso es lo que cree.

—Yo no he dicho eso, pero... ¿cómo has entrado?

—¿Y usted?

—Tengo la llave.

—A mí no me hace falta. El juez me enseñó todos los secretos de la casa.

Estoy intrigada. ¿Cómo no iba a estarlo?

—Te hice caso con lo de los libros, muchas gracias, por cierto, y me dieron permiso para venir y llevarme lo que pudiera ser de utilidad para la biblioteca de clase.

Sus ojos se agrandan alrededor de sus núcleos de estaño. La he sorprendido y... me atrevería a decir... le ha impresionado que haya logrado atravesar las murallas del imperio Gossett.

—¿Ha encontrado algo?

Mi primer impulso es hablarle emocionada de la ingente cantidad de libros. La biblioteca es una amalgama de todas las generaciones que han vivido en esta casa. El polvo de sus lecturas ha permanecido como una capa de arenisca año tras año, década tras década. Libros nuevos y otros antiguos que nadie ha tocado seguramente desde hace un siglo. Puede que algunos de ellos sean primeras ediciones, o estén firmados. Mi exjefe del Bazar de los Libros ya se habría echado a llorar extasiado.

Pero la profesora que hay en mi interior tiene otras prioridades.

—No llevo aquí demasiado... porque he estado trabajando. Al menos una de las dos ha ido al instituto, ¿no?

—Estaba enferma.

—Pues sí que te has recuperado pronto. —Me agacho y meto la cabeza por el armario del que parece que acaba de salir—. Oye, LaJuna, sé que tu madre trabaja muchísimo y que tú la ayudas con tus hermanos, pero tienes que ir a clase.

—Métase en sus asuntos. —Su brusca contestación me hace suponer que no es la primera vez que tiene que defender a su madre—. Yo le entrego siempre los deberes. Los demás solo van a clase a calentar la silla. Vaya a darles la lata a ellos.

—Eso hago… o al menos, lo intento. —*Aunque no sirve de nada*—. De todas formas, no creo que debas colarte aquí.

—Al señor Nathan le daría igual aunque se enterase. No es tan capullo como sus tíos, los que ahora dirigen la empresa. Los estirados de sus esposas e hijos se creen los dueños de la ciudad. Mi tía abuela Dicey dice que Sterling no era así. Era amable con los demás. La tía Dicey se encontraba aquí preparando el almuerzo para los jornaleros el día que Sterling fue succionado por la cosechadora de caña de azúcar. Se quedó a pasar la noche para cuidar de Robin y Nathan mientras a su padre lo trasladaban en helicóptero al hospital. Después de su muerte, su mujer recogió a los niños y todos se marcharon a vivir a una montaña. Tía Dicey está enterada de todos los asuntos de los Gossett. Se encargaba de mantener la casa. Cuando tenía que cuidar de mí, me traía aquí con ella. Por eso conocía al juez y a la señorita Robin.

Me imagino a esas personas, me imagino aquella lejana tarde en la que la rutina diaria dio un giro espantoso.

—Nadie quiere quedarse esta casa, de todas formas —prosigue LaJuna—. El hijo del juez murió en el campo. El juez murió hace tres años en su propia cama. Y la señorita Robin sucumbió hace dos años mientras subía las escaleras una noche. Su corazón no pudo resistirlo más. La tía Dicey me dijo que todas las generaciones de los Gosset cuentan con uno o dos bebés azules y que tuvieron que operar a la señorita Robin al nacer. Pero mi madre dice que vio un fantasma y eso fue lo que la mató. Mi madre piensa que hay una maldición en la casa y que por eso nadie quiere quedársela. Así que será mejor que recoja los libros que necesite y se marche. —Dirige un gesto con el hombro hacia la puerta que me hace saber que le encantaría limitar mi presencia en su territorio.

—No soy para nada supersticiosa. Sobre todo, cuando hay libros en juego. —Me acerco más al armario por el que ha entrado y me pregunto cómo se las ha arreglado para pasar.

—Pues debería. Si se muere, se acabó la lectura.

—¿Y eso quién lo dice?

Ella resopla.

—¿Va a la iglesia?

Se arrastra hasta donde estoy yo y refunfuña:

—Aparte la cabeza. —Apenas me da tiempo a echarme hacia atrás antes de que tire de una palanca que hay detrás del marco del armario; los estantes se pliegan hacia arriba y dejan al descubierto una trampilla por debajo—: Se lo dije: la casa está llena de secretos.

Una escalera de aspecto centenario desciende hasta el semisótano.

Una inmensa rata gris corretea por un mueble de jardín labrado en hierro que alguien ha dejado tirado, y yo saco la cabeza del agujero.

—¿Has entrado por aquí?

Me sorprendo sacudiéndome las manos y los brazos con nerviosismo mientras me pongo de pie y LaJuna deja que las baldas vuelvan a su lugar.

Pone los ojos en blanco.

—Esas ratas le tienen más miedo a usted que usted a ellas.

—Lo dudo.

—Las ratas siempre andan asustadas. A no ser que esté durmiendo, en ese caso debe llevar cuidado.

Ni siquiera le pregunto cómo sabe eso.

—El juez me contó que antiguamente llevaban comida a través del sótano y pasaban las bandejas por esa trampilla. De esa forma, los invitados del comedor no veían a los esclavos que servían en la cocina. Durante la guerra, los Gossett podían usarla para escabullirse a los cañaverales si el ejército del norte venía a detener a los que ayudaban a los confederados. Al juez le encantaba contarles historias a los niños. Era un hombre agradable. Ayudó a la tía Dicey a sacarme del hogar de acogida cuando mi madre entró en prisión.

Lo cuenta con tanta naturalidad que me deja atónita. Para que no se me note, cambio de tema.

—Oye, LaJuna, hagamos un trato. Si me prometes que no volverás a colarte aquí, te dejaré venir por las tardes a ayudarme... me refiero a escoger los libros de la biblioteca. Sé que te gustan los libros. Vi que llevabas un ejemplar de *Rebelión en la granja* en el bolsillo trasero de los pantalones.

—He leído cosas peores. —Arrastra una de sus zapatillas por el suelo—. Aunque tampoco es ninguna maravilla.

—Pero… solo si vuelves a clase. No quiero que esto interfiera en tus estudios. —Mis palabras no le hacen demasiada gracia, así que intento endulzar el asunto—. Tengo que averiguar qué hay en la biblioteca lo más rápido posible, antes de que… —Reprimo el resto de la frase: *antes de que me meta en líos con los demás Gossett*.

Me lanza una mirada astuta. Lo sabe.

—Bueno, a lo mejor la ayudo. Lo haré por el juez. Seguro que a él le hubiera gustado que le echara una mano, pero yo también tengo algunas condiciones.

—Dispara. A ver si podemos llegar a un acuerdo.

—No podré venir siempre. Lo intentaré. E intentaré ir a clase más a menudo, pero muchas veces tengo que ayudar a mi madre con los enanos. Ya le digo yo que no pueden quedarse con sus respectivos padres. Panda de fracasados. Fue Donnie el que la metió en líos con el asunto de las drogas. Ella solo estaba en el coche. Luego la poli nos llevó a mí y a mis hermanos a un centro de acogida infantil. A mamá le cayeron tres años en el trullo. Tuve suerte de tener una tía abuela por parte de padre que se ocupara de mí. Los enanos no tienen a nadie. No puedo dejar que vuelvan a una casa de acogida. Así que si se mete en nuestros asuntos y sigue dando la lata con lo de que no voy a clase, ya puede olvidarse de que la ayude con los libros.

Y decirle adiós a la biblioteca, parece decir su expresión.

—Pero tengo que saberlo ya. ¿Sí o no?

¿Cómo voy a hacerle esa promesa?

¿Cómo no voy a hacérsela?

—Bueno… de acuerdo. Trato hecho. Pero tienes que cumplir tu palabra. —Le ofrezco un apretón de manos, pero ella rechaza el ofrecimiento manteniéndose a distancia.

En lugar de eso, añade un requisito de última hora a nuestro acuerdo.

—Y no puede contarle a nadie del instituto que estoy ayudándola. —Hace una mueca solo de imaginárselo—. Allí no somos amigas.

Me consuela el hecho de que eso podría significar que fuera del instituto sí lo somos.

—Trato hecho —digo, y acto seguido se acerca de mala gana y estrechamos las manos—. De todas formas, mi reputación se iría al traste.

—*Pffff.* Señorita Silva, odio tener que decírselo, pero su reputación está ya por los suelos.

—¿Tan mal está la cosa?

—Oiga, se planta en medio de clase a leernos, y luego nos pregunta qué pensamos del libro y nos hace un examen. Todos. Los. Puñeteros. Días. Es un rollo.

—¿Qué crees que deberíamos hacer?

Alza las manos, se da la vuelta y se encamina hacia la biblioteca.

—Yo qué sé. La profe es usted.

La sigo mientras recorre la casa con toda tranquilidad, y nos ponemos a hablar del proyecto. Es un tema menos arriesgado.

—He pensado que podríamos empezar a seleccionar los que pueden venirnos bien para una clase. —Le digo mientras pasamos a la biblioteca—. Cualquier libro que sea adecuado desde tercero o cuarto hasta último curso. —Lo cierto es que tengo críos que van retrasados varios años con respecto al nivel de lectura que les corresponde—. Pero solo podemos llevarnos libros nuevos. Ninguno que sea antiguo. Tal vez podamos despejar el escritorio y dejar ahí los antiguos. Debemos llevar cuidado, son muy delicados. Apilaremos los libros para clase junto a las puertas que dan al porche.

—Es una *galería.* Al juez le gustaba sentarse ahí fuera a leer cuando las moscas y los mosquitos no lo acribillaban —me explica LaJuna. Se acerca a mirar por las puertas como si fuera a encontrárselo allí.

Contempla el patio durante un momento antes de proseguir:

—Antiguamente, los niños esclavos tenían que quedarse ahí de pie con unos abanicos de plumas y espantar a las moscas para que no molestaran a los ricachones. Dentro de casa también, pero en el comedor tenían uno de esos antiguos ventiladores de techo llamados abanos. Había que moverlo de un lado a otro con una cuerda. En ese entonces no había mosquiteras. De vez en cuando cubrían las ventanas con telas, pero eso se hacía sobre todo en las cabañas donde vivían los esclavos. Solían estar justo detrás del granero y del cobertizo de las carretas. Había un par de decenas. Pero la gente alejó las cabañas usando rodillos, para poder arrendar distintas parcelas de tierra por sí mismos.

Me quedo con la boca abierta, sorprendida, no solo de que conozca tan bien la historia, sino de que la recite con tanta naturalidad.

—¿Dónde has aprendido todo eso?

Ella se encoge de hombros.

—Me lo contó la tía Dicey. El juez también me contaba historias. Y la señorita Robin, cuando se mudó aquí. Estaba estudiando el lugar. Creo que antes de que muriera estaba escribiendo un libro, o algo así. Hizo que tía Dicey, la señorita Retta y unos cuantos más vinieran y le contaran todo lo que recordaran de Goswood. Las historias que les contaron sus parientes. Todo lo que sabían sus mayores.

—Le pedí a Yaya T que viniera a clase a compartir esas historias con nosotros. Quizá tú puedas convencerla. —Capto por el rabillo del ojo lo que parece ser una chispa de interés, de modo que añado—: Ya que me han comentado que *Rebelión en la granja* es un poco rollo.

—Solo le decía la verdad. Alguien tiene que echarle una mano. —Se mete las manos en los bolsillos, lanza un suspiro y examina la biblioteca—: O acabará largándose como todos los demás.

Una cálida sensación aflora en mi pecho. Intento disimularla con todas mis fuerzas.

—De todas formas —prosigue ella mientras cruza la estancia—, si eres de Augustine o sus alrededores y te apellidas Loach o Gossett, el color de tu piel da igual, la historia de tu familia se remonta a este lugar, en algún momento u otro. Los tuyos no se alejaron mucho de sus orígenes. Y lo más probable es que la cosa siga así.

—Hay todo un mundo más allá de Augustine —señalo—. La universidad y muchas más cosas.

—Ya. A ver quién tiene pasta para eso...

—Hay becas. Ayudas económicas.

—El colegio de Augustine es para pobres. De los que nunca llegan a salir del pueblo. De todas formas, ¿de qué nos va a servir aquí un título universitario? La tía Sarge ha estado en el ejército y también se ha sacado un título. Y ya ve de qué trabaja.

No se me ocurre ninguna respuesta sencilla, así que vuelvo a sacar a colación la biblioteca.

—Vale, pondremos los libros de clase allí. Aunque... no podemos llevarnos ningún libro que pueda meternos en líos con los padres. Nada de libros guarros ni violentos. Si se ve más piel que ropa en la cubierta, déjalo de momento sobre la mesa de billar. —Una de las cosas que aprendí durante las prácticas docentes es que las discusiones con los padres son la peor pesadilla de un profesor. Deben evitarse a toda costa.

—Señorita Silva, no tiene que preocuparse por los padres. Los de este pueblo tienen cosas más importantes de las que preocuparse que lo que hacen sus hijos en el colegio.

—Dudo que eso sea cierto.

—Es muy cabezota, ¿lo sabía? —Me lanza una mirada de perplejidad y me examina durante un momento.

—Soy optimista.

—Supongo que sí. —Coloca el dedo del pie en un estante inferior y comienza a trepar como si fuera una de esas ranas arbóreas que escalan por mi ventana con sus deditos en forma de ventosa.

—¿Qué haces? —Me sitúo debajo de ella por si se cae—. Allí hay una escalera. Vamos a traerla.

—La escalera no llega hasta aquí. Fíjese, las ruedas se paran en la puerta. El riel está roto en este lado de la habitación.

—Pues vamos a ponernos hoy con los estantes de abajo.

—Enseguida. —LaJuna sigue subiendo—. Antes quiero que vea lo que hay aquí arriba.

Capítulo 13

Es noche cerrada cuando me pongo a rezar el Padre Nuestro una y otra, y otra vez. Es la noche que más miedo he pasado desde que Jep Loach me sacó a rastras del patio de venta y dejó allí a mi madre. Ahora susurro el Padre Nuestro, igual que hice aquella noche, a solas, intentando invocar a los santos.

De pequeña sí se me aparecieron. Tomaron la forma de una viuda de piel paliducha que me compró en un remate: le di lástima porque era pobre y flaca, y llevaba encima una capa de lágrimas, mocos y suciedad. Me agarró de la barbilla y me preguntó: «Niña, ¿cuántos años tienes? ¿Quiénes son tus amos? Dime sus nombres y no me mientas. No dejaré que nadie te haga daño si me dices la verdad». Yo tartamudeé los nombres, ella llamó al sheriff y Jep Loach huyó.

El Padre Nuestro funcionó esa vez así que espero que ahora nos salve. Nunca he estado en los pantanos de noche. He oído a la gente hablar de ello, pero yo no he estado. El miedo me recorre mientras mantengo el equilibrio tras la silla de montar del gris; Juneau Jane está tirada como un saco frente a mí, y la vieja Ginger, que va atada a las riendas, avanza, de manera terca, a la zaga.

Tengo miedo de las serpientes, tengo miedo de los caimanes, de que el Ku Klux Klan nos encuentre ahora que hemos tenido que tomar el camino para poder ver algo con la luz de la luna que se filtra entre los árboles. Tengo miedo de que los leñadores puedan estar pisándonos los talones a estas alturas. Tengo miedo de los espectros y de que el *rougarou* salga de su escondite acuático, pero sobre todo, tengo miedo de las panteras.

Son ellas las que más deben preocuparte si andas por el pantano de noche. Las panteras pueden olerte a kilómetros de distancia. Se acercarán sin hacer ruido, te acecharán en silencio y no te darás cuenta hasta que salten sobre ti. No les dan miedo los caballos. Las panteras van tras los que deambulan por los caminos de noche y a solas, y la única manera de vivir para contarlo es correr más rápido que ellas. Correr hasta casa. Las panteras no tienen problema en perseguir a sus víctimas hasta la puerta del granero y ponerse a arañar para intentar entrar.

Oigo una en el bosque negro, y su llamada es como el grito de una mujer. Me atraviesa y llega hasta lo más profundo de mi ser, aunque proviene de muy lejos. Es ese ruido que oigo más de cerca, primero por la izquierda, luego por la derecha, lo que ahora me provoca escalofríos.

El perro se pone a ladrar, pero no sale en su busca. Parece que está tan asustado como yo.

Me llevo la mano al cuello para agarrar las cuentas de la abuela, pero luego me acuerdo de que ya no las tengo y no puedo hallar consuelo en ellas.

Algo se agita en la leve pendiente que hay debajo de nosotras. Me vuelvo en dirección al ruido.

Parece como si fueran dos piernas, pienso. *Son hombres…*

No, cuatro. Cuatro piernas. Algo enorme. ¿Un oso negro?

Se acerca, está acechando. Evaluándonos. Ya llega.

No… se ha alejado.

Ahí no hay nada. Te lo estás imaginando, Hannie. El miedo te ha hecho perder la chaveta.

La pantera vuelve a rugir, pero sigue estando lejos. Un búho ulula. Me estremezco con fuerza y me cierro el cuello de la camisa, a pesar de que estoy sudando. Eso evitará que los mosquitos me dejen seca.

Espoleo a los caballos y presto atención a los sonidos de la noche, intento pensar qué hacer. Puede que este viejo camino se extienda a lo largo de muchos kilómetros, pues se usa para transportar madera de ciprés del pantano y llevar mercancías al río, pero no conduce a ningún lugar. Llevo un buen trecho recorrido y todavía no he visto ni oído nada que indique la presencia de más personas. Ni siquiera me he topado con ninguna cabaña con lámparas encendidas ni asentamientos entre los árboles ni percibido el olor a humo de ninguna fogata. Solo he visto campamentos antiguos de carros y huellas de herraduras y de ruedas de hierro. Eso es lo único que indica que hay gente yendo y viniendo por aquí.

Ginger tropieza con una rama, cae sobre sus rodillas delanteras y casi me tira del gris antes de que pueda detenerlo. Las riendas se me escurren de las manos y caen al suelo con un suave golpe.

—Epa —susurro—. Tranquila.

Me bajo a toda prisa, y es lo único que puedo hacer para levantar a la vieja Ginger sin que se tumbe de lado y aplaste a la señorita Lavinia, quien sigue con vida, supongo, aunque no lo sé con seguridad. No emite ningún sonido.

—Venga, tranquila —susurro, y le pongo una mano a Ginger en el cuello. No le quedan fuerzas para seguir. Esta noche no.

El olor del carbón húmedo se filtra en la humedad del ambiente. Sigo su rastro y encuentro los restos de un campamento de carros junto a un árbol boca abajo. Las raíces se extienden hacia la luna como si fueran dedos finos con garras largas y puntiagudas. Al menos nos servirá de refugio, y el árbol lleva muerto desde hace tiempo. Puedo partir la madera seca y hacer una hoguera.

Mis huesos se lamentan mientras lo preparo todo; sacudo el suelo para ahuyentar a cualquier posible criatura, desato el hatillo y extiendo el hule en el suelo y ato a los caballos para que no huyan en caso de que algo los asuste. Por último, bajo a la señorita Lavinia y a Juneau Jane y las arrastro hasta dejarlas apoyadas contra el árbol.

Huelen tan mal que al menos los mosquitos no se acercan a ellas. Tienen la piel fría debido a la humedad de la noche, pero ambas respiran todavía. Juneau Jane suelta un gemido, como si le hubiera hecho daño. Pero la señorita Lavinia no se mueve ni se sacude ni hace ningún ruido.

El perro me sigue a todas partes y, aunque siempre me han puesto nerviosa, agradezco su compañía. *No es justo que los juzgues a todos por unos pocos, Hannie*, me digo a mí misma, y si hoy sobre-vivo, habré aprendido algo. Este cachorrón es un buen perro. Es dulce y de corazón noble, y solo necesitaba que alguien se portara bien con él.

«Un corazón bueno debe impedir que la maldad entre en su interior», me susurra la voz de mamá en la cabeza. «Tienes buen corazón, Hannie. No dejes que la maldad se te meta dentro. No le abras las puertas, por mucho que llame o por muy dulce que te re-sulte su voz».

Intento dar de beber a la señorita Lavinia y a Juneau Jane, pero tienen los ojos en blanco y la mandíbula relajada, por lo que el agua les gotea de la lengua, que se les ha hinchado a am-bas. Finalmente, me doy por vencida y vuelvo a apoyarlas contra las raíces. Bebo, como, cuelgo la carne seca en un árbol cercano y me acurruco. Pase lo que pase esta noche, queda en manos de los santos. Las mías están demasiado cansadas como para lu-char.

Rezo el Padre Nuestro y espero a que el sueño me invada. Ni siquiera termino la oración.

Por la mañana, oigo unas voces. Abro los ojos, creyendo que son Tati, John y Jason, que ya han empezado a hacer el desayuno. En verano, cocinamos fuera para que la cabaña no se caliente.

Pero los resplandecientes rayos del sol me atraviesan los párpa-dos y me muestran unos puntitos de luz y sombra distribuidos en hermosos diseños, como los de las alfombras turcas de la señora. ¿Por qué está el sol tan alto a estas horas de la mañana? Todos los días menos los domingos, nos levantamos a las cuatro, igual que hacían las cuadrillas en los viejos tiempos. La única diferencia es que el capataz ya no viene a despertarnos con la corneta. Ya no vemos cómo los esclavos llevan sus improvisados hornitos solares sobre la cabeza, con brasas y carne y boniato en el interior, y los dejan en un extremo del campo para que la comida termine de hacerse durante las primeras horas del día.

Ahora que somos labradores, nadie puede obligarnos a acuclillarnos en la tierra y comer como animales. Nos sentamos en sillas y comemos frente a la mesa. Como Dios manda. Y luego nos vamos a trabajar.

Abro los ojos y el campo ha desaparecido. En su lugar, hay unos caballos salpicados de barro. Un perro. Dos chicas echadas sobre un trozo de hule, medio muertas o muertas del todo, todavía no lo sé.

Y las voces.

Entonces me espabilo del todo. Me acuclillo y presto atención. No están cerca, pero oigo a alguien. No distingo lo que dicen.

La vieja Ginger tiene la oreja puesta. El perro se ha levantado y mira hacia el camino. El gris ha abierto las fosas nasales y está olfateando. Relincha desde la parte baja de la garganta, y el sonido es tan suave como un susurro.

Me pongo de pie y le paso una mano por el morro.

—*Shhhh* —les susurro a él y al perro.

¿Nos han encontrado los hombres del aserradero?

Coloco la otra mano sobre Ginger para que no se mueva. El perro se pone a mis pies y yo le paso una pierna por encima y los sujeto entre mis rodillas.

Oigo cómo los muelles de unas carretas crujen y se sacuden en el camino. Los cascos de los caballos producen un *chas-pop, chas-pop, chas-pop* sobre la tierra húmeda. Una rueda rebota en un bache. Un hombre gruñe. Puede que los leñadores hayan encontrado al mulo.

Apoyo la cabeza en el hocico del gris, cierro los ojos y pienso: *No te muevas, no te muevas, no te muevas*, mientras el carro pasa de largo. Está torciendo la curva para cuando me atrevo a soltar a los caballos e ir a echar un vistazo. No voy tras él. Lo más probable es que acabara metida en un lío. Sigo estando con dos chicas inconscientes y unos caballos demasiado buenos para que sean míos.

La señorita Lavinia y Juneau Jane continúan igual. Las incorporo e intento darles agua de nuevo con la cantimplora. Juneau Jane abre los ojos durante un instante, y traga un sorbito, pero le dan arcadas en cuanto la apoyo contra las raíces. No me queda más remedio que ponerla de lado y dejar que expulse el agua.

La señorita Lavinia no bebe ni una gota. Ni siquiera lo intenta. Su piel tiene el color de la madera seca, está gris y abotargada, tiene los ojos llenos de legañas y los labios hinchados, agrietados y con restos de sangre, como si se los hubiera quemado. Las han envenenado. Puede que se trate de eso. Que las hayan envenenado para matarlas o para que estuvieran calladas dentro de los baúles.

La señorita tiene, además, un golpe en la cabeza. Me pregunto si ese es el motivo de que su estado sea peor que el de Juneau Jane.

Conozco algunos venenos como los que la vieja Seddie elabora a partir de raíces y hojas, de la corteza de cierto árbol o de esta u aquella planta. Administra uno u otro según lo que pretenda: que la persona se ponga demasiado enferma como para trabajar, que acabe demasiado desorientada o demasiado muerta.

«No os acerquéis a esa vieja bruja», nos advirtió mamá a Epheme y a mí cuando empezamos a acudir a la casa para cuidar a la señorita Lavinia. «No la miréis ni dejéis que piense que la señora os prefiere a vosotras. Os envenenará. Y alejaos también de la señora y del señorito Lyle. Haced vuestras tareas y portaos bien con el amo para que os deje visitarme los domingos por la tarde».

Cada domingo por la noche, nos repetía lo mismo antes de que nos marcháramos.

No hay forma de saber si alguien sobrevivirá o no al veneno. No queda más remedio que esperar mientras el cuerpo decide cuánto tiempo resistir y el alma determina lo mucho o poco que desea quedarse en su hogar terrenal.

Debo encontrar un lugar donde escondernos, pero no se me ocurre ninguno. Puede que la señorita y Juneau Jane no sean capaces de resistir otro día más tendidas sobre el lomo de un caballo. Además, la brisa huele a lluvia.

Tener que ponernos en marcha de nuevo es un suplicio, pero lo conseguimos. Estoy molida antes incluso de empezar, pero para no atosigar a los caballos y evitar el camino, comienzo el viaje a pie, arrastrando tras de mí a la alazana y al gris, como si fueran mulas.

—Vamos, perro —digo, y eso hacemos.

Doy un paso y luego el siguiente, me abro camino por el bosque, hincando un palo en el suelo para comprobar si hay ciénagas o agujeros, y apartar las hojas de palmito. Avanzamos de esa forma hasta que un extenso y amplio lodazal de aguas negras nos corta el paso y no tenemos más remedio que volver al camino.

El perro olfatea y encuentra una senda que yo no había visto. Hay unas huellas junto a la orilla de la ciénaga. Son grandes... de hombre. También las hay más pequeñas. De niño o de mujer. Solo veo dos pares de huellas así que no son los hombres del aserradero. Puede que alguien haya venido a pescar, a cazar caimanes o a capturar langostas.

Por lo menos, ha pasado gente. Y no hace mucho.

Me detengo al atisbar el camino en lo alto de una colina y presto atención. Los únicos sonidos que se oyen provienen del *bayou*. El *pop-pop* de las burbujas en el barro, el grave croar de un sapo, el zumbido de los mosquitos y las moscas negras. Las libélulas aletean de un lado a otro sobre los rodales de juncos y las vides muscadinas. Un ruiseñor entona las canciones que ha tomado prestadas, todas ellas encadenadas, como cintas de diferentes colores unidas por los extremos.

El perro atraviesa la maleza en dirección al claro del camino, despierta a un conejo, lanza un aullido y echa a correr tras él. Aguardo y sigo a la escucha por si otro perro responde al aullido, en caso de que haya alguna granja o casa por los alrededores, pero no se oye nada.

Finalmente, sigo el rastro de las huellas y subo la pendiente.

Las huellas cambian de rumbo y recorren el camino. Dos personas, que siguen dirigiéndose a pie a algún lugar. Ambas llevan zapatos. Las huellas más grandes avanzan en dirección recta, pero las pequeñas van de un lado a otro, salen y entran del sendero, lo que demuestra que viajaban con toda tranquilidad. No sé por qué me consuela ese hecho, pero lo hace. Al cabo de unos pocos metros, las huellas abandonan el camino y suben por un terreno elevado hasta llegar al otro lado. Me paro y echo una ojeada, sin saber muy bien si debería seguir las pisadas o continuar recto. La brisa sopla desde el cielo encapotado que hay frente a mí y responde mi pregunta. Se avecina una tormenta. Necesitamos un sitio donde resguardarnos y descansar. No hay más que hablar.

El perro vuelve. No ha cazado al conejo, pero me trae una ardilla.

—Muy bien —le digo, y destripo a la ardilla rápidamente con la vieja hacha y la ato a una de las sillas de montar—. Nos la comeremos luego. Si ves otra, ve a por ella.

Sonríe de forma perruna y mueve esa cola calva y fea que tiene; comienza a bajar la senda por la que siguen las huellas y yo echo a andar tras él.

La senda nos conduce hasta una pequeña colina, luego colina abajo de nuevo hasta llegar a un arroyo poco profundo donde los caballos beben. Después de un rato, aparecen más huellas desde otras partes. De caballo. De mula. De gente. Cuantas más aparecen, más clara resulta la senda; atraviesan el bosque y descienden hasta la tierra. Es un sendero que lleva recorriéndose mucho tiempo, pero siempre a pie, o a lomos de un caballo o una mula. Nunca con carreta.

El gris, Ginger, el perro y yo añadimos nuestras huellas a aquellas que han pasado antes por allí.

Se pone a llover justo después de que lleguemos a una zona de la senda más despejada. Cae un buen chaparrón. El agua me empapa la ropa y me chorrea por el sombrero. El perro y los caballos tensan la cola y arquean el lomo. Yo inclino la cabeza y aguanto el mal trago; lo único que me consuela es que la lluvia permitirá que los caballos, las sillas, la señorita, Juneau Jane y yo nos libremos del mal olor.

De vez en cuando, entorno los ojos e intento ver a través de la cascada de agua, preguntándome si habrá algo alrededor, pero ni siquiera puedo distinguir nada a un metro de distancia. El sendero se convierte en barro. Los caballos y yo nos resbalamos. La vieja Ginger tropieza y vuelve a caer sobre sus rodillas delanteras. La lluvia la inquieta tanto que vuelve a levantarse de inmediato.

Subimos otra pendiente mientras unos riachuelos nos envuelven. El agua se me mete en los zapatos, hace que me escuezan las ampollas y luego simplemente me deja los pies congelados, así que ni siquiera los noto. Me pongo a temblar hasta que tengo la sensación de que mis huesos podrían partirse en dos.

Juneau Jane gime lo bastante fuerte y el tiempo suficiente como para que yo la oiga por encima del ruido de la tormenta. El perro la oye también y la rodea. A continuación, vuelve a ponerse en cabeza, pero yo no veo nada, así que me tropiezo con él y me caigo al barro.

El animal lanza un chillido, sale de debajo de mí y echa a correr. Solo tras ponerme de pie y recoger el sombrero del barro, entiendo por qué. Hay un refugio. Una vieja guarida escondida entre los árboles, de techo bajo y construida con troncos de ciprés, paja y tela. La senda converge con unos cuantos senderos más provenientes de otras partes y que conducen hasta la entrada principal de la casita.

Nadie contesta cuando llego al porche con el perro y llamo a la puerta; acerco a los caballos para que puedan cubrirse por fin la cabeza.

En cuanto abro la puerta, me queda claro qué tipo de casa es esta. Es uno de esos refugios que los esclavos levantaron con sus propias manos en las profundidades de los pantanos y de los bosques, para que sus amos no pudieran encontrarlos. Los domingos, cuando las cuadrillas libraban, se escabullían hasta estos escondrijos de uno en uno o de dos en dos. Se reunían para dar sermones, cantar, chillar o rezar en un lugar donde nadie podía oírlos, donde los amos y los capataces no podían impedir que clamaran por su libertad y afirmaran que el día de su salvación no tardaría en llegar.

En el bosque, los hombres de color tenían la libertad de leer la Biblia, en caso de que supieran leer, o de escuchar algunos de sus fragmentos, en caso de que no fuera así, en vez de conformarse con que les dijeran que Dios los entregó a sus amos para que obedecieran.

Les doy las gracias a todos los santos y nos resguardo de la tormenta tan rápido como puedo. El perro me sigue de un lado al otro por el suelo de tierra y ambos dejamos un rastro de agua y barro sobre la paja del lugar. Es inevitable y no creo que Dios ni ningún otro nos lo tenga en cuenta.

Hay bancos de madera dispuestos en silenciosas hileras. En la parte delantera, el suelo del altar se ha construido con cuatro puertas viejas que debían de haber sido parte de alguna casona mucho antes de la guerra. Tres sillas de terciopelo rojo reposan detrás del púlpito del pastor. Sobre la mesa de comunión, hay una bonita copa de cristal y cuatro platos de porcelana que se sacaron seguramente de alguna mansión cuando los blancos se refugiaron del ejército del norte y abandonaron su hogar.

Tras el altar, un ventanal de cristal tallado se adueña de la poca luz que queda fuera. Pertenece a una de las puertas del suelo. El hule, extendido sobre los marcos, cubre el resto de las ventanas. Hay periódicos clavados en las paredes del fondo de la estancia. Debe de haber grietas en esa zona.

Tumbo a la señorita Lavinia y a Juneau Jane en el altar, agarro los cojines de terciopelo de las sillas y se los pongo debajo de la cabeza. Juneau Jane no deja de temblar, la camiseta interior se le ha pegado al cuerpo debido a la mugre, el agua y la sangre. El aspecto de la señorita Lavinia es aún peor y sigue sin gemir ni moverse. Me acerco a su nariz para comprobar si todavía respira.

Un levísimo golpe de aire me acaricia la mejilla. Frío y suave. Pero no tengo modo de hacerla entrar en calor. Todo lo que llevamos encima está empapado, así que nos desnudo a todas, cuelgo la ropa para que se seque y enciendo un fuego en la estufa de hierro que hay al fondo de la habitación. Es un sofisticado hornillo sacado de algún salón de damas, con rosas, enredaderas y hojas de hiedra moldeadas en el hierro, una preciosa falda y las patitas arqueadas.

Tiene un plato para cocinar en la parte de arriba. En cuanto se caliente prepararé la ardilla, y el perro y yo comeremos.

—Al menos, tenemos algo donde encender el fuego y un montón de madera. Y también cerillas —le digo. Agradezco que el suelo esté seco y el techo no tenga goteras. Y cuando el fuego se aviva, lo agradezco todavía más. Me agacho desnuda, con la piel húmeda por la lluvia, y noto la calidez de las llamas antes incluso de que llegue hasta mí. El hecho de saber que el frío no tardará en desaparecer me hace sentir mejor.

En cuanto el fuego se queda preparado, arrastro uno de los sillones de terciopelo al fondo de la estancia. Es una de esas sillas grandes y amplias donde se sentaban las damas cuando todavía se llevaban los vestidos con aros. Un banco de cortejo para poder acomodarse las faldas en caso de que quisiera que su pretendiente se sentara con ella, o dejarlas extendidas si prefería evitarlo.

Levanto las rodillas sobre la silla, apoyo la cabeza y acaricio una y otra vez el terciopelo rojo. Es tan suave como el hocico de un caballo. Noto su suavidad y calidez en todas las partes de mi cuerpo con las que entra en contacto. Me siento y contemplo las llamas, pensando en lo mucho que me gusta el tacto de este sillón.

Nunca me había sentado en un sillón de terciopelo. Ni una vez.

Froto la mejilla contra el terciopelo y dejo que el calor del fuego me invada. Los párpados me pesan, se me cierran los ojos y me dejo llevar.

Transcurren dos días en los que me duermo, me despierto y atiendo al resto. Dos días, creo. Puede que tres. Me sube la fiebre durante la primera noche. Tengo fiebre y estoy cansada, y aunque guiso la ardilla, soy incapaz de conservar la mayor parte del animal en el estómago. Lo único que puedo hacer es atar a los caballos para que puedan alimentarse, volver a ponerme la ropa seca, vestir a las chicas con su ropa interior, dejar, de vez en cuando, que el perro vaya y venga y obligar a Juneau Jane a beber un poco de agua. La señorita sigue sin beber una gota, pero su hermanastra está cada vez más fuerte.

El día que me recupero, Juneau Jane abre sus extraños ojos de color verde grisáceo y me contempla desde el cojín rojo; su oscura cabellera está desparramada por todas partes, igual que un nido de serpientes. Me doy cuenta de que es la primera vez que me ve y no sabe dónde está.

Intenta hablar, pero la hago callar. Tras tantos días en silencio, hasta el más mínimo sonido hace que me lata la cabeza.

—Calla —le susurro—. Estás a salvo. No te hace falta saber nada más. Has estado enferma, y aún no te has recuperado del todo. Ahora descansa. Aquí estás a salvo.

Supongo que no me equivoco. Ha estado lloviendo todos estos días. Todo debe de estar lleno de agua, y cualquier rastro que hayamos dejado, habrá desaparecido ya. Lo único que me preocupa es cuántos días faltan para el domingo, cuando alguien aparezca por aquí. No tengo ni idea.

La pregunta se responde sola cuando de buena mañana, el perro se incorpora y me despierta con un ladrido. Me asusto y abro los ojos de golpe.

En el exterior, una voz canta:

Caminad por las aguas
Dios las separará
¿Quién es esa joven vestida de rojo?
Caminad por las aguas
Serán los niños a los que Moisés guio
Dios separará las aguas...

Es una voz grave y potente. No sé si pertenece a un hombre o a una mujer, pero la canción me recuerda a mi madre. Solía cantárnosla cuando era pequeña.

Sé que debo ponerme en marcha, impedir que esa persona entre aquí, pero no puedo evitarlo. Me quedo escuchando unos cuantos versos más.

Esta vez es la voz de un niño quien entona la letra.

Me alegro. Se me ha ocurrido una idea.

Caminad por las aguas, niños, entona enérgicamente la vocecilla, sin miedo.

> *Caminad por las aguas,*
> *Dios las separará.*

Y, de nuevo, sigue la mujer:

> *¿Quién es esa joven vestida de blanco?*
> *Caminad por las aguas*
> *Serán los hijos del israelita*
> *Dios separará las aguas…*

Susurro los versos junto a ellos y percibo el latido de mi madre junto a mí, la oigo murmurar: «Esta canción te muestra el camino hacia la libertad, Hannie. Permanece en el agua. Allí los perros no podrán rastrearte».

El niño vuelve a entonar el estribillo. Cada vez se oye más cerca. Deben de haber llegado casi al claro.

Me pongo en pie y echo a correr hacia la entrada, apoyo la mano con fuerza en la puerta y me preparo.

> *¿Quién es esa joven vestida de azul?*
> *Caminad por las aguas*

Trago con fuerza y pienso: *Por favor, que sean buenas personas. Que sean amables.*

Ambas voces, la grave y la infantil, cantan a la vez.

Serán los que lograron seguir
Caminad por las aguas

A mi espalda oigo un susurro áspero que dice:
—Caminad… aaaaguas. Caminad por… aaaguas.
Echo un rápido vistazo por encima del hombro y veo que Juneau Jane se incorpora desde el cojín rojo con los ojos medio abiertos; tiene tan poca fuerza en el brazo que este se sacude como si fuera un trozo de cuerda.
Dios las separará, grita el niño.
—N-no crees… q-que… me he… redimido… —Juneau Jane se balancea y se esfuerza por pronunciar las palabras y permanecer erguida.
Un escalofrío me recorre, y luego me pongo a sudar.
—*¡Shhhh!* ¡Calla! —susurro. Abro la puerta, voy a trompicones hasta el borde del porche y me apoyo en un poste. Dos personas salen del bosque: una mujer redonda y robusta con las manos como bandejas, unos enormes pies envueltos en botas de cuero negro y un pañuelo blanco en la cabeza. La acompaña un niño pequeño. ¿Su nieto, tal vez? Va saltando con unas cuantas flores que ha recogido en la mano.
La mujer hace girar una hierba de pluma y le hace cosquillas en la oreja cuando él pasa bailando. El niño se ríe con ganas.
—¡N-no os acerquéis más! —grito yo. Apenas tengo fuerza en la voz y no se me oye a demasiada distancia, pero ambos se detienen de golpe y vuelven la mirada hacia mí. Al niño se le caen las flores. La mujer extiende el brazo a toda prisa y coloca al pequeño tras ella.
—¿Quién eres? —Se estira para verme mejor.
—¡Tenemos fiebre! —exclamo—. No os acerquéis. Estamos enfermas.
La mujer retrocede un poco y tira del niño. Este se aferra a sus faldas y echa un vistazo desde detrás.

—¿Quién eres? —repite—. ¿Cómo has llegado aquí? No te conozco.

—Estamos de paso —respondo—. Todas tenemos fiebre. No
os acerquéis más. Si entráis, os pondréis enfermos.

—¿Cuántas sois? —Se sube el delantal y se tapa la boca.

—Tres. Las otras dos están peor. —Es cierto, pero aun así me
reclino contra el poste para parecer más débil—. Necesitamos ayuda. Y comida. Podemos pagar. ¿Tendrás misericordia, hermana?
Somos viajeras, solo buscamos misericordia.

AMIGOS PERDIDOS

Señor editor:

Busco información de mi familia. Mi madre era Priscilla; pertenecía a Watson, que la vendió a Bill Calburt cerca de Hopewell, Georgia. Vivíamos cerca de Knoxville. Yo me llamaba Betty Watson. Me separé de ella a los tres años. Ahora tengo 55. Aprendí a leer a los 50. Siempre leo el *Southwestern*, pues alimenta mi alma. Estoy preocupada y me gustaría recibir noticias de mi madre o de mi hermano Henry. Que alguien me ayude. Escriban a la atención del reverendo H. J. Wright, de la iglesia metodista episcopal de Asbury, Natchitoches, de la que soy miembro y alumna de su escuela sabática.

Betty Davis
—Columna de los «Amigos perdidos»
del *Southwestern*

Capítulo 14

—Mire —dice LaJuna mientras aparta unas pilas de revistas de *National Geographic*. Deja una *Enciclopedia Británica* en la mesa de billar y luego levanta la tapa, que no tiene adherida ninguna página. Se ha usado para guardar (o esconder) un paquete envuelto en un trozo desgastado de papel de pared, que en algún momento fue de un blanco y dorado aterciopelados, aunque las franjas que quedan parecen más una mancha de pegamento que otra cosa. Está sujeto con una cuerda de yute.

—Creo que la señorita Robin no llegó a ver esto. —LaJuna da un golpecito con el dedo al paquete—. Un día que vine a visitar al juez (fue hacia el final, cuando había días que estaba más lúcido que otros), me dijo: «LaJuna, trepa a ese estante de arriba. Quiero sacar una cosa, pero alguien se ha llevado la escalera». En fin, llevaba sin haber escalera desde que se rompió el riel, así que supe que el juez no tenía la mente despejada ese día. Aun así, hice lo que me pidió, y él me enseñó lo que había dentro. Luego me miró y me dijo: «No debería habértelo enseñado. Nada bueno puede salir de aquí y no hay forma de arreglar las cosas. Vuelve a guardarlo. No volveremos a sacarlo a no ser que decida quemarlo, cosa que muy probablemente debería hacer. No le cuentes a nadie dónde está. Si me haces ese favor, LaJuna, dejaré que te lleves cualquier otro libro siempre que te apetezca y que te lo quedes todo el tiempo que quieras». Luego, me hizo traerle una de las enciclopedias, arrancó la encuadernación, envolvió el paquete con la cubierta, y después lo guardamos.

LaJuna intenta desatar el cordel con la ayuda de las uñas, las cuales lleva pintadas con un esmalte color carmín descascarillado, pero el nudo está muy apretado.

—Vaya a ver si hay unas tijeras en ese estante de arriba. El juez siempre dejaba ahí un par.

El remordimiento me hace dudar. Sea lo que sea que haya dentro del paquete, debe de tratarse de algo muy personal. No es asunto mío. En absoluto. Y punto.

—Da igual. —LaJuna consigue desatarlo—. Ya está.

—No creo que debas abrirlo. Si el juez no quería que…

Pero ya se ha puesto a abrir el envoltorio. Dentro hay dos libros, y ella los coloca uno al lado del otro. Ambos están encuadernados en cuero; uno, en negro y otro, en rojo. El negro es fácilmente reconocible. Se trata de una Biblia familiar de las antiguas, grande y pesada. El libro de cuero rojo es mucho más delgado y está encuadernado por la parte superior, como un bloc de notas. En la tapa, unas descoloridas letras doradas rezan:

Plantación Goswood Grove
William P. Gossett
Artículos de registro

—Fíjese en este librito… —LaJuna sigue hablando—. Están anotadas las cosas que compraban y vendían. Azúcar, melaza, semillas de algodón, palas, un piano, terrenos, madera, caballos y mulas, vestidos y vajillas… todo tipo de cosas. Y, a veces, personas.

Se me queda la mente en blanco. Me cuesta comprender qué es lo que tengo delante.

—LaJuna, no está… no deberíamos… El juez tenía razón. Deberías devolver eso a su sitio.

—Es historia, ¿no? —Lo dice de forma tan despreocupada como si estuviéramos hablando sobre el año de fabricación de la Campana de la Libertad o de cuándo se escribió la Carta

Magna—. Siempre nos habla de la importancia de los libros y las historias.

—Claro, pero... —Un documento tan antiguo solo debería manipularse con las manos recién lavadas o con guantes blancos de algodón. Pero si he de ser sincera, confieso que lo que me preocupa no son las cuestiones referentes a la conservación del libro, sino al contenido.

—Pues aquí tiene historias. —Recorre con la uña el borde de la Biblia y la abre antes de que pueda detenerla.

Las páginas del registro familiar que hay al principio de la Biblia —puede que haya una decena o más— están cubiertas con la elegante caligrafía de las plumas antiguas que colecciono desde hace años. La columna izquierda está llena de nombres: Letty, Tati, Azek, Boney, Jason, Mars, John, Percy, Jenny, Clem, Azelle, Louisa, Mary, Caroline, Ollie, Mittie, Hardy... Epheme, Hannie... Ike... Rose...

El resto de las columnas indican la fecha de nacimiento, la fecha de defunción de algunos de ellos y muestran unas anotaciones extrañas: D, P, L, A, además de unos números. Algunos de los nombres tienen anotada al lado una cantidad de dinero determinada.

La uña medio roja de LaJuna flota sobre uno de ellos, sin llegar a tocarlo.

—¿Ve? Aquí está toda la información de los esclavos. Cuándo nacieron, cuándo murieron y en qué tumba fueron enterrados. Si huyeron o se perdieron durante la guerra, hay una *P* anotada junto al nombre y la fecha. Si los liberaron después de la guerra, aparece una *L* y el número *1865*, y si se quedaron en el mismo lugar y se convirtieron en apareceros, aparece la anotación *A/1865*. —Vuelve las palmas de las manos hacia arriba con tanta naturalidad como si estuviéramos hablando de los almuerzos del colegio—. Después de aquello, supongo que la gente se ocupaba de escribir sus propias anotaciones.

Transcurre un momento antes de que pueda procesar toda la información y balbucear:

—¿Todo eso te lo enseñó el juez?

—Sí. —Adopta una expresión que transmite una pizca de incertidumbre acerca de las cuestiones que dejó el juez sin resolver—. Puede que quisiera que hubiera alguien capaz de entenderlo, ya que nunca se lo enseñó a la señorita Robin. Aunque ignoro la razón. Es decir, ella estaba al tanto de que los esclavos fueron los que construyeron la casa. La señorita Robin se tomaba la investigación sobre Goswood muy en serio. Supongo que el juez no quería que se sintiera culpable por cosas que pasaron hace tanto tiempo.

—Supongo… puede ser —repito. Se me forma un nudo incómodo y punzante en la garganta. Una parte de mí desea que el juez hubiera asumido la responsabilidad de enterrar este fragmento de la historia y hubiera quemado el libro. Otra parte comprende que eso no habría estado nada bien.

LaJuna prosigue con sus explicaciones, arrastrándome a un viaje del que no quiero formar parte.

—Bueno, ¿y ve que algunas veces no está anotado el nombre del padre? Solo aparece el nombre de la madre y el de los hijos. Eso es porque el padre era seguramente un hombre blanco.

—¿Eso te lo contó el juez?

Aprieta los labios y pone los ojos en blanco.

—Lo averigüé por mi cuenta. La *m* pequeñita significa mulato. Como esta mujer, Mittie. El nombre de su padre no aparece, pero, *no hay duda* de que lo tenía. Era el…

Se acabó. Ya no aguanto más.

—Creo que deberíamos guardar los libros.

LaJuna frunce el ceño, me sondea con la mirada, sorprendida y… ¿decepcionada?

—Ahora habla como el juez. Señorita Silva, usted es la que siempre nos da la lata con las historias. Este libro… es la única historia con la que cuentan la mayoría de estas personas. El único lugar en todo el mundo en el que sus nombres todavía se conservan. Ni siquiera están escritos en sus tumbas, mire.

Le da la vuelta a una página para que la pesada contraguarda de la cubierta se quede plana junto a la guarda volante, abierta como las alas de una mariposa. Hay una especie de cuadrícula dibujada encima, que está dividida en rectángulos numerados.

—Aquí están —me dice rodeando la cuadrícula con la punta del dedo—. Aquí es donde enterraban a todos los esclavos cuando morían. A los ancianos, a los niños y a los bebés. Justo aquí. —Toma un bolígrafo y lo deja en el escritorio, debajo del libro—. Y esta es su casa. Ha estado viviendo junto a toda esa gente y ni siquiera lo sabía.

Pienso en el precioso huerto que hay a poca distancia de mi patio trasero.

—Ahí no hay ningún cementerio. El de la ciudad está ubicado en este lado. —Coloco una grapadora estilo art-decó y un clip de plástico a la izquierda del bolígrafo—. Si el boli es mi casa, el cementerio está aquí.

—Señorita Silva. —LaJuna se echa hacia atrás—. Creía que usted sabía de historia. El cementerio que está junto a su casa, el que tiene esa valla tan bonita y todas esas casitas de piedra con los nombres de la gente, era el cementerio de los blancos. Mañana, cuando venga a ayudarla con los libros, la acompañaré hasta allí para enseñarle lo que tiene detrás de casa. Yo misma fui a verlo cuando el juez…

El reloj de pie del pasillo se pone a sonar y ambas nos sobresaltamos.

LaJuna se aparta de la mesa, se saca del bolsillo un reloj de pulsera roto y suelta un grito ahogado.

—Tengo que irme. Solo quería pasarme un momento para llevarme algo que leer esta noche. —Toma un libro de bolsillo y sale pitando por la puerta. Sus pasos resuenan por toda la casa junto con un: «¡Me toca cuidar de los enanos mientras mi madre trabaja!».

La puerta se cierra de golpe y ella desaparece.

Paso días sin verla. Ni en la casa de Goswood Grove ni en el instituto. No está por ningún lado.

Recorro el huerto de detrás de casa yo sola, estudio la elevación y la pendiente del suelo, me agacho y arranco los pequeños rodales de hierba que hay, cavo unos centímetros de tierra y encuentro unas sencillas lápidas marrones.

En algunas de ellas todavía se ve un leve rastro de marcas talladas, pero no soy capaz de distinguirlas.

Las dibujo en un cuaderno y las comparo con los cuadrados estrechos y numerados del mapa del cementerio que vi en la biblioteca de Goswood esbozado a mano. Coinciden todo lo bien que podría esperarse después de que el paso del tiempo haya conseguido usurpar la verdad. Descubro tumbas del tamaño de un adulto y otras más pequeñas: para niños o bebés, a los que se enterraba de dos en dos o de tres en tres. Dejo de contar rectángulos cuando llego a noventa y seis, pues no puedo soportarlo más. Toda una comunidad de personas, y en algunos casos varias generaciones de la misma familia, yacen enterradas detrás de mi casa, olvidadas. LaJuna tiene razón. Aparte de lo que se haya transmitido oralmente entre los miembros de las familias, ese triste y extraño conjunto de anotaciones en la Biblia de los Gossett es la única historia con la que cuentan.

El juez se equivocó al esconder el libro. De eso estoy segura. Lo que no sé es cómo proceder a continuación, ni si me corresponde a mí tomar cartas en el asunto. Me gustaría hablar más del tema con LaJuna y averiguar de qué otra información dispone, pero los días pasan y no se me presenta la oportunidad.

Finalmente, el miércoles voy a buscarla.

La búsqueda me lleva, en última instancia, hasta la puerta de la casa de tía Sarge. Llevo unas sandalias de color verde lima que no pegan con absolutamente ninguna de mis prendas, pero que tratan con delicadeza mi magullado dedo gordo después de que me cayera encima una pila de libros con, al parecer, vida propia en Goswood Grove. Durante las numerosas horas que he pasado a solas en la biblioteca, he presenciado otras cosas extrañas, pero me niego a darle demasiadas vueltas al asunto. He estado todo el fin de semana y los últimos tres días después del trabajo seleccionando los libros a toda velocidad, intentando hacer todo lo que pueda antes de que alguien más descubra que tengo acceso a la biblioteca y antes de que vuelva a ir a hablar con Nathan Gossett para hacerle saber lo que tiene ahí guardado.

Se me ha amontonado la ropa para lavar, llevo retraso con las notas de los trabajos, con la planificación de mis clases y con todo lo demás. Además, ando peligrosamente escasa de galletas.

Lo bueno es que, con el cambio de snacks para la clase, me he librado de mi antiguo apodo y los chicos están probando uno nuevo: Loompa, en honor a los Oompa Loompas, del popular *Charlie y la fábrica de chocolate*, libro que hemos añadido a las estanterías de clase gracias a la afición del juez por las suscripciones al Libro del Mes. Tras un arduo debate, hemos establecido un sistema de préstamo de una semana de duración para los libros del aula. Una de las ratas de pantano que menos habla, Shad, tiene el libro ahora mismo. Es de noveno y pertenece al famoso clan Fish. Vio la película tras un viaje familiar en el que fueron a visitar a su padre, que cumple condena de 3 años en una prisión federal por algún asunto relacionado con las drogas.

Me gustaría saber cómo van las cosas en casa de Shad, ya que, por un lado, come un montón de mazacotes, y por otro, se los guarda en los bolsillos disimuladamente, pero el día no tiene horas suficientes. Me da la impresión de que no doy abasto con todo y siempre intervengo en función de quién necesite más mi ayuda.

Esa es la razón de que haya tardado unos cuantos días en abordar la situación de LaJuna. Acabo de llamar a la dirección que aparece en su expediente. El hombre que ha abierto la puerta del destartalado apartamento me ha dicho, de forma bastante borde, que había echado de casa a la *tipa esa* y a sus mocosos, así que ya podía largarme de su porche y no volver a molestarlo.

Decido, a continuación, probar con la tía Sarge o Yaya T. Sarge es la que más cerca vive del pueblo, de modo que aquí estoy. La casita de estilo criollo de una planta me recuerda a la casa que tengo en alquiler, aunque reformada. El revestimiento y las molduras están pintados con un contraste de colores —amarillo intenso, blanco y verde bosque— que le da una apariencia de casa de muñecas.

El hecho de verla refuerza aún más mi decisión de intentar convencer a Nathan de que no venda la casa donde estoy viviendo. Podría acabar teniendo un aspecto tan mono como el de esta.

Mañana ponen el mercadillo. Espero encontrármelo.

Aunque lo primero es lo primero. Ahora mismo, busco a La-Juna.

Nadie abre la puerta, pero oigo unas voces que provienen de la parte de atrás, así que atravieso un inmaculado parterre de flores hasta llegar a una valla metálica y una puerta inclinada. Unas enredaderas de campanilla envuelven los postes y se entrelazan con los alambres, como una tela viviente.

Dos mujeres con sendos sombreros de paja destrozados trajinan a lo largo de una hilera de plantas altas situada en un huerto que ocupa la mayoría del patio. Una de las mujeres es de tipo fornido, y se mueve de forma lenta y rígida. La otra es Sarge, creo, aunque ese sombrero y los guantes floreados no parecen ser de su estilo. Contemplo la escena durante un momento y un recuerdo se asoma a mi mente, antes de inundarla por completo. Recuerdo estar en un jardín de pequeña mientras alguien me ayudaba a recoger una fresa, guiando mis dedos gorditos. Después toqué todas las demás, que seguían aferradas a la planta, y pregunté: *¿Ahora esta?* *¿Ahora esta?*

No tengo ni idea de dónde estaba. En alguno de los lugares donde vivimos, algún vecino fue lo bastante amable como para convertirse durante un rato en mi abuelo adoptivo. Las personas que siempre estaban en casa y pasaban mucho tiempo cuidando de sus jardines eran mis blancos favoritos cada vez que llegábamos a una ciudad nueva.

Un sentimiento de nostalgia aflora de repente en mi interior y me golpea con fuerza el corazón antes de que pueda enviarlo al lugar de donde ha salido. A pesar de que Christopher y yo habíamos hablado largo y tendido del asunto y coincidíamos en que tener hijos no era algo que cuadrara con ninguno de los dos, de vez en cuando me invade cierto impulso, un doloroso «¿Y si…?».

—¡Hola! —Me inclino sobre la puerta—. Lamento molestaros.

Solo uno de los sombreros se inclina hacia arriba. La mujer de más edad continúa trabajando. Recoge y deja caer, recoge y deja caer, llenando una cesta con largas vainas verdes de algún tipo.

Sí que es tía Sarge la que lleva el otro sombrero. Reconozco el modo en que se seca la frente con el brazo antes de reajustarse el sombrero y acercarse a mí.

—¿Se te ha estropeado algo más en casa? —Su tono es sorprendentemente solícito, teniendo en cuenta que nuestro último encuentro no terminó demasiado bien.

—No, todo va bien. Pero, por desgracia, tenías razón sobre la corta duración de mi alquiler. Avísame si te enteras de algún sitio disponible, un garaje convertido en apartamento o algo así, no hace falta que sea muy grande, ya que solo estoy yo.

—Bueno, si al final vas a estar tú sola, mejor tenerlo claro cuando él sigue siendo solo tu prometido y nada más, ¿no? —Se acuerda de la conversación que tuvimos mientras examinábamos el tejado, y yo vuelvo a notar esa sensación de afinidad.

—Cierto.

—Oye —me dice—. Siento si fui dura contigo el otro día. Es solo que empiezas creyendo que puedes cambiar las cosas en Augustine y antes de que te des cuenta, has perdido la chaveta. Es lo único que intentaba decir. No soy demasiado diplomática, por eso mi carrera militar acabó antes de tiempo. A veces, si no estás dispuesta a lamer culos, acaban dándote la patada.

—Me recuerda al profesorado del Departamento de Literatura de la universidad —confieso—. Salvo por los Humvees y lo de ir con ropa de camuflaje, claro.

Tía Sarge y yo nos echamos a reír. Juntas.

—¿Es tu casa? —pregunto, para seguir con la conversación—. Es fantástica. Me encanta todo lo que sea antiguo o vintage.

Señala con el pulgar por encima del hombro.

—De tía Dicey. La hermana pequeña de mi abuela. Vine de visita la primavera pasada después de que… —Lanza un pesado suspiro y decide no finalizar la frase—. No tenía pensado quedarme, pero la casa era un desastre. El depósito se había quedado sin gas y la mayor parte de las cañerías no funcionaban. Imagínate a una anciana de noventa años calentando el agua del baño en el hornillo de la cocina. Tiene demasiados hijos, nietos y sobrinos que no saben hacer ni la *o* con un canuto. La tía Dicey les da todo lo que le piden. Así que me mudé con ella.

Se frota la nuca y luego estira el cuello hacia ambos lados. Suelta una risita triste entre dientes.

—Y aquí me tienes, recogiendo ocra en Augustine, Luisiana. Mi padre se revolvería en su tumba. Lo mejor que le pudo pasar es que lo reclutaran en el ejército, descubrió todo un mundo ahí fuera.

Está claro que debajo de su malhumorada fachada, Sarge esconde una historia mucho mayor.

—Parece que le has dado un buen repaso a la casa.

—Arreglar casas es sencillo. Pero las personas son harina de otro costal. No puedes cambiar las tuberías, ni reinstalar el cableado, ni dar una capa de pintura… para solucionar los problemas de muchas de estas familias.

—Ahora que mencionas el tema de las familias —Evito meterme en el pozo sin fondo de todo lo que *no puede hacerse* en Augustine—, LaJuna es la razón de que me haya pasado por aquí. La semana pasada ambas llegamos a una especie de acuerdo. Me prometió no saltarse más clases y yo le dije que si cumplía su palabra, dejaría que me ayudara con un proyecto en el que estoy trabajando. Eso fue el jueves. El viernes no vino a clase, y no he vuelto a verla desde entonces. He ido a la dirección que aparecía en su expediente, pero el tipo que me ha abierto la puerta me ha mandado a paseo.

—Ese es el exnovio de su madre. Tiffany le da un toque siempre que necesita un sitio donde quedarse. Hace lo mismo con todos, lleva haciéndolo desde que enganchó a mi primo durante el último curso de instituto y tuvo a LaJuna. Así es como se las arregla Tiff. —Se saca una bandana del bolsillo, se quita el sombrero y se seca el cuello; luego se sacude la camiseta para refrescarse—. Lidiar con Tiff es complicado. LaJuna vivió aquí durante años mientras ella estaba en la cárcel, y nunca ha hecho nada para agradecérselo a tía Dicey.

—¿Puedes decirme dónde están? Me refiero a dónde viven. La-Juna me comentó que su madre tenía un nuevo trabajo y que les iba bien. —Sé muy bien de qué va todo eso de engañar adrede a los adultos que forman parte de tu vida para que no se descubra el pastel. Para que no salgan a la luz secretos que, de saberse, harían que todo tu mundo se tambalease—. No creo que LaJuna quisiera incumplir su promesa. Le hacía mucha ilusión lo de organizar... —me interrumpo antes de decir algo que no debo—... nuestro proyecto.

—Cariño, ¿no vuelves? —exclama tía Dicey—. Que se venga tu amiga también. Si le apetece ayudarnos, luego puede probar un poco de ocra con unos tomates verdes fritos. ¡Veréis qué bueno! No tengo demasiada carne para acompañar, solo un par de trozos de asado que han sobrado de la comida que me han traído. Nos los comeremos también. Dile que venga, que no sea tímida. —Tía Dicey se pone una mano alrededor de la oreja para oír la respuesta.

—Tiene cosas que hacer, tía Dicey —exclama Sarge en voz lo bastante alta como para que la oigan en el pueblo de al lado—. Y sí que tenemos más carne. He comprado chuletas.

—Ah, ¡hola, Loretta! —dice tía Dicey.

Sarge menea la cabeza.

—No lleva puesto el audífono. —Me empuja hacia el coche—. Será mejor que te vayas mientras puedas. Si no, te tendrá aquí hasta medianoche, y sé que no has venido para eso. Mira, haré lo que pueda con LaJuna, pero su madre y yo no somos amigas íntimas precisamente. Le destrozó la vida a mi primo. He pillado a Tiff más de una vez intentando gorronearle comida o dinero a tía Dicey. Le dije que, si volvía a aparecer, tendríamos un problema. Que se pague ella las facturas y deje de faltar al trabajo para ir a Nueva Orleans a visitar al inútil de su exnovio... que, por cierto, me juego lo que sea que allí es donde está ahora. Habrá llevado al bebé para que vea a su padre. Lo más probable es que LaJuna haya ido también para cuidar del resto de los críos e intentar que su madre vuelva al trabajo antes de que la echen.

Me asalta la repentina y devastadora imagen de lo que es la vida de LaJuna. No me extraña que sea mandona con los adultos. Está criando a una.

Me lanza una mirada evaluadora cuando llegamos al coche.

—Quiero que sepas que no es culpa de LaJuna. Está atrapada en el fondo de un hoyo y además tiene que cargar con cuatro personas más. Multiplícalo por varias tandas de parientes y entenderás por qué algunos días lo único que quiero es subir al coche y largarme de aquí. Pero, puñetas, quería a mi abuela con todo mi corazón y ella adoraba a su hermana, Dicey… en fin…, no sé. Ya veremos.

—Lo entiendo. —Los problemas de esta comunidad están enraizados profundamente. Si fuera fácil cambiar las cosas, la gente ya lo habría hecho—. Es como estar devolviendo las estrellas de mar al océano.

—¿Eh?

—Una historia que había colgada en el tablón de anuncios de mi antiguo despacho. Es una cuestión de perspectiva, más o menos. Te haré una fotocopia si vuelvo a echarle el guante.

Sarge se inclina para mirar por la ventana del Bicho.

—¿Qué es todo eso?

Examina los libros que he dejado en el asiento trasero con la esperanza de enseñárselos a Nathan mañana por la mañana en el mercadillo, pues tengo varias dudas con respecto a ellos; se trata de unos cuantos ejemplares antiguos y valiosos, además del libro de cuentas de la plantación y la Biblia familiar con las anotaciones de los entierros.

Me planteo cambiar de tema, pero ¿de qué serviría? Sarge tiene la vista clavada en el libro de cuentas, donde aparece el apellido Gossett en la tapa.

—Quería asegurarme de examinarlos con más detenimiento… mientras tenga la oportunidad. El entrenador Davis me ha encargado que controle los accesos al estadio de fútbol esta noche. El Departamento de Atletismo ha organizado una especie de concierto para recaudar fondos y supongo que andan escasos de personal. En fin, pensé que mientras tanto podría echarles un vistazo a los libros.

—¿Has ido a casa del juez? ¿De allí has sacado todo esto? —Le da un golpe al capó del coche—. Cielo santo. —Echa la cabeza hacia atrás y el sombrero de paja se desliza sin hacer ruido hasta la entrada—. *Cielo Santo* —repite—. ¿Te dejó entrar LaJuna?

—Nathan me dejó la llave —digo enseguida, pero noto cómo el vapor se acumula a mi lado. Sarge es como una olla a presión a punto de estallar.

—Vuelve a dejar todo eso en su sitio.

—Estoy buscando libros para clase. Nathan me dijo que me llevara todo lo que pudiera servirme, pero no creo que tenga la menor idea de lo que hay en esa casa. Las estanterías están llenas. La mitad de las baldas cuentan con dos hileras de libros. En la primera están los libros nuevos, y detrás, los más antiguos y raros. Como esos. —Señalo el asiento con la cabeza.

—¿Este es el proyecto que os traéis entre manos LaJuna y tú? —exige saber Sarge—. Me da igual si se da una vuelta por los jardines, pero le dije que ni se le ocurriera meterse en la casa.

—Apareció el primer día que me pasé por allí. —Me da la impresión de que mi relación con LaJuna podría peligrar. Primero invado su guarida secreta y ahora la meto en líos con su tía—. Conoce al dedillo la casa. Su historia. Los sucesos ocurridos. Pasó bastante tiempo con el juez cuando vivía con su tía... o tía abuela... tu tía Dicey. Hay una vieja trampilla bajo el...

—Para. No sigas. Me da igual. —Si antes tenía dudas, ahora soy plenamente consciente de que me he metido en algo que no acabo de entender—. Ve a devolver todo eso. Y no dejes que LaJuna vuelva a poner un pie en esa casa. Si Will y Manford Gossett o sus esposas se enteran de que está metida en esto, Tiff ya puede ir olvidándose de su nuevo trabajo en Industrias Gossett. Lo mejor que puede hacer cualquiera que los hace enfadar es recoger sus cosas y alquilar un camión de mudanzas. Hazme caso.

—No puedo dejarlo estar. Los libros están ahí acumulando polvo y a mí me hacen falta.

—Y no creas que tú te vas a librar solo porque no trabajas para Industrias Gossett. La mujer florero de Manford, una rubia menudita, forma parte del consejo escolar.

—Por lo que tengo entendido, la casa y el terreno pertenecen a Nathan.

—Mira, antes de que la hermana de Nathan muriera, puede que las cosas fueran diferentes. —Niega con la cabeza y clava la mirada en el suelo, como si estuviera poniendo en orden sus pensamientos—. Cuando Robin heredó la casa, se aseguró de estar al pie del cañón. Le tenía mucho cariño a la propiedad. Era suya y no iba a permitir que sus tíos se la arrebataran. Pero ella ya no está y sí, en teoría, la casa es ahora de su hermano, pero el único motivo por el que Nathan no la ha vendido es por respeto a su hermana… porque Robin se enfrentó a Will y Manford y luchó por conservarla hasta el día de su muerte.

—Ah… —murmuro.

—Es un follón —dice tía Sarge—. Aléjate de los Gossett. Aléjate de la casa. No pasees esos libros por la ciudad y, por lo que más quieras, no se los enseñes a nadie en el estadio de fútbol. Vuelve a dejarlos en su sitio. Intentaré que LaJuna entre en razón sobre lo de volver a clase, pero mantente alejada de Goswood.

Miro a Sarge a los ojos. Hay muchas cosas que dejamos sin decir durante la breve mirada que compartimos, antes de que me meta en el coche.

—Gracias por ayudarme con LaJuna.

—Todo depende de lo que se traiga entre manos su madre. —Apoya la mano en la ventanilla abierta—. Conozco la historia esa de las estrellas de mar. Sé lo que intentas hacer, pero, por aquí, la marea es bastante fuerte.

—Entendido.

Mientras me alejo, alzo la barbilla y tenso la mandíbula. No puedo dejar de lado Goswood Grove. Me niego. Solo me hace falta un muro para contener la marea y pienso construirlo con libros.

Aun así, sigo el consejo de Sarge y dejo los libros tapados en el coche mientras vendo las entradas. Aparco en una zona donde pueda echarle un vistazo al Bicho, ya que la cerradura del asiento del copiloto se ha estropeado.

Por desgracia, mi tarea resulta ser más complicada de lo que esperaba. No solo me encargo del dinero de las entradas, sino que tengo que corretear por debajo de las gradas para echar a los adolescentes que andan metiéndose mano. Estoy segura de que muchos amoríos acaban heridos de muerte tras mi intervención.

Los críos han cambiado mucho desde que yo era una adolescente. Los reinos ocultos del estadio de fútbol resultan aterradores.

Suspiro de alivio cuando vuelvo al Bicho y compruebo que los libros siguen en el mismo lugar donde los dejé. Planeo quedarme despierta hasta tarde, dejar de lado la preparación de las clases y ponerme a estudiar este material y tomar notas. Quiero sacar el máximo provecho a los libros, por si la conversación de mañana con Nathan Gossett no sale bien.

Cuando aparco frente a casa, veo a Sarge paseándose de un lado a otro del porche, cosa que me pilla totalmente desprevenida.

Capítulo 15

—Tenemos que irnos, Juneau Jane. —Nunca le he hablado de esa forma a ningún blanco, aunque Juneau Jane no es blanca, ni tampoco negra. No sé cómo llamarla. Y ahora mismo da igual, porque podría ser la mismísima reina de Saba y llevar un vestido nuevo rosa y, aun así, tendríamos que largarnos antes de que las cosas se torcieran—. Ayúdame a subir a la señorita Lavinia al caballo y volveremos a ponernos en marcha. Dentro de poco, a esa mujer le dará por pensar que o bien estamos muertas o lo de la fiebre es mentira.

Hemos pasado cuatro días más encerradas en esta iglesia del bosque. Cuatro días en los que he atendido, alimentado y aseado los cuerpos febriles de estas dos chicas mientras rezaba. Cuatro días en los que he ido dejando monedas junto al árbol que está en el extremo del claro y pidiéndole entre gritos a la mujer lo que necesitaba que me trajera. Es amable, clemente y buena. Incluso se llevó al perro a casa para cuidarlo como dios manda. Sé que se portará bien con el perro, y me alegro, pero la mujer se pone más y más nerviosa cada vez que ve que seguimos aquí. Se debe de haber corrido la voz sobre la fiebre, y los vecinos estarán preguntándose si deben reducir a cenizas este lugar para evitar que sus familias acaben contagiadas.

Puede que los hombres del aserradero vengan a husmear también. No podemos correr el riesgo.

Juneau Jane no me responde. Sigue a lo suyo junto a la pared empapelada de periódicos. Está de cara a la esquina, así que no veo lo que hace. Ha estado muy callada desde que volvió en sí. Confundida, asustada y nerviosa, como los soldados que deambulaban por los caminos después de la guerra, con la cabeza hecha un lío, agitados y fuera de sí. Cuando la mente se extravía, no siempre es capaz de encontrar el camino de vuelta a casa. Tal vez sea la manera que tiene el alma de protegerse a sí misma. Por lo que me ha dicho, no se acuerda de cómo llegó hasta aquí ni lo que les hicieron el hombre del parche ni sus secuaces.

La señorita Lavinia todavía no ha abierto la boca. Es como si fuera una enorme y pesada muñeca de trapo; no hizo ningún movimiento mientras la lavaba con el agua de lluvia que recogimos y la vestía con la ropa que le compré a la mujer. Ropa de chico y un sombrero. Si nos encontramos con alguien por el camino, será mucho más fácil pasar desapercibidas de ese modo.

—Es hora de largarse. —Sigo hablando mientras recojo la comida, la colcha y la manta de lana que le compré a la mujer. Podemos usarlas para taparnos y dormir o extenderlas por encima como una tienda—. Ya he ensillado a los caballos. Venga, ayúdame a subir a la señorita Lavinia a lomos de la yegua.

Sigue sin decir nada, así que cruzo la habitación y le toco el hombro.

—¿Es que no me oyes? ¿Qué estás mirando ahí que no puedes ni contestarme? Te he salvado la vida, ¿sabes? A las dos. Podría haberos dejado en esa ratonera, ya lo creo que sí… Eso debería haber hecho. No os debo nada. He dicho que vengas a echarme una mano. —Se me está acabando la paciencia y el sol apenas se ha asomado tras los árboles. Quizá sea hora de que me marche y deje que se apañen ellas solas.

—Ya voy —responde en un tono bajo e inexpresivo; no parece la voz de una niña—. Pero antes debo acabar esto.

Ha arrancado una de las páginas de periódico de la pared y se ha puesto encima descalza; está cortando el papel con la forma de su pie, usando el cuchillo para desollar que me trajo la mujer.

—Mira, siento que no te gusten los zapatos que te he traído, pero no hay tiempo para ponerse a recortar papel y dejarlos más mullidos. Podrás rellenarlos con hierba o con hojas de camino. Alégrate de tener zapatos, esa mujer ni siquiera pudo conseguirme un par que le viniera bien a la señorita Lavinia. Por ahora tendrá que ir descalza, ya nos preocuparemos por eso más tarde. Tenemos que marcharnos de aquí.

La chica me dirige su extraña mirada. No me gusta cuando hace eso. Me pone los pelos de punta. Mete una mano por debajo de la pierna, se saca un par de trozos de periódico que ya ha recortado con forma de pie y me los ofrece.

—Póntelos en los zapatos —me dice—. Te protegerá de los maleficios.

Una bruja me desliza la uña por la espalda, las costillas y todos los demás huesos del cuerpo, provocándome un escalofrío. No quiero saber nada de ningún maleficio, ni siquiera me gusta que los mencionen.

No creo en los maleficios, Señor, digo mentalmente. *Quiero que lo sepas.* Ya que estamos en una iglesia, lo mejor es dejar las cosas claras.

Le digo a Juneau Jane:

—¿Cómo va a protegerme un papelito de un maleficio? —*No me creo ni una palabra, Señor, pero si le sigo la corriente quizá se dé un poco más de prisa.* Me siento en el sillón y empiezo a quitarme las botas—. Si así te pones en marcha, me los pondré. Pero no estamos metidas en este lío por culpa de ningún maleficio. Ha sido cosa de esos desgraciados y de la majadería de plan que se os ocurrió a la señorita Lavinia y a ti; y yo fui lo bastante tonta como para disfrazarme de chico y acompañaros.

—No hace falta que te los pongas si no quieres. —De pronto ha vuelto a emplear ese tono agudo suyo. La noto, incluso, un poquito más descarada. Al menos, es buena señal en lo que respecta a su salud.

Intenta quitarme las suelas de periódico.

Las agarro antes de que lo haga ella.

—Me las pondré.

Quita unos cuantos papeles más de la pared, los dobla y se los mete en la camisa de hombre que se ha puesto, a la altura de donde lleva atados sus nuevos pantalones. La camisa le queda tan suelta que las costuras de los hombros le llegan casi a los codos.

—No está bien que robes en una iglesia —le digo.

—Son para después. —Agita una mano en dirección a la pared—. Tienen un montón.

Observo los tablones, las páginas se extienden desde el suelo hasta el techo.

Hay un montón de palabras metidas en cajitas. Apenas me he fijado en las páginas de periódico todos estos días. Había demasiado que hacer. Pero alguien se ha tomado la molestia de colgarlas con mucho cuidado, asegurándose de que no se pisen unas a otras. Esa no es la mejor forma de colocarlas si lo que quieres es aislar la estancia del clima.

—¿Qué pone? —Me lo pregunto a mí misma, pero lo digo en voz alta.

—¿No las has leído? —Sigue metiéndose hojas de periódico en los zapatos—. Llevamos aquí varios días.

—No sé leer. —Supongo que no debe darme vergüenza admitirlo—. Algunos no vivimos en casas como la tuya ni nos dan dinero para ropa ni nos preparan la comida. Algunos llevamos ganándonos la vida con esfuerzo y sudor desde antes de que nos liberaran, y lo hemos seguido haciendo después. Antes de que fuéramos libres, si la señora nos pillaba intentando aprender a leer, nos daba una buena tunda. Ahora, trabajamos de sol a sol durante la época de siembra y de cosecha, y cuando hay que desmalezar. Y *entre medias*, encendemos una vela de sebo o una antorcha y nos ponemos a zurcir calcetines o a confeccionar ropa, ya sea para nosotros o para venderla. Todo el dinero que ganamos se nos va en la comida que compramos en el economato de la plantación, en las semillas del próximo año y en la cuota que le pagamos a la señora para poder quedarnos con el terreno algún día. Y alabado sea el Señor, ese día está cada vez más cerca, si es que no lo he echado todo a perder por ayudaros a ti y a la señorita Lavinia. No, no sé leer. Pero trabajo como la que más y se me dan bien los números. Soy muy rápida haciendo cuentas de cabeza, más que la mayor parte de las personas que las hacen en papel. Aparte de eso, ¿qué más me hace falta aprender?

Ella se encoge de hombros y sigue atándose los zapatos.

—Si al final compraras el terreno, tendrías que firmar los papeles de la transacción, desde luego, así que si no sabes leer, ¿cómo te las apañarías para que no te engañen?

Es una enana sabelotodo. Menuda engreída. Creo que me caía mejor cuando estaba enferma y no abría la boca.

—En serio, vaya pregunta más tonta. Le pediría a alguien que lo leyera por mí. Alguien de quien pueda fiarme. Así me ahorro el tener que aprender solo por un papelito.

—Pero ¿cómo podrías estar segura de que esa persona es de fiar?

—Caray, eres de lo más desconfiada, ¿no? No todo el mundo te la va a jugar. Además, hay personas de color que saben leer. Y cada vez más, con todos esos profesores que vienen del norte y crean escuelas para nosotros. Hoy en día levantas una piedra y te encuentras a alguien que sabe leer. —Aunque lo cierto es que la señora no consiente que sus trabajadores se junten con oportunistas o profesores del norte.

—Y también se lee por placer. Para disfrutar de las historias.

—*¡Pfff!* Prefiero que las historias me las *cuenten*. Yo conozco muchas. Gracias a mi madre, a Tati y a la gente mayor. Algunas de esas historias me las contaron mientras cosían ropa para ti. Podría recitar un puñado de anécdotas de carrerilla.

Por primera vez, me mira con interés, pero no vamos a estar juntas el tiempo suficiente como para contarle historietas. En cuanto volvamos a Goswood Grove, pienso olvidarme de todo este asunto, de ella y de la señorita Lavinia.

Termino de atarme los zapatos.

—A ver, ¿qué es lo que pone en las hojas de periódico que nos va a proteger de los maleficios? Dime.

—No se trata de lo que pone. —Se prueba los zapatos. Ahora parece bastante satisfecha—. Sino de cuántas letras hay. Antes de que un brujo pueda echarte una maldición, debe contar todas las letras que lleves en los zapatos. Para cuando haya acabado, ya te habrás marchado, ¿no?

Me levanto y oigo un crujido bajo mis pies. Es una sensación rara.

—Supongo que debería haber contado las letras antes de meterme las hojas. Así sabría de cuánto tiempo dispongo si un brujo aparece por casualidad y me dice: «Oye, espera un momento, deja que cuente las letras que llevas».

Pone cara de listilla y se coloca los brazos flacuchos por detrás de la cabeza.

—Pero aun así te las has metido en los zapatos.

—Solo para que cierres el pico y empieces a darte aire. —Contemplo el resto de los papeles que hay colgados. Espero que no se trate de nada indispensable—. ¿Piensas decirme qué pone en las páginas antes de que nos marchemos, al menos? No me gustaría que nos lleváramos nada importante.

Se menea un poco, se agarra la parte de atrás de los pantalones, que le llegan a la rodilla, intenta tirar de ellos hacia abajo, y finalmente se los sube más. Me juego lo que sea a que esta chica no ha llevado pantalones en su vida.

—Buscan a sus amigos perdidos.

—¿Los periódicos?

—Los que han mandado los anuncios para que se publiquen.

Se acerca a la pared y señala la esquina superior de una de las páginas. Está todo escrito en cuadraditos, como en la Biblia que el amo sacaba cuando había que enterrar a alguien en el camposanto. Ahí, en las primeras páginas, dibujaba un cuadrado y escribía el número de la tumba dentro.

Juneau Jane recorre con la mano el bloque de arriba; su tez no es mucho más oscura que la página salpicada de agua.

—«Amigos perdidos» —lee ella—. «Nos llegan muchas cartas solicitando información sobre los amigos perdidos de los lectores.

Nos encargaremos de difundir dichas cartas en esta columna. Su publicación no tendrá coste alguno para los suscriptores del *Southwestern*. Todos los demás deberán abonar 50 centavos…».

—¡Cincuenta centavos! —suelto—. ¿Por unos cuantos garabatos en un periódico? Podría hacer muchas cosas con 50 centavos.

Me mira por encima del hombro y frunce el ceño.

—Quizá deberíamos ponernos en marcha.

—Léeme el resto. —Noto un hormigueo en mi interior, pero no sé a qué es debido.

Plantada frente a la pared con los pantalones caídos, vuelve a levantar la mirada.

—«Rogamos que los pastores lean desde los púlpitos las peticiones publicadas a continuación e informen de todos los reencuentros de amigos que se produzcan gracias a las cartas difundidas a través del *Southwestern*». —Se desplaza un poco a lo largo de la pared—. Es un periódico que se reparte en las iglesias. En las iglesias de la gente de color.

—¿Las iglesias de la gente de color tienen periódicos? ¿Aquí, en el estado de Luisiana?

—En muchos estados —responde—. Este periódico se distribuye en muchos estados. Es el *Southwestern Christian Advocate*. Es una publicación para los pastores.

—¿Y se lo leen a los feligreses? ¿En todas partes?

—Supongo que sí… si ha llegado hasta aquí.

—Nunca había oído nada al respecto. ¿Qué es lo que pone en los recuadros?

Juneau Jane señala uno de ellos. Comparados con otros, este es bastante pequeño.

—«Señor editor». —Lee en voz alta—. «Solicito información sobre mi familia. Nos separamos en un patio de subasta en Alexandria, donde yo me quedé con un hombre apellidado Franklin. A ellos los enviaron a Nueva Orleans. Se llamaban Jarvis, George y María Gains. Agradeceré cualquier tipo de información que puedan facilitarme. Pónganse en contacto conmigo en Aberdeen, Misisipi. Cecelia Rhodes».

—Santo cielo —susurro—. Léeme otra.

Me lee la historia de un niño llamado Si que tenía 5 años cuando un tal señor Swan Thompson murió y los hijos de este se dividieron todos sus bienes, incluidos los esclavos que tenía.

—«Fue en 18...». —Juneau Jane se pone de puntillas para leer la hoja—. «1834. La señorita Lureasy Cuff estaba en casa, hablando con mi madre, y decía: "Creo que papá debería cederme a Si, ya que yo me he encargado de criarlo". El tío Thomas condujo el carro cuando mamá se marchó. En aquel entonces tenía dos hijos. Si y Orange. Pónganse en contacto conmigo en Midway, Texas. Si Johnson».

—Cielo santo —repito, más fuerte esta vez—. Será ya un anciano. Un anciano de Texas que sigue buscando a su familia. Y gracias a ese periódico se ha corrido la voz hasta aquí.

El pensamiento se me desborda como el río después de una tormenta. Crece, da vueltas y se aferra a todo aquello que me apesadumbra, todo aquello que lleva meses y años yaciendo en la orilla. Floto a donde no me he permitido llegar hasta ahora. ¿Estará mi familia en esa pared? ¿Mamá, Hardy, Het, Pratt... Epheme, Addie? ¿Easter, Ike y Rose, la bebé? ¿La tía Jenny o la pequeña Mary Angel, a la que vi por última vez en aquel corral de esclavos cuando tenía tres años, antes de que se la llevara el mozo del comerciante?

Mary Angel estará ya muy mayor. Solo era tres años más pequeña que yo. Supongo que habrá cumplido los quince. Tal vez vaya a una de esas escuelas para gente de color. Tal vez haya escrito algo en uno de esos recuadros del periódico. Puede que esté en esa pared y yo ni siquiera lo sepa. Puede que todos estén ahí.

Tengo que averiguarlo. Tengo que saber qué pone en cada uno de los recuadros.

—Léemelo. Todo —le pido a Juneau Jane—. No puedo marcharme de aquí sin saberlo. Yo también perdí a los míos. Cuando los norteños llegaron por el río en sus cañoneras, mi señor se propuso refugiarnos a todos en Texas hasta que el ejército confederado ganara la guerra. Pero en vez de eso, el sobrino de la señora, Jep Loach, huyó con algunos de nosotros. Nos vendió por el camino. De uno en uno y de dos en dos. Yo fui la única que recuperaron los Gossett. La única de mi familia que acabó refugiada con él en Texas.

No podemos marcharnos. Hoy no. Ya se me ocurrirá qué decirles a la mujer y al niño; ahora lo más importante es saber qué pone en todos los periódicos.

—¿Qué pone en el siguiente? —Es la primera vez en la vida que siento anhelo por las palabras, pero de repente tengo tantas ganas de oírlas como de comer hasta hartarme, cosa que llevo esperando desde los seis años. Quiero comprender las marcas de ahí arriba y convertirlas en personas y lugares.

Juneau Jane me lee otra. Y luego otra; pero lo que oigo no es su voz afrancesada, sino el tono áspero de una anciana que busca a su madre, a la que no ha visto desde que tenía la edad de Mary Angel. El dolor todavía aflige su corazón, como una herida con la sangre ya seca, pero este solo se desvanecerá cuando encuentre lo que ha perdido.

Me pongo junto a Juneau Jane y escojo un recuadro, y luego otro, y luego uno que está al otro lado de la pared.

Una hermana a la que vendieron y separaron de sus hermanos en Carolina del sur.

Una madre que llevó en el vientre y dio a luz a diecinueve hijos, aunque ninguno permaneció con ella más allá de los cuatro años.

Una esposa que buscaba a su marido y a sus hijos.

Una familia cuyo hijo luchó en las tropas de color junto a los soldados de la Unión, pero que no fue capaz de averiguar si murió y lo enterraron en algún campo empapado de sangre, o si vive en algún lugar lejano, puede que incluso en el norte, o si simplemente vaga por los caminos, perdido todavía en el interior de su propia mente.

Me quedo mirando la pared, contando los recuadros, haciendo cálculos. Hay tantísima gente ahí colgada, tantísimos nombres.

Juneau Jane deja de estar de puntillas al cabo de un rato y apoya las manos en los pantalones.

—Debemos marcharnos, tú misma lo has dicho. Hay que salir de aquí antes de que sea demasiado tarde. Los caballos están ensillados.

Miro a la señorita Lavinia, que se ha acurrucado en el rincón más alejado de la estancia con la colcha subida hasta el cuello. Está contemplando los pequeños arcoíris que se proyectan por toda la iglesia desde la bonita ventana de cristal tallado.

—Puede que, si esperamos un día más, la señorita recobre la razón y nos evitemos problemas.

—Antes has dicho que te preocupa que la mujer que nos trae las cosas haya empezado a sospechar.

—Ya *sé* lo que he dicho —digo con brusquedad—. Pero le he dado unas cuantas vueltas más al asunto. Lo mejor sería salir mañana.

Me lleva la contraria de nuevo. Sabe que no podemos quedarnos aquí mucho más tiempo.

—No eres más que una muñequita —le suelto finalmente, pronunciando unas palabras tajantes y amargas que me hacen fruncir la boca—. Una repipi a la que han mimado todos estos años y que acabará siendo la querida de algún hombre durante el resto de sus días. ¿Qué sabrás tú de lo que cuentan los periódicos? ¿De las penalidades que sufre mi gente? ¿De lo que significa extrañar a los tuyos y no saber si están vivos o muertos? ¿O si alguna vez volverás a verlos?

No se da cuenta de que los recuadros del periódico son como los rediles de los patios de subastas. Cada uno cuenta una historia. Cada uno es una persona a la que han vendido.

—Tantos años después de que haya acabado la guerra, siguen llegando madres y padres a todas las plantaciones. Aparecen un buen día y dicen: "He venido a por mis hijos. Ahora me pertenecen". Algunos se han recorrido el país, en busca de sus familiares. Los antiguos amos ya no pueden impedírselo. Pero nadie ha venido a buscarme a mí. No hago más que esperar, pero no llegan y no sé por qué. Tal vez de este modo averigüe qué ha pasado. —Señalo los periódicos y repito—. No me iré de aquí hasta que lo sepa. No, señor.

Antes de que pueda hacer nada, Juneau Jane empieza a arrancar los periódicos.

—Nos los llevaremos y los leeremos de camino. —Recoge incluso los recortes que hay tirados en el suelo.

—Eso es robar —le digo—. No está bien que nos los llevemos.

—Pues entonces los quemaré. —Se dirige a la estufa a toda prisa, igual que un gato, y abre la puerta—. Los quemaré y así se acabará la discusión.

—Antes te arrancaré esos brazos flacuchos que tienes.

—La gente que viene aquí ya se los ha leído. —Sostiene los recortes junto a la estufa—. Y cuando nosotras terminemos, se los pasaremos a alguien que tal vez no se haya topado con ellos todavía. ¿No te parece que de ese modo resultarán más útiles?

Eso no puedo discutírselo, y una parte de mí no quiere hacerlo, así que lo dejo estar.

A media mañana, ya hace mucho que nos hemos marchado. Hemos dejado una de las monedas de un dólar de la señorita por haber estado acaparando la iglesia… y por llevarnos los periódicos.

Recorremos el camino con una pinta la mar de curiosa, las tres vestidas con pantalones que nos van demasiado grandes. Juneau Jane se ha escondido la larga cabellera metiéndosela por la parte de atrás de la camisa. Los pies de la señorita Lavinia cuelgan descalzos y rosados mientras yo voy montada tras ella a lomos de Ginger. Si la señora viera que va enseñando los pies y los tobillos, se pondría hecha una energúmena. Pero la señorita no dice ni una palabra, se limita a agarrarse a la yegua y a contemplar fijamente el bosque, con el rostro tan pálido e inexpresivo como el fragmento de cielo gris azulado que se extiende sobre el camino.

Empiezo a preguntarme por qué todavía no ha vuelto en sí ni ha recuperado el habla, como Juneau Jane. ¿Se quedará así para siempre? ¿Tiene algo que ver con el chichón que lleva en la cabeza, o lo que pasa es que la tenacidad de Juneau Jane es mayor?

Por delante de nosotras, Juneau Jane habla con su caballo en francés; está recostada sobre la crin del animal, rodeándole el cuello con los brazos.

Por la tarde, hacemos una parada para comer y beber algo, y para que los caballos descansen. Al volver del bosque después de hacer mis necesidades, veo a Juneau Jane con el cuchillo de desollar en una mano y una mata de algo negro en la otra. A su alrededor, como si fuera la lana esquilada de una oveja, descansa su oscura y larga cabellera. Está sentada sobre un nido de pelo y uno de los lados de su cabeza tiene el mismo aspecto del de un polluelo. Puede que no esté tan en sus cabales como yo pensaba.

La señorita Lavinia está tendida junto a ella y sus ojos suben y bajan ligeramente, casi de forma perezosa, mientras contempla los movimientos del cuchillo.

Lo primero que me viene a la cabeza es: *A la señora le daría un ataque si viera esto, Hannie. Te has despistado y has dejado sola a una chiquilla con un cuchillo. Las trastadas no son culpa de los niños, sino tuya, por no vigilarlos más de cerca. Tú eres la responsable.*

Tengo que recordarme que no lo soy, que Juneau Jane no es problema mío, pero aun así digo:

—¿Por qué has hecho eso? A la señora… —Pero me interrumpo a mitad de frase al recordar que la señora se desharía de esta niña como si fuera una garrapata. La aplastaría con dos dedos—. Podrías habértelo metido por debajo del sombrero hasta llegar a casa. A tu madre no le hará gracia. Ni a tu padre, cuando vuelva y te vea. La razón por la que siempre fuiste su favorita es porque eras una monada.

Me ignora.

—Y volverá, ya verás. Si esos miserables te dijeron que había muerto fue porque la señorita les pagó para que lo hicieran. Los hombres así mienten más que hablan. Y te aseguro que a tu padre le disgustará… eso que estás haciendo.

Hasta yo sé que lo más valioso que tiene esta chica es su aspecto. Su madre la entregará al primer ricachón que muestre interés en ella. Ya no hay tantos como antiguamente, pero aún quedan unos cuantos. En los viejos tiempos, ya estarían exhibiéndola en los bailes mixtos para que los hacendados ricos y sus hijos le echaran un vistazo. Charlarían con unos y con otros y se la cederían a algún hombre que la quisiera para sí, pero no podría casarse con ella, aunque lo deseara.

—Tardarás mucho en volver a tener el pelo así de largo.

Me mira fijamente, le da un tajo al mechón que tiene sujeto en la mano, lo lanza como si fuera la cabeza de una serpiente y sigue a lo suyo. Agarra, tira y corta. Debe de dolerle, pero permanece tan imperturbable como los leones de piedra que custodiaban los postes de la entrada de Goswood antes de la guerra.

—No voy a volver. No hasta que haya encontrado a mi padre o los documentos de mi herencia.

—¿Y cómo piensas lograrlo?

—Me voy a Texas.

—¿A Texas? —Mis dudas sobre su estado mental quedan despejadas—. ¿Cómo vas a llegar hasta Texas? Y una vez estés allí, ¿a dónde vas a ir? Es una ciudad enorme. ¿Acaso has estado alguna vez? Porque yo sí, cuando me refugié allí con mi señor. Es una zona silvestre, llena de cafres y de indios que se ofrecerán no solo a cortarte la cabellera, sino a arrancarte, de paso, el cuero cabelludo.

Un escalofrío me recorre de pies a cabeza. Me acuerdo de Texas, y no es un recuerdo agradable. No pienso volver allí. Nunca.

Pero una vocecilla me susurra en mi interior: *A algunos de los tuyos se los llevaron a Texas. Allí te separaste de mamá.*

—Mi padre le escribió una carta a mi madre al llegar al puerto fluvial de Jefferson, en Texas. Acudió a su abogado para recuperar las propiedades que tenía la familia Gossett por la zona, ya que su hermano… —Hace un gesto en dirección a la señorita Lavinia para hacerme saber que se refiere a su hermanastro, el señorito Lyle; la sola mención de ese chico me ensombrece el pensamiento—… las vendió de manera ilegal. Esas tierras forman parte de mi herencia, y la intención de papá era cederme las ganancias en cuanto se llegara a un acuerdo para garantizar mis recursos. El abogado debía poner en marcha la cuestión jurídica para que, con suerte, Lyle volviera a Jefferson y nuestro padre pudiera encargarse de él. En su carta, papá estaba muy preocupado por el comportamiento imprudente de Lyle y por las compañías que frecuentaba en los últimos tiempos.

Me estremezco, todo eso me da mala espina.

—¿Llegaste a recibir el dinero? ¿O alguna noticia de tu padre que te confirmara que se había encargado de su hijo?

—No llegó ninguna otra carta del abogado de papá, un tal señor Washburn, ni de papá. El administrador de papá en Nueva Orleans afirma ahora que la carta que recibió mi madre carece de validez y es posible que esté falsificada, por lo que hasta que se contrasten los documentos o papá sea localizado, el asunto queda prorrogado.

—Era ese mismo señor Washburn con el que ibais a reuniros la señorita y tú en el edificio frente al muelle, ¿no es así? —Intento encajar las piezas en mi cabeza, pero la aparición del nombre de Lyle lo desbarata todo—. ¿Te acuerdas de algo más? —Cada vez que se lo pregunto, niega con la cabeza.

Vuelve a hacer lo mismo, pero, esta vez, le tiemblan un poco los hombros y desvía la mirada. Recuerda más de lo que quiere admitir.

—Creo que Lavinia sabe lo mismo que yo acerca del señor Washburn y también sabe que el hombre no ha salido de Texas en todo este tiempo, incluso cuando ella me aseguró que acudiría al muelle para hablar con nosotras. —Su mirada se vuelve fría y se dirige hacia la señorita—. Mencionó su nombre para poder llevarme hasta allí y tenderme una emboscada, lo que pasa es que las cosas se torcieron y la traicionaron a ella también.

Se me revuelve el estómago. ¿Sería capaz la señorita de hacerle eso a su propia hermanastra? ¿A alguien de su sangre?

Juneau Jane vuelve a su tarea de cortarse el pelo. Los últimos rayos de sol de la tarde alcanzan la hoja del cuchillo e iluminan las raíces de los árboles, el musgo y las hojas de palma.

—Al llegar al puerto de Jefferson preguntaré por papá y llamaré al despacho del señor Washburn y luego pensaré qué hacer a continuación. Espero de todo corazón que el señor Washburn sea un hombre de bien y no esté al corriente de que Lavinia usó su nombre como cebo. Espero también poder encontrar a papá y que no le haya pasado nada.

Esta chica no sabe ni lo que dice, me digo a mí misma antes de levantarme. *Será mejor dejar el tema. Tenemos que seguir adelante. Todavía quedan unas horas antes de que oscurezca.*

No sé por qué me detengo ni por qué me doy la vuelta.

—¿Y cómo piensas llegar hasta Texas? —Tampoco sé por qué pregunto eso—. ¿Tienes dinero? Porque yo he descubierto lo que pasa cuando robas en los barcos. Te lanzan al río para que te ahogues.

—Tengo mi caballo.

—¿Venderías a tu caballo? —Adora al animal y él a ella.

—Si no me queda otra. Lo haré por papá. —Se atraganta con las últimas palabras, luego traga saliva con fuerza y aprieta los labios.

Me da la impresión de que esta es la única de los tres hijos del señor Gossett que tal vez quiera a su padre, en vez de preocuparse solo por lo que le puede sacar.

Nos quedamos calladas un rato. Noto cómo la sangre me recorre los músculos y la carne, la oigo palpitar en mis oídos, con la intención de ser oída. Clamando a gritos.

—Creo que me dejaré caer por Texas. —Las palabras brotan con mi voz, pero no sé quién las ha pronunciado. *Solo te queda una temporada más como aparcera, Hannie. Una. Y después esa parcela de tierra en Goswood será tuya. Tuya y de Tati y de Jason y de John. No puedes dejarlos tirados ahora, con la cosecha por delante. Sin nadie que los ayude con las labores de costura para poder sacarse un dinero extra. ¿Cómo pagarán la cuota?*

Pero pienso en los recuadros de los periódicos. En mamá. En mi familia.

Juneau Jane deja de cortarse el pelo y se pasa la cuchilla por la palma de la mano, no lo bastante fuerte como para hacerse sangre pero sí como para dejarse una marca.

—Tal vez… podríamos ir juntas.

Yo asiento y ella hace lo mismo. Nos quedamos sentadas, ensimismadas con la idea.

La señorita Lavinia deja escapar un fuerte ronquido. Vuelvo la mirada hacia ella, y veo que está tumbada sobre el suave y húmedo musgo, durmiendo profundamente. Juneau Jane y yo intercambiamos una mirada; ambas pensamos lo mismo.

¿Qué vamos a hacer con ella?

AMIGOS PERDIDOS

Señor editor:

Busco información sobre mi madre, me gustaría saber dónde está. Se llama Malina Gill. Nos separaron en 1843 en el condado de Wake, Carolina del Norte, cuando yo tenía 2 o 3 años. Pertenecíamos al coronel Oaddis (quien es mi padre) y él nos vendió a Israel Gill. Como mi madre tenía mucho carácter, Gill la vendió y se quedó conmigo. El reverendo Purefile la llevó hasta Roseville, donde tenía un hotel. En la época en la que Israel Gill le compró a mi madre al coronel Oddia, vivíamos en Raleigh, Carolina del Norte; más tarde, Gill y yo nos mudamos a Texas. Agradeceré cualquier información que se me facilite en relación con su paradero. Pónganse en contacto conmigo en San Felipe, Texas, a la atención del señor C. H. Graves.

Henry Clay
—Columna de los «Amigos perdidos»
del *Southwestern*
2 de agosto de 1883

Capítulo 16

Me invade una sensación de *déjà vu* en el aparcamiento del mercadillo mientras veo llegar la camioneta de Nathan Gossett. Salvo
que en esta ocasión me encuentro mucho más nerviosa. Tras mantener anoche una larga conversación con Sarge en mi casa y hacer
unas cuantas llamadas de teléfono, una serie de planes increíbles
han empezado a tomar forma, aunque la mayor parte de ellos dependen de la cooperación de Nathan.

¿Ha pasado solo una semana desde que le tendí una emboscada
y le pedí permiso para entrar en la casa de Goswood Grove? No
tiene ni idea de lo que ha desencadenado esa llave. Espero poder
transmitirle mis intenciones de forma coherente.

Pensándolo bien, lo mejor habría sido disfrutar de una buena
noche de descanso, pero tendré que confiar en que los nervios y la
cafeína suplan la falta de sueño. Sarge y yo nos quedamos despier-
tas hasta tarde, haciendo planes y reclutando voluntarios.

Aprieto y aflojo los dedos, y luego sacudo las manos como una
atleta a punto de correr los cien metros lisos. Me lo juego todo. Le
plantearé un razonamiento irrefutable y, si es necesario, estoy dispuesta
a suplicarle. Aunque debo darme prisa. No puedo llegar tarde al instituto. Gracias a mi nueva amiga Sarge, esta mañana va a venir una invitada muy especial a clase para hablar con mis alumnos más grandes.

Si la cosa sale bien, le diremos a la invitada que vuelva otro día
para hablar con los de séptimo y octavo. Con un poco de suerte, mis

alumnos se embarcarán en un viaje que ninguno de nosotros podía haberse imaginado hace dos semanas. La soñadora que vive en mi interior cree de verdad que es un viaje que podría llegar a dar sus frutos. Sarge no es tan optimista como yo, pero al menos está dispuesta a acompañarnos en nuestro periplo.

Nathan se pone rígido al verme cruzar el aparcamiento para interceptarlo. Resopla. Los músculos de la mejilla se le tensan y hacen desaparecer momentáneamente el hoyuelo de su barbilla. Lleva barba de un día, cosa que, me doy cuenta de pronto, no le queda nada mal.

Dicha observación me toma por sorpresa, y acabo sonrojándome cuando nos ponemos a hablar.

—Si vienes a ponerme al día, no hace falta. No me interesa. —Levanta ambas manos, con las palmas hacia afuera, como diciendo: «Esto ya no va conmigo»—. Ya te lo dije, me da igual lo que saques de la biblioteca. Llévate lo que te sea de utilidad.

—Es más complicado de lo que creía. Me refiero al asunto de la biblioteca.

Hace una mueca que denota que se arrepiente de haberme dejado la llave.

Llegados a este punto, no me queda más alternativa que poner toda la carne en el asador.

—Ya he llenado algunos estantes de mi aula. Tu abuelo era todo un amante de los libros. —Casi le digo que el juez era un chalado de los libros… Conocí a unos cuantos durante los años en los que trabajé de librera. No me extrañaría que hubiera más libros en otras habitaciones de la casa, pero no me he puesto a fisgonear—. Me he llevado unas cuantas colecciones de enciclopedias y los ejemplares más interesantes del *Reader's Digest*. ¿Te parece bien que done algunos a la biblioteca municipal que está junto al colegio? Me han contado que su catálogo está algo desfasado. Ni siquiera disponen de un bibliotecario a jornada completa. Solo de voluntarios.

Asiente con la cabeza y se tranquiliza un poco.

—Sí, mi hermana era… —Sacude la cabeza y se guarda lo que iba a decir—. Le gustaba mucho el edificio.

—Tenía buen gusto. Las bibliotecas subvencionadas por Carnegie son una maravilla. No hay demasiadas en Luisiana. —Podría hablar largo y tendido sobre el motivo de eso, y sobre las razones por las que esta biblioteca Carnegie en particular es especial (aprendí un montón de cosas anoche con Sarge), pero soy consciente de que no puedo entretenerme—. Me apena ver que una de ellas corre el riesgo de cerrar sus puertas para siempre.

—Si una parte de la colección de mi abuelo resulta de utilidad, entonces genial. Tenía obsesión con algunas cosas. Era conocido por dejar que los críos fueran al tribunal a venderle alguna cosa entre un caso y otro. Así es cómo acabó con un montón de colecciones de enciclopedias y suscripciones a clubs de lectura. Perdona, puede que ya te lo haya contado. —Sacude la cabeza apesadumbrado y unos mechones del color de la nuez moscada le caen sobre el contorno que separa su bronceado de la parte del rostro que lleva habitualmente protegida por un sombrero o una gorra—. En serio, no hace falta ni que me lo preguntes. No tengo ningún vínculo sentimental con la casa. Mi padre murió cuando yo tenía tres años. Mi madre provenía de una familia a la que consideraban inferior, así que después de que él muriera, no quiso saber nada de Augustine. Mi hermana estaba más apegada a este lugar porque ya tenía diez años cuando nos mudamos con mi madre a Asheville, pero yo no lo estuve nunca ni lo estaré.

—Entiendo. —*Y, aun así, has vuelto a Luisiana.*

Nunca se lo preguntaría, desde luego, pero ¿por qué se ha establecido Nathan, que se crio lejos de los pantanos y los deltas, a un tiro de piedra de la casa familiar a la que, según él, no tiene ningún aprecio y está deseando vender? Por mucho que no quiera tener nada que ver con el pueblo, este influye de alguna manera sobre él.

Puede que ni siquiera él entienda por qué.

Su vínculo ancestral con la casa me provoca una extraña punzada de celos. Puede que esa sea una de las razones por las que me interesa tanto sumergirme en los secretos de Goswood Grove. Ansío el sentido de pertenencia que se alza como la bruma en ese lugar, donde los secretos de antaño permanecen muy bien guardados.

Igual que los de Nathan, supongo.

La alarma de mi reloj de pulsera empieza a sonar. La he programado para que me avise cinco minutos antes de que tenga que marcharme para llegar a tiempo al colegio.

—Perdona —le digo, y la apago con torpeza—. Es una costumbre. Los profes dividimos el día con timbres y pitidos.

Cuando vuelvo a centrar mi atención en él, advierto que está contemplándome como si quisiera hacerme una pregunta, pero de pronto cambia de opinión.

—De verdad que no tengo ni idea de lo que puede haber en esa biblioteca. Lo siento.

Me lanzo de cabeza a describirle los antiguos y, sin duda alguna, valiosos libros y los documentos históricos que se encuentran allí, así como los registros de la plantación donde están detallados ciertos acontecimientos que aportan información que tal vez no esté documentada en ningún otro lugar. Escritos que, muy posiblemente, nadie aparte de la familia ha examinado en un siglo o más.

—Necesitamos algún tipo de orientación sobre cómo proceder con dichos bienes.

—¿Necesitamos? —Retrocede con recelo. De pronto, la tensión impregna el ambiente de tal manera que este podría desgarrarse en cualquier momento—. Lo único que te pedí es que esto quedara entre nosotros. La casa es… —Interrumpe la frase enérgicamente, con firmeza. Fuera lo que fuese a decir, acaba convertido en un atemperado—: No quiero complicarme la vida.

—Lo sé. Y no era mi intención complicártela. Pero la cosa ha tomado un giro inesperado. —Sigo insistiendo, desmoralizada pero desesperada. Estas decisiones debe tomarlas alguien de la familia—. ¿Podríamos reunirnos para que les echaras un vistazo a algunas de estas cosas? Podemos quedar en Goswood Grove. —Me doy cuenta de que me he metido en terreno vedado, así que improviso rápidamente—. ¿O en mi casa? No me importa llevarme algunas cosas. Es muy urgente. Tienes que echarles una ojeada, en serio.

—Ya puedes olvidarte de que ponga un pie en Goswood Grove —me dice cortante. Cierra los ojos y permanece así durante un instante. Y acto seguido, añade en voz baja—: Robin murió allí.

—Lo siento. No pretendía...

—Puedo pasarme mañana por la tarde, que es viernes. Por tu casa. Esta noche tengo planes en Morgan City.

El alivio suaviza los músculos de mi columna, afloja la tensión.

—El viernes me va perfecto. A las seis o... bueno, a partir de las cuatro y media. Como mejor te venga.

—A las seis está bien.

—Puedo comprar algo para picar en el Oink-Oink, si quieres. Me ofrecería a cocinar, pero aún no me manejo demasiado bien en la casa.

—Me parece bien. —Aunque por su expresión, diría que «bien» no es la palabra adecuada. Goswood Grove se cierne sobre él como una tormenta; quiere evitar a toda costa cualquier cuestión relacionada con el futuro mantenimiento de la casa y los recuerdos difíciles que encarna.

Lo entiendo mejor de lo que probablemente cree. No tengo forma de explicarle las razones, así que le doy las gracias con efusividad y confirmo la hora de la quedada.

Al marcharnos cada uno por nuestro lado, me invade la sensación de que lamenta haberme conocido.

De camino al colegio, intento imaginar cómo es su vida, a qué dedica el tiempo en Morgan City además de a pescar gambas. ¿Tiene novia? ¿Amigos? ¿Cómo es su día a día? ¿Qué hace por las tardes y por las noches? Su hermana lleva muerta solo dos años. Su abuelo, tres. Ambos fallecieron mientras vivían en esa casa. ¿Dónde me estoy metiendo al arrastrarlo de vuelta a Goswood Grove y hacerlo revivir un dolor que todavía es reciente?

Es una pregunta incómoda, y hago todo lo posible por arrojarla por la ventanilla del Bicho para que se deslice con la brisa mientras cruzo la ciudad a toda velocidad. Tengo una misión que cumplir.

Tengo tantas ganas de llevar a cabo lo que he planeado para mis alumnos de secundaria que no puedo dejar de mirar el reloj durante las primeras dos clases de la mañana, en las que me toca bregar con los de séptimo y octavo.

Mi invitada llega justo a tiempo, al final de mi hora complementaria. La miro sorprendida cuando aparece por la puerta, forcejeando con un bolso con cordones. Lleva una blusa blanca de cuello alto de encaje y un lazo en la garganta, una falda negra hasta el tobillo y unos botines negros con cordones. Un vivaracho sombrero de paja corona su gruesa cabellera gris, la cual lleva recogida con el mismo moño suelto que luce detrás del mostrador del Oink-Oink.

Se alisa la falda con nerviosismo.

—¿Qué tal estoy? —pregunta—. Es el atuendo que me puse hace unos años durante la celebración del Día de los Fundadores. He subido unos kilos desde entonces. Demasiadas barbacoas y pasteles.

—No pretendía que se tomara tantas molestias —le digo, aunque apenas puedo estarme quieta el tiempo suficiente como para hablar—. Solo quería que les hablase de la biblioteca. Que les contase que su abuela y las demás damas del Club del Nuevo Siglo fueron las responsables de que la abrieran.

Sonríe y me guiña el ojo con rapidez, y a continuación se ajusta las horquillas del sombrero.

—Tranquila, cariño. He traído algunas fotos y una copia de la carta que se le envió al señor Carnegie, en la que mi abuela participó. Pero debe ser ella la que les cuente la historia a los chicos.

De pronto, su atuendo cobra sentido. Estoy tan sorprendida como exultante.

—Es una idea magnífica.

—Lo sé —conviene con un gesto firme de asentimiento—. ¿No querías que los chiquillos presenciaran la historia? Pues estoy a punto de compartir con ellos un fragmento.

Y eso hace. Incluso se esconde en el armario del material hasta que todos están en su sitio y yo he terminado de pasar lista. Se muestran reacios cuando les digo que hoy tenemos una invitada. La idea no les entusiasma demasiado. Hasta que ven quién ha venido.

—¡Yaya Teeeee! —chillan como niños de primaria.

Ella los hace callar llevándose un dedo a los labios y sacudiendo la cabeza con fuerza. Ojalá yo pudiera hacer eso.

—No os confundáis, no soy Yaya T —dice—. Estamos en 1899 y Yaya T es una bebé de un año llamada Margaret Turner. La madre de la pequeña Margaret, Victory, es una joven esposa, y yo soy su madre, la abuela de Margaret. Nací en 1857, lo que significa que ahora tengo casi 43 años. Nací durante la esclavitud, junto a la casa de los Gossett, y viví una infancia muy dura. Tenía que trabajar recogiendo algodón, cortando caña y cargando cubos de agua al campo, pero eso fue hace mucho. Ahora estamos en 1899 y acabo de comprar con todos mis ahorros un pequeño edificio para abrir un restaurante, ya que me he quedado viuda y tengo que ganarme la vida por cuenta propia. Tengo nueve hijos y algunos todavía viven conmigo.

»Ahora bien, no me importa trabajar como una mula, pero hay algo que me trae de cabeza. Le prometí a mi difunto marido que todos nuestros hijos recibirían una educación, pero aquí la escuela para gente de color está abierta solo seis meses al año y la biblioteca del pueblo es pequeña y en ella solo permiten entrar a los blancos. La otra biblioteca que hay es un cobertizo del tamaño de un armario que se encuentra en la parte trasera de la iglesia metodista para gente negra. Nos enorgullece contar con ella, pero no es gran cosa. En este momento, todas las señoritingas del pueblo, las esposas de los banqueros, los médicos y demás, han formado lo que ellas llaman el Club de las Damas del Nuevo Siglo, cuyo objetivo es construir una biblioteca más grande... para blancos. Pero ¿sabéis qué?

Se encorva hacia delante a modo de pausa teatral, y los niños se inclinan sobre su pupitre, con la boca entreabierta y la atención centrada en ella.

—Esa no es la biblioteca junto a la que habéis pasado esta mañana de 1987 con el autobús del colegio. No, señor. Os voy a contar la historia de cuando un puñado de mujeres normales y corrientes, quienes se mataban a trabajar para ganarse la vida, engañaron a todo el mundo, se pusieron a hornear pasteles, a lavar más ropa de la habitual, a preparar melocotones en almíbar y a vender cualquier cosa que cayera en sus manos para construir la mejor biblioteca de la ciudad.

Se saca una foto enmarcada del bolso y se la enseña a los alumnos.

—Aquí podéis verlas en los escalones de aquella maravillosa biblioteca el día que fue inaugurada. Estas señoras son la razón de que se llevara a cabo.

Les entrega a los chicos unas cuantas fotografías enmarcadas para que se las vayan pasando mientras les cuenta que el Club del Nuevo Siglo rechazó de forma unánime la propuesta de utilizar una de las reputadas subvenciones de Carnegie para construir una nueva biblioteca, pues temían que el dinero llevara asociado el requisito de *permitir el acceso gratuito a todos los ciudadanos,* que podía interpretarse como *independientemente del color.* Las mujeres de su iglesia solicitaron la subvención en su lugar, la iglesia metodista de la comunidad negra les concedió el terreno y la biblioteca Carnegie para gente de color abrió sus puertas finalmente en un edificio recién construido, que era mucho más grande que el de la otra biblioteca de la ciudad. A partir de entonces, las fundadoras de la biblioteca se tomaron la libertad de bautizarse con el nombre de Club del Nuevo Siglo de las Mujeres de Color de Carnegie.

—¡Virgen santísima! —concluye Yaya T—. Todas las mujeres del Club del Nuevo Siglo original se pusieron verdes de envidia, os lo aseguro. Aquello pasó durante la época de la segregación, cuando a la gente negra se les dejaba solo las migajas de los blancos, así que el hecho de que tuviéramos un edificio maravilloso, mucho mejor que la biblioteca de la ciudad, era un insulto para Augustine; eso dijeron. No pudieron hacer demasiado al respecto, pero consiguieron que las autoridades le denegaran al edificio el permiso para colgar el letrero de «biblioteca». De esa forma, nadie que pasara por allí se daría cuenta de lo que era. Así pues, colocamos la estatua de un santo sobre la base de mármol donde debía colgarse el cartel y, durante años, el edificio permaneció así, aunque aquello no nos desanimó. Fue un símbolo de esperanza en tiempos difíciles.

Apenas ha terminado de hablar cuando los alumnos empiezan a hacerle preguntas.

—¿Cómo es que ahora se llama Biblioteca Carnegie de Augustine? —quiere saber uno de los paletos.

Yaya T lo señala con el dedo y asiente.

—Buena pregunta. Ya habéis visto las fotos. ¿Por qué creéis que quitaron la estatua de la base de mármol y colocaron en su lugar un cartel en el que solo ponía «Biblioteca de Augustine»?

Los críos dan un par de respuestas equivocadas. Me distraigo un momento al pensar en la visita del concejal Walker junto a su perro, Sunshine. La estatua de la biblioteca descansa en mi seto de adelfas gracias a la señorita Retta. Ahora le tengo más cariño que nunca. Es un amante de los libros, igual que yo. El conocimiento de las bibliotecas fluye por sus venas.

—¿Quién tiene la foto de 1961? —pregunta Yaya T—. Seguro que se ha dado cuenta de por qué ahora se llama simplemente «Biblioteca Carnegie de Augustine».

—Porque se acabó la segregación, Yaya T —responde con timidez Laura Gill, una de las pueblerinas de la clase. Laura jamás se ha dirigido a mí en clase ni en los pasillos. Absolutamente nunca. Es evidente que tiene más confianza con Yaya T... A lo mejor es pariente suya o su antigua profesora de la escuela dominical.

—Así es, tesoro. ¡Vía libre! Puede que Augustine se opusiera a muchas otras cosas mientras tuvo la oportunidad, pero la ciudad asumió con mucho gusto el control de esa biblioteca. —Los recuerdos se arremolinan tras las gruesas gafas de Yaya T—. Fue el fin de una era y el principio de otra. A partir de entonces, los niños negros y los niños blancos pudieron sentarse juntos en la misma estancia y leer los mismos libros. Fue el comienzo de otro capítulo en la historia de la biblioteca. Otra parte de su crónica. Y mucha gente se ha olvidado de ello. Desconocen la historia del edificio, por lo que no lo aprecian como deberían. Pero ahora, niños... ahora sabéis lo significativo que es y lo mucho que costó conseguirlo. Y puede que a partir de hoy lo miréis con otros ojos.

—Por eso le he pedido a Yaya T que viniera a compartir su testimonio con nosotros —les digo a los chavales, situándome junto a Yaya T en la parte frontal del aula mientras ellos se pasan las fotos—. Esta ciudad tiene muchísima historia, y la mayor parte de la gente la desconoce. Así que, a lo largo de las próximas semanas, investigaremos un poco, a ver qué podemos encontrar. Quiero que cada uno de vosotros averigüe la historia de algún lugar o suceso de la ciudad, algo con lo que la gente no esté demasiado familiarizada; tendréis que tomar notas, copiar fotografías, recopilar todo lo que podáis y escribir la historia.

A continuación, se oyen unos cuantos quejidos, aunque no demasiado expresivos. En su mayor parte, los murmullos de interés y las preguntas dominan el aula.

—¿A quién preguntamos?

—¿Cómo encontramos esas movidas?

—¿A dónde vamos?

—Y si no sabemos nada de aquí, ¿qué?

—¿Y si somos de otro *lao*?

Se oye el chirrido de un pupitre y, durante un momento, me preocupa que esté a punto de liarse una buena delante de nuestra invitada. *No se les ocurrirá...*

Me vuelvo hacia el lugar desde donde proviene el sonido y veo a Lil' Ray medio levantado de la silla con la mano alzada.

—Señorita... emmm... Señorita... —Se le ha olvidado mi nombre y le da miedo llamarme por uno de mis cuestionables apodos delante de Yaya T.

—¿Lil' Ray?

—Entonces ¿tenemos que escribir sobre algún sitio?

—Eso es. O sobre algún acontecimiento. —*Por favor, no montes ningún escándalo*. Si a Lil' Ray le da por protestar, toda su panda de admiradores hará lo mismo. Me costará mucho volver a poner orden en el aula después de eso—. Este trabajo contará para las notas del semestre. Y mucho, así que más vale que os esforcéis. Aunque también quiero que os lo paséis bien. Avisadme en cuanto tengáis claro el tema para que no se repitan, así aprenderemos algo nuevo con cada trabajo.

Recorro el aula con mi mirada de profe, en plan: *Lo digo en serio,
¿vale?*

Se oye otro chirrido. De nuevo, Lil' Ray.

—Señorita…, ehhh…

—Silva.

—Señorita Silva, lo que quería decir es si podemos hablar de
una persona en vez de un lugar o un acontecimiento, porque…

—¡Ah! —lo interrumpe Laura Gill, y lo cierto es que lo corta en
seco, pero tiene la mano levantada, como si de esa forma la interrup-
ción no fuera tal—. Hay un colegio en Nueva Orleans donde preparan una actividad llamada *Cuentos desde la cripta* en Halloween. Lo vi
el año pasado en uno de los periódicos que había en casa de mi prima. Se disfrazan de alguna persona, van al cementerio y cuentan la
historia delante de toda la clase. ¿No podemos hacer lo mismo?

La idea suscita un ardor que no creí que fuera posible. De pronto, hay yesca por todas partes. El aula está en llamas.

Capítulo 17

Hannie Gossett – Río Rojo, 1875

Recogemos todas nuestras cosas, doblamos la colcha y quitamos la tela que habíamos colgado para protegernos del sol que se refleja en el río, kilómetro tras kilómetro, en forma de ondas. Desde hace unos días, hemos navegado río arriba por el Rojo, sorteando obstáculos y serpenteando entre los bancos de arena para atravesar el resto de Luisiana y cruzar la frontera. Para bien o para mal, ahora estamos en Texas.

Le he dicho adiós a mi casa. Estamos demasiado lejos como para echarse atrás o volver. Hemos vendido los caballos, y espero que el hombre que se ha quedado con ellos los trate bien. Me costó mucho verlos marchar, y a Juneau Jane todavía más, pero necesitábamos el dinero para comprar provisiones y un pasaje de cubierta en el barco. Todavía no sé si he hecho bien en venir con ella, pero antes de que embarcáramos, le pedí a Juneau Jane que escribiera una carta y se la enviara a Tati, Jason y John. Quería que supieran que estoy bien. Que me he ido para enterarme de lo que le ha pasado al señor. Y que volveré antes de que haya que recoger la cosecha.

No les cuento que espero averiguar alguna novedad sobre mi familia. No estoy segura de cómo se lo tomaría Tati. Ni tampoco Jason ni John, así que es mejor no decir nada. Han sido mi único apoyo durante la mayor parte de mi vida. Pero hay otra vida alojada en mi interior, una que viví hace mucho en una cabañita de madera, donde había una cama repleta de rodillas y codos y demasiadas voces como para escucharlas todas a la vez.

Juneau Jane me ha leído todos los cuadraditos de los periódicos más veces de las que recuerdo. Los jornaleros y la tripulación —todos hombres de color salvo los oficiales— vienen a nuestro pequeño campamento de cubierta. Nos preguntan una y otra vez qué pone en los cuadraditos. Unos cuantos los ojean ellos mismos; leen las hileras de cajitas con una ansia demoledora, deseando encontrar por fin algo que la apacigüe.

Hasta ahora, solo un hombre ha hallado algo de esperanza: una chica que podría ser su hermana. Le dijo a Juneau Jane:

—Oye, si te traigo un trozo de papel y algo *pa* escribir, ¿me ayudarás con una carta? Quiero enviarla al llegar al puerto de Jefferson. Te pagaré por las molestias. —Ella le prometió que sí y el jornalero se marchó silbando y cantando—. ¡Señor, qué bueno eres! ¡Qué bien *t'has portao* conmigo!

Los blancos a bordo del *Katie P.* son en su mayoría pobres y se dirigen a Texas en busca de algo mejor que lo que han dejado atrás. Miraron al alegre jornalero como si estuviera mal de la cabeza. Pero no se fijaron bien. Se ha corrido la voz de que en el interior de nuestra tienda vendemos hechizos de vudú y pócimas, y que por eso los hombres van y vienen tan a menudo. Todos murmuran sobre la extraña actitud silenciosa del fornido chico blanco descalzo que está con nosotras, y no quieren saber nada al respecto.

Todavía llevamos a cuestas a la señorita. No nos quedó alternativa. El muelle donde tomamos el barco no era más que lo que quedaba de un punto de comercio que quedó arrasado por la guerra. No podíamos dejar a la señorita allí tirada en su estado. Si no encontramos al señor en Jefferson, dejaremos a la señorita en manos de un abogado para que sea él quien se encargue de ella.

A medida que abandonamos el Rojo y nos adentramos en Caddo Lake, y luego, cuando atravesamos el Big Cypress Bayou en dirección al puerto de Jefferson, el *chas-plas-plas, chas-plas-plas* de los barcos de vapor resuena por todas partes. El casco de bajo

LISA WINGATE 243

calado del *Katie P.* se balancea sobre las ondulaciones del agua al pasar junto a otro barco; este abandona el puerto cargado de algodón, maíz y sacos de semillas y nosotros llegamos con todo tipo de mercancías, desde toneles de cerveza repletos de azúcar y melaza hasta telas, barriles de clavos y ventanas de cristal. Su tripulación nos saluda, y la nuestra les devuelve el saludo.

Incluso de lejos, oímos y distinguimos el puerto. Las sirenas de los barcos causan un gran alboroto. Tras los cipreses y las parras que bordean la orilla del río, se alzan unos edificios de colores chillones con pesadas barandillas de hierro en los balcones. El trajín del pueblo rivaliza con el traqueteo del *Katie P.* y el vapor que produce su caldera. Jamás había oído tanto jaleo en mi vida ni había visto a tanta gente. Música y gritos, caballos relinchando, bueyes bramando y perros ladrando, carros y carretas sacudiéndose por las calles de ladrillo rojo. Es un lugar que llama la atención. Grande y bullicioso. El puerto fluvial más apartado de Texas.

Me invade una sensación siniestra. Al principio desconozco la razón, pero luego caigo en la cuenta. Me acuerdo de esta ciudad. La última vez no llegué por el río, pero los ayudantes del *sheriff* me trajeron aquí tras lo ocurrido con Jep Loach. Me dejaron en el calabozo a la espera de que mis legítimos dueños vinieran a buscarme.

El recuerdo me sacude mientras doblo las páginas de los Amigos perdidos y las meto en la bolsa. Los márgenes de las hojas están repletos de nombres escritos con lápiz; uno de los marineros lo robó de una mesa de juego en la cabina de arriba. Juneau Jane ha anotado el nombre de todo aquel a bordo del *Katie P.* que está buscando a los suyos, además de los nombres de los desaparecidos. Les prometimos preguntar por ellos allá donde vayamos. Si averiguamos alguna cosa, enviaremos una carta a Jefferson dirigida al *Katie P.*

La tripulación nos ha traído varias cosas: unas cuantas monedas, una caja de cerillas, velas de sebo, galletas y un poco de pan de maíz de la cocina del barco.

«Para vuestro viaje», nos dijeron.

No les pedimos nada a cambio, pero esa fue su forma de agradecérnoslo. No he comido mejor en mi vida. No creo haber tenido nunca la panza llena durante varios días seguidos.

Echaré de menos al *Katie P.* y a su tripulación, pero es hora de marcharse.

—Tenemos que ponerla en pie —digo refiriéndome a la señorita Lavinia, que permanece sentada hasta que alguien la levanta y la lleva de un lado a otro como si fuera una muñeca de trapo. No se resiste, pero tampoco hace nada por ayudar. Lo peor es tener que llevarla un par de veces al día a los cubículos de la parte trasera del barco para que haga sus necesidades, igual que a una niña pequeña, cosa que Juneau Jane se niega a hacer. La gente se aparta cuando nos ve llegar, no quieren acercarse a la señorita. Ella les bufa cuando se le antoja, y parece la caldera del *Katie P.*

Pero eso nos facilita las cosas al desembarcar en el muelle. Los demás pasajeros retroceden y Juneau Jane y yo nos quedamos con toda la pasarela para nosotras. Hasta los marineros y la tripulación guardan las distancias. Aunque la mayoría son bastante amables y nos dan regalitos y alguna que otra moneda.

Se acercan a nosotras para recordarnos sus peticiones al oído.

—A ver si podéis averiguar algo de mi familia. Os lo agradecería mucho.

—Mi madre se llama July Schiller...

—Mi hermana es Flora y mis hermanos, Henry, Isom y Paul...

—Mis hermanos se llamaban Hap, Hanson, Jim y Zekiel. Pertenecían a Perry Rollins, de Virginee, y todos tomaron su apellido al nacer. Mi padre era Solomon Rollins. Era herrero. Los vendieron a todos hace veinte años y se marcharon al sur con el convoy de un comerciante para saldar una deuda. Pensé que no volvería a verlos en esta vida. Os agradecería que mencionarais sus nombres en todos los sitios que visitéis, muchachos. Y yo os tendré presentes en mis oraciones para que el Señor tampoco se olvide de vosotros.

—Mi mujer se llama Rutha. Mis gemelas, Lolly y Persha. Un hombre llamado Compton las compró en casa del amo French.

Juneau Jane se acerca a un montón de leña y me pide las páginas de los Amigos perdidos para comprobar que no nos hemos olvidado de nadie.

—Están a buen recaudo. —Le doy una palmadita al hatillo—. Todos esos nombres ya están anotados. Además, también los he memorizado. —Tengo experiencia. Llevo haciéndolo desde los seis años, cuando estuve encerrada en la carreta de Jep Loach, no muy lejos de aquí.

Juneau Jane se acomoda en un tronco y espera a que le dé el fajo de páginas.

—Todo lo que se conserva en papel queda protegido de los fallos de la memoria.

—Los papeles se pierden. —No nos hemos hecho amigas íntimas durante el viaje. Solo somos dos personas que se necesitan la una a la otra en este momento. No hay más. Y nunca lo habrá—. Pero la cabeza me acompaña a todos lados.

—También hay gente que pierde la cabeza. —Mira detenidamente a la señorita, que se ha desplomado junto al montón de leña. Una pequeña culebra verde serpentea por la hierba hacia la pernera de sus pantalones. Ella tiene el sombrero ladeado como si estuviera mirando en dirección al animal, pero ni siquiera se molesta en ahuyentarlo.

Agarro un palo y espanto al bicho, aunque presiento que Juneau Jane lo habría dejado arrastrarse hasta su objetivo. Esta chica de piel trigueña, que ahora es un muchacho delgaducho de ojos grandes, es todo un misterio. A veces me parece una niña reservada y triste. Es entonces cuando pienso: *Puede que la vida de una chica mestiza tampoco sea un camino de flores.* Otras veces, simplemente parece fría. Una criatura diabólica y malvada como su madre y los que son como ellos.

Me molesta no poder calarla, pero podría habernos abandonado a la señorita y a mí en el muelle y no lo hizo. Nos pagó el billete con el dinero que le dieron por el caballo. Me pregunto qué significa eso.

Me siento a su lado sobre el montón de leña, le doy las páginas de los Amigos perdidos y el lápiz y le digo:

—Supongo que no pasa nada por comprobarlo. De todas formas, tampoco tenemos ni idea de a dónde vamos. ¿Qué vas a hacer, preguntarle al primero que pase (me refiero al primer blanco refinado que pase) si sabe dónde está el señor Washburn?

Un pensamiento invade mi mente mientras ella revisa las páginas.

—¿Cómo vamos a hablar con el abogado del testamento de tu padre si damos con él? —La miro de arriba abajo y luego me miro a mí misma—. Ahora mismo, yo soy un chico de color y tú tienes pinta de rata andrajosa. —He estado tan enfrascada con el tema de los Amigos perdidos que no pensé en lo que íbamos hacer en cuanto estuviéramos en tierra—. Ningún abogado nos dirigirá la palabra.

Me doy cuenta de que Juneau Jane tampoco ha pensado en ello.

Mordisquea la punta del lápiz y contempla los elegantes edificios de ladrillos, que tienen en su mayoría dos plantas. Algunos, incluso tres. Se oye un disparo por encima del estruendo de la ciudad y el puerto. Ambas pegamos un salto. Los hombres se detienen y echan un vistazo a su alrededor, y luego vuelven al trabajo.

Juneau Jane levanta esa barbillita puntiaguda suya.

—Yo hablaré con él. —Eleva las comisuras de la boca y arruga su nariz respingona, que es idéntica a la de su padre—. Si le digo que soy la hija y la heredera de William Gossett, supondrá, seguramente, que soy Lavinia. No creo que fuese sincera al contarme que lo había conocido hace poco en Nueva Orleans, ya que el hombre reside en Jefferson, y aquí es donde papá contrató sus servicios no hace mucho.

Suelto una carcajada, pero el miedo aflora en mis tripas. Lo que intenta hacer le podría costar la vida si estuviésemos en casa. Si eres de color, no vas por ahí fingiendo ser blanco.

—Por si no te has dado cuenta, eres una chica de color.

—Tampoco somos tan diferentes. —Estira un brazo y lo coloca al lado del de la señorita. Su piel no es idéntica, pero se parece lo suficiente como para dar el pego.

—Pero es más grande que tú. —Señalo a la señorita con la mano—. Tú todavía eres una niña que lleva vestidos cortos. Ni siquiera te han salido… vaya, que no pasas ni por alguien de catorce. Aunque la señorita te hubiera mentido al decirte que conocía a ese hombre, nadie se creerá que tú eres ella.

Entorna los ojos, como si yo fuera idiota. Me gustaría borrarle esa expresión de la cara de un tortazo. La señorita Lavinia hacía lo mismo cuando era pequeña. Estas chicas se parecen más de lo que creen. Algunas cosas se llevan en la sangre, como esa nariz respingona.

—Si te descubren, te despellejarán viva. Y a mí también.

—¿Qué otra alternativa me queda? Debo encontrar a mi padre o conseguir alguna prueba de sus intenciones para recibir mi parte de la herencia. Lavinia me dejará sin un centavo y a mi madre no le quedará más remedio que venderme a algún hombre. —La escarcha que siempre la recubre se resquebraja un poco. Debajo hay dolor y miedo—. Si papá ha muerto de verdad, la herencia es mi única esperanza.

Sé que tiene razón. Su padre es la única esperanza que nos queda a todos.

—Bueno, pues entonces tenemos que buscarte un vestido. Un vestido, un corsé, un poco de relleno y un sombrero para cubrirte el pelo. —Espero que no acabemos muertas, ni en la cárcel ni en algún lugar peor por culpa del plan. Si no, ¿quién se encargará de difundir los mensajes de los Amigos perdidos?—. Pero prométeme que, si te ayudo, sea lo que sea que averigüemos, no me dejarás aquí tirada con ella. —Gesticulo con la cabeza en dirección a la señorita Lavinia—. No es problema mío. Y fuisteis vosotras dos las que me metisteis en este lío. Me lo debes. Tú y yo no nos separaremos hasta que descubramos qué ha pasado con tu padre. Y hasta que la señorita vuelva a casa. Si el abogado tiene tu dinero, le pagarás a la señorita el billete de vuelta y contratarás a alguien para que la lleve de vuelta a Goswood. ¿Trato hecho?

Tuerce un poco el labio inferior ante la idea de tener que encargarse de Lavinia, pero asiente.

—Y otra cosa.

—No, nada más.

—Y otra cosa. Cuando nos vayamos cada una por nuestro lado, las páginas de los Amigos perdidos se vienen conmigo. Y mientras tanto, me enseñarás a leerlas y a escribir los nombres de otras personas con las que nos encontremos.

Nos damos la mano para cerrar el trato. Las dos estamos metidas en este lío.

Al menos de momento.

—Convertirte en mujer será mucho más complicado que convertirte en chico. —Apenas acabo de pronunciar las palabras cuando una sombra cae sobre mí. Levanto la mirada y veo a un hombre de color, tan fornido como un leñador, frente a nosotras. Dobla y extiende el sombrero que tiene en las manos.

Espero que no haya oído lo que acabo de decir.

—Vengo por lo de los Amigos *perdíos*. —Lanza una mirada hacia el *Katie P.*—. Me… Me lo ha contado un tipo. ¿P-podéis ponerme a mí también?

Echamos la vista al embarcadero y vemos al hombre cantarín al que Juneau Jane le escribió la carta en el barco; le está indicando a otra persona dónde estamos. Se ha corrido la voz.

Juneau Jane toma el lápiz y le pregunta a quién está buscando. No es nadie que ya hayamos anotado en las páginas.

Apunta los nombres de la familia del hombre, y él nos da un centavo antes de volver al trabajo, que consiste en cargar sacos de semilla en un bote. Luego aparece otro hombre. Nos cuenta dónde podemos comprar ropa y productos de segunda mano a buen precio, y decido acercarme hasta allí antes de que anochezca. Juneau Jane y la señorita no pueden acompañarme, ya que el hombre se refiere a un pueblo para gente de color.

—Quédate aquí, iré yo —le digo; tomo una galleta de la bolsa, me meto el monedero de la señorita en los pantalones y las dejo con el resto de nuestras cosas—. Cuida de la señorita.

Sé que no lo hará.

Me quedo algo preocupada mientras sigo las indicaciones del hombre y acabo en un pequeño asentamiento en la parte inferior de una hondonada. Primero, me topo con una costurera que vende ropa remendada en la parte de atrás de su casa. Compro todo lo que le hace falta a Juneau Jane, pero me gustaría poder comprar también un milagro, porque no hay nada que necesitemos más. La costurera me dice dónde encontrar a un guarnicionero que arregla zapatos y también apaña pares viejos para venderlos. Aunque no sé qué talla usa, voy a llevarle unos a la señorita, ya que tiene los pies en carne viva y no mira por dónde anda. Los compro a cambio de su medallón de oro. Supongo que no me queda alternativa, y, de todos modos, se le ha roto la cadena.

Decido no comprarle botines a Juneau Jane. Son demasiado caros y no puede hacerlos pasar por calzado de hombre. Tendrá que taparse los zapatos de trabajo bajo el dobladillo del vestido mientras habla con el abogado. Voy a la tienda de un vendedor ambulante a por aguja e hilo por si acaso tenemos que ajustar el vestido de Juneau Jane a su delgado cuerpo.

Me llevo calcetines, otra manta y una olla. Le compro unos hermosos melocotones a un hombre que tiene una cesta repleta. Coloca una bonita ciruela en lo alto del todo y ni siquiera me la cobra, ya que soy nueva por allí. La gente del pueblo de color es muy amable. Son como yo, abandonaron sus plantaciones tras la emancipación y se pusieron a trabajar en el ferrocarril, en empresas madereras, en barcos, en tiendas o en las mansiones de las mujeres blancas, que casi se ven desde aquí. Algunos abrieron tiendas propias en este pueblito para abastecer a la gente de color.

Están acostumbrados a que los viajeros hagan paradas aquí. Pregunto por mi familia mientras me encargo de las compras, y les hablo de las cuentas azules de mi abuela.

—¿Conoce a alguien de por aquí que se apellide Gossett? Ahora serán libres, pero antes de la guerra eran esclavos. ¿Ha visto a alguien que lleve tres cuentas en un cordel? —pregunto una y otra vez—. Tres cuentas azules de cristal, del tamaño de la punta de su meñique y muy bonitas.

No me acuerdo.

No lo creo, pequeña.

Seguro que eran una preciosida, *pero no he visto nada parecido.*
¿Buscas a tu familia, chiquilla?

—Me resultan familiares, sí —me cuenta un anciano mientras nos hacemos a un lado para dejar pasar una carreta llena de carbón. Una bruma blanca cubre la mirada del hombre, igual que harina tamizada, así que tiene que acercarse para ver—. Creo que las he visto antes, pero hace mucho. Aunque no sabría decirte dónde. Mi cabeza ya no es lo que era. Lo siento, jovencita. Suerte con tu búsqueda. Pero no te guíes por los nombres. Hay muchos que se los han cambiado después de que los liberaran. No te rindas.

Le doy las gracias y le prometo que no tiraré la toalla.

—Texas es enorme —le digo—. Seguiré buscando. —Lo observo mientras vuelve al asentamiento, encorvado y cojeando.

Podría quedarme en la hondonada, pienso. *Rodeada de grandes edificios y casas elegantes, de música, ruido y todo tipo de gente. Sería asombroso. Podría preguntar por mi familia a los viajeros que llegaran del este y del oeste todos los días.*

La idea cobra vida en mi cabeza, como un chispazo sobre un trozo de leña que lleva mucho tiempo a la espera. En un lugar como este empezaría una nueva vida, dejaría atrás las mulas, los campos de cultivo, los huertos y los gallineros. Conseguiría trabajo. Soy fuerte y lista.

Pero debo pensar en Tati y Jason y John y el señor y la señorita Lavinia y Juneau Jane. En las promesas que les he hecho y en el contrato de aparcería. La vida no consiste en seguir tus deseos. Eso es algo que ocurre muy pocas veces.

Me obligo a pensar en la tarea que tengo entre manos y empiezo a preocuparme por si llevo mucho tiempo fuera. ¿Y si la señorita se ha largado o ha causado algún problema? Puede que Juneau Jane no se haya molestado en detenerla, aunque de todos modos lo más probable es que no fuera capaz. La señorita es dos veces más grande y fuerte.

Vuelvo con ellas a toda prisa, asegurándome de mantenerme apartada de los carros de los granjeros, de las calesas y de las mujeres blancas con cestas y cochecitos de bebé. Empiezo a sudar aunque el día no es caluroso. Pero estoy preocupada.

En mi interior oigo la voz de Gus McKlatchy, que me dice: *Eso es lo malo de comerse el coco, Hannibal. Se te ocurren cosas que todavía no han pasao y que seguramente nunca pasarán. Así que, déjate de darle vueltas.* Sonrío y espero que Moses no haya pillado a Gus y lo haya tirado por la borda.

Intento dejar de comerme el coco mientras regreso al embarcadero.

La señorita y Juneau Jane siguen sentadas junto al montón de leña. Hay unas cuantas personas de color reunidas a su alrededor: un par de hombres de pie, unos cuantos de cuclillas o sentados en la hierba, un anciano apoyado en el hombro de una joven y tres mujeres. Todos bastante sosegados. Juneau Jane les está leyendo las páginas de los Amigos perdidos. Ha sacado la colcha, que está doblada frente a ella. Veo que un hombre deja una moneda encima. Hay también tres zanahorias chiquitinas, y la señorita Lavinia se está comiendo una.

Nos cuesta ponernos en marcha, pero es necesario que sigamos adelante. Les digo a las personas allí reunidas que volveremos con los Amigos perdidos. Acto seguido, le pongo los zapatos que le he comprado a la señorita; por suerte le quedan bien.

A Juneau Jane no le hace gracia que ahuyente a los últimos para poder marcharnos.

—Tampoco tenías que montar un numerito —le digo mientras emprendemos la marcha por la orilla del río.

—Se ha corrido la voz sobre nosotras y los Amigos perdidos porque los hombres del barco se fueron de visita al pueblo tras cobrar —responde Juneau Jane—. Y ha venido más gente. ¿Qué querías que hiciera?

—No lo sé. —Eso es verdad—. Pero no es buena idea que todo el Puerto de Jefferson hable de nosotras.

Seguimos adelante y recorremos el río por un sendero que la gente debe de usar para cazar o pescar. Nos aseo un poco a todas en una zona de maleza junto al agua, pero me concentro sobre todo en Juneau Jane.

El vestido y las enaguas le quedan de pena. El andrajoso corsé le cuelga igual que un saco y el dobladillo del vestido le está demasiado largo.

—Tendrás que caminar de puntillas, como si llevaras botines de tacón —le digo—. Que no se te vean los zapatos por debajo del vestido, porque se descubriría el pastel. Ninguna Gossett que se precie llevaría esa birria de calzado.

Finalmente, le desato la ropa, tomo los pantalones que ha estado llevando hasta ahora y le envuelvo la cintura por debajo del corsé; relleno la zona del pecho con la camisa que tenía puesta y vuelvo a atarle los lazos. La cosa ha mejorado un poco. No sé si alguien se lo tragará, pero ¿qué otra alternativa tenemos? Por último, le coloco el sombrero y se lo sujeto con fuerza a la cara, para que no se le vea el pelo. Me echo hacia atrás y me la quedo mirando.

Suelto una carcajada al ver la pinta que tiene.

—Pa… P-pareces… una versión diminuta de la señorita Lavinia. —Me pongo a toser—. Es como si… como si alguien le hubiera quitado toda la chicha. —No puedo dejar de reír. Me cuesta incluso tomar aire. Juneau Jane da un pisotón al suelo y me dice que me calle antes de que alguien venga a ver qué es todo este jaleo. Pero cuanto más se enfada ella, más me río yo.

Las risas me hacen añorar a Tati, Jason y John, e incluso a personas a las que hace mucho que no veo: mis hermanos, mi madre y tía Jenny, a mis cuatro primitos y a mis abuelos. Trabajábamos como mulas, sí, plantando semillas, deshierbando, labrando la tierra y recogiendo la cosecha, pero también nos reíamos. «La risa se lleva las penas», solía decir mi abuela.

Dejo de reír de golpe y noto una gran pesadumbre en el corazón. Me invade un profundo sentimiento de soledad. Echo de menos a aquellos a los que quiero. Echo de menos mi hogar.

—Será mejor que sigamos —digo, y ambas levantamos a la señorita Lavinia, nos dirigimos al pueblo y seguimos las indicaciones que le han dado a Juneau Jane para llegar al despacho del abogado. No nos cuesta encontrarlo. El hombre tiene un enorme edificio de ladrillos de dos plantas, con una piedra cuadrada en la parte superior, donde hay talladas unas letras. Juneau Jane levanta la mirada y lee su nombre. L. H. WASHBURN.

—Ve de puntillas —le recuerdo—. No saques los zapatos de debajo del vestido. Y pon voz de señorita. Y actúa como una señorita.

—Sé comportarme con propiedad —alardea, pero parece muerta de miedo debajo de ese sombrero—. Me han dado clases de buenos modales. Papá insistió en ello.

Paso por alto esas últimas palabras. Me recuerdan lo bien que ha vivido todos estos años.

—Y pase lo que pase, no te quites el sombrero.

Subimos los escalones de la entrada, y yo la examino una vez más mientras ella entra. Encuentro un lugar a la sombra para sentarme con la señorita. Está frotándose el estómago y gime un poco. Intento darle una galleta para que se calle, pero no la quiere.

—Anda, calla —le digo—. Deberías estar demasiado asustada como para pensar en comer. La última vez que me quedé esperando frente a un edificio, Juneau Jane y tú acabasteis en una caja y a mí casi me matan a tiros.

Lo que está claro es que no pienso quedarme dormida sobre un barril.

Vigilo el edificio mientras esperamos.

Juneau Jane no tarda en volver; me preocupa que eso signifique que algo no va bien, y así es. El abogado ni siquiera se encuentra allí, dentro solo está la mujer que se ocupa de su despacho, recogiéndolo todo. El señor estuvo hace algún tiempo, pero dejó que el abogado se encargara del acuerdo de propiedad mientras él se marchaba a Forth Worth en busca de Lyle. Entonces, dos semanas después de que el señor se pasara por aquí, unos soldados federales vinieron al despacho para recoger unos documentos. La mujer no sabe de qué se trataba, pero el señor Washburn salió por la puerta trasera al verlos llegar. Al día siguiente, recogió algunas cosas y se marchó él también a Forth Worth. Le dijo que tenía la intención de abrir un despacho allí y que no sabía cuándo volvería.

—No había nada en las carpetas que quedaban con el nombre de papá —me cuenta Juneau Jane—. Abrió el cajón para que pudiera comprobarlo por mí misma. Pero solo encontré esto. Es el libro donde el señor Washburn llevaba la contabilidad de los terrenos de Texas de papá: los que Lyle vendió de forma fraudulenta. Las anotaciones cesan tras acabar el año, así que debemos...

—*Shhhh*. —La agarro con una mano y a la señorita con la otra.

Justo en frente, veo a tres hombres que se dirigen al edificio: dos blancos y uno alto, delgado y con la piel del color de la pacana, cuya mano descansa en la pistola que lleva a la cadera.

Moses mira en mi dirección mientras arrastro a la señorita y a Juneau Jane a las sombras. El ala del sombrero le tapa los ojos, pero noto su mirada sobre mí. Contrae un poco la barbilla y ladea la cabeza para examinarnos.

Permanece un paso por detrás de los otros dos hombres, y yo presiento que lo que viene a continuación es una bala.

Una pregunta surca mi mente.

¿A quién va a disparar primero?

AMIGOS PERDIDOS

Señor editor:

Pertenecía a John Rowden, del condado de St. Charles, Misuri. Yo me llamaba Clarissa. Me vendieron al señor Kerle, un hacendado. Mi madre se llamaba Perline. Yo era la menor de los primeros hijos que tuvo mi madre. Tenía una hermana llamada Sephrony y un hermano llamado Anderson. No tengo demasiada información sobre los otros hijos que tuvo mi madre. El nombre de mi padrastro era Sam. Era carpintero y pertenecía también al señor Rowden. Cuando me vendieron yo tenía ocho o nueve años. Fue cuando Polk y Dallas atravesaron el país. Recuerdo haberles oído decir que tenía diez años. Me gustaría saber si me queda algún pariente vivo y, en ese caso, averiguar dónde viven y sus nombres completos para poder escribirles. He escrito con anterioridad, pero no he recibido respuesta alguna. Estoy sola en el mundo y me alegraría mucho saber que aún me queda algún pariente con vida. Aunque mi madre y mis hermanos hubieran muerto, tal vez me queden algunos sobrinos. Le ruego a Dios que me deje recibir noticias pronto de mi familia. Reciban un saludo respetuoso de Clarissa (ahora Ann). Señora Ann Read, en el número 246 de la calle Customhouse, entre las calles Marais y Treme, Nueva Orleans.

—Columna de los «Amigos perdidos»
del *Southwestern*
19 de enero de 1882

Capítulo 18

Benny Silva – Augustine, Luisiana, 1987

Me despierto y contemplo el otro extremo de la habitación, sorprendida de estar acurrucada en el raído sillón reclinable al que llamo cariñosamente «nubecín». Estoy medio tapada con mi manta favorita, la que me regaló Christopher el año pasado por mi cumpleaños. Me la subo hasta la barbilla mientras observo la suave luz que ilumina el suelo de madera.

Saco un brazo, me froto la frente y enfoco la casa tras parpadear un par de veces; me fijo en los masculinos pies que hay apoyados sobre la caja antigua de madera que rescaté hace unos años de un contenedor junto al campus. No reconozco los calcetines ni las desgastadas botas de caza tiradas en el suelo.

Y entonces, de pronto, se me enciende la lucecita. Me doy cuenta de que ya es de día y que no estoy sola. Durante un instante en el que soy presa del pánico, me toco el brazo, el hombro y las piernas. Estoy completamente vestida y no veo nada raro a mi alrededor. Menos mal.

Los recuerdos de la noche anterior afloran en mi mente poco a poco y luego a toda velocidad. Me acuerdo de haber recogido unas cuantas cosas de la casa de Goswood Grove e incluso de haberme pasado por la biblioteca municipal para llevarme algunos tesoros: quería estar preparada para mi reunión con Nathan. Me acuerdo de que él llegó tarde. Pensé que iba a darme plantón.

Apareció en mi porche con una disculpa y una tarta empaquetada de regalo.

«Pastel Doberge. Es típico de Luisiana», me explicó. «Me parece que debo disculparme por la intrusión. Seguro que tienes mejores cosas que hacer un viernes por la noche».

«Pues es una disculpa con muy buena pinta». Acepté el postre, que parecía pesar un kilo, mientras retrocedía para dejarlo pasar. «Aunque debo confesar que es difícil superar una velada vendiendo entradas en el estadio de fútbol y evitando que los adolescentes se den el lote bajo las gradas».

Nos reímos de forma nerviosa, como suele suceder cuando dos personas no saben muy bien a dónde debe dirigirse la conversación.

«Deja que te enseñe una muestra de por qué te pedí que vinieras», le dije. «Iremos a por un poco de carne asada y té helado enseguida». Me aseguré de no mencionar el vino ni la cerveza por miedo a que aquello pareciera una cita.

Pasaron horas antes de que nos acordáramos siquiera de la cena y el pastel. Tal y como había esperado, Nathan estaba más interesado en la historia de su familia de lo que él pensaba. El enmarañado pasado de Goswood Grove se apoderó de nosotros mientras revisábamos una sucesión de primeras ediciones, cuadernos de contabilidad que correspondían a varios años de transacciones comerciales de la plantación, diarios donde se relataban las actividades diarias y diversas cartas que se encontraban entre los libros de una de las estanterías. Eran tan solo las palabras de una niña de diez años que le escribía a su padre contándole el día a día en el colegio de monjas al que asistía; algo que ahora resultaba fascinante, aunque fuera del todo trivial en su momento.

Dejé la Biblia familiar para el final y saqué primero los ejemplares más inofensivos y benévolos. Me pregunté qué opinaría de los sucesos más crudos y difíciles en los que estuvieron implicados sus antepasados. Técnicamente, no había ninguna duda de que estaba al tanto de la historia de su familia y que entendía cómo había sido la vida en un lugar como Goswood Grove durante la esclavitud. Pero ¿qué sentiría al toparse cara a cara con la realidad de aquella época, incluso a través de la alejada perspectiva que proporcionan el papel amarillento y la tinta descolorida?

La pregunta me atormentó, sacó a relucir algunos de mis propios demonios, unos acontecimientos que nunca había estado dispuesta a revivir, ni siquiera para compartirlos con Christopher, quien había disfrutado de una infancia de cuento de hadas; supongo que me asustaba la idea de que pudiera cambiar su opinión sobre mí si descubría toda la verdad. Cuando esta salió finalmente a la luz, él se sintió traicionado por mi falta de franqueza. La verdad acabó con nuestra relación.

Era ya muy tarde cuando le di a Nathan la vieja Biblia encuadernada en cuero, que tenía anotadas las fechas de nacimiento y defunción, la compraventa de almas humanas, los bebés cuya paternidad no figuraba en las páginas porque se trataba de un tema tabú. Y el mapa en forma de cuadrícula del enorme cementerio que ahora yace oculto debajo del huerto. Lugares de reposo que carecen de identificación alguna salvo por alguna piedra o trozo de madera que se ha ido desgastando poco a poco por culpa del viento, el agua, las tormentas y el paso del tiempo.

Lo dejé a solas con las palabras y fui a lavar los platos y a guardar las sobras de la cena. Me dediqué a secar los platos y a volver a llenar los vasos de té mientras él murmuraba, no sé si a mí o a sí mismo, que era muy raro ver aquello plasmado en papel.

«Es horrible descubrir que tu familia compraba y vendía personas», dijo con la cabeza apoyada contra la pared, los dedos ligeramente extendidos junto a los escritos de sus antepasados y el semblante serio. «Nunca entendí por qué Robin quería venirse aquí a vivir. Por qué sintió la obligación de indagar tanto en el asunto».

«Forma parte de la historia», le señalé. «Yo intento inculcarles a mis alumnos que todos tenemos historia. Solo porque la verdad no siempre nos resulte agradable no significa que no debamos saberla. Así es cómo se aprende. Así se mejora para el futuro. O eso espero, vamos».

En mi familia circulaban rumores de que los padres de mi padre habían ocupado cargos importantes dentro del régimen de Mussolini, de que habían apoyado al eje del mal en su búsqueda por la dominación mundial a expensas de millones de vidas. Tras la guerra, su familia se esfumó silenciosamente, aunque se las arreglaron para conservar su fortuna ilícita. Ni siquiera consideré la idea de averiguar si los rumores eran ciertos. Prefería no saberlo.

Por alguna razón, cuando volví a la sala de estar y me senté junto a Nathan, le confesé todo aquello.

«Supongo que soy una hipócrita, porque te estoy obligando a enfrentarte a tu historia familiar», había admitido. «Mi padre y yo nunca estuvimos unidos».

Entonces empezamos a hablar de la relación con nuestros padres: puede que a ambos nos hiciera falta pensar en otra cosa durante un rato. Puede que la pérdida temprana de nuestros padres debido al fallecimiento y al divorcio fuera un tema de conversación más agradable que la esclavitud de personas y el hecho de que algo semejante se llevara a cabo durante generaciones.

Reflexionamos sobre ello mientras hojeábamos los registros de la plantación, una especie de diario en el que se detallaban las actividades que tenían que ver con los negocios y la vida de los habitantes del lugar: las pérdidas y las ganancias en términos económicos, pero también desde un punto de vista mucho más humano.

Me incliné sobre las páginas, intentando descifrar la elaborada letra que señalaba la pérdida de un niño de siete años, junto con su hermano de cuatro y su hermana de once meses. Su madre, Carlessa, una jornalera a la que los amos habían comprado a un traficante de esclavos, los había dejado en la cabaña con la llave echada. Sin lugar a duda, no era cosa suya lo de acudir al campo a las cuatro de la mañana para ir a cortar caña de azúcar. Al parecer, cerró la cabaña para proteger a los niños y evitar que deambularan por ahí. Tal vez fuera a echarles un vistazo cuando la cuadrilla hizo un descanso a mediodía. Tal vez le diera instrucciones muy claras a su hijo de siete años sobre cómo cuidar a sus hermanos pequeños. Puede que le diera el pecho a Athene, de casi un año, antes de acostarla apresuradamente para que echara la siesta. Quizá se detuvo en el umbral de la puerta, angustiada, exhausta y asustada, igual que lo estaría cualquier madre. Puede que notara lo fría que estaba la habitación y le dijera a su hijo de siete años: «Envolveos tú y tu hermano con una manta. Si Athene se despierta, tómala un rato en brazos y juega con ella. Yo volveré al anochecer».

Tal vez su última indicación fuera: «Ni se te ocurra encender el fuego, ¿me oyes?».

Pero su hijo lo encendió igualmente.

A Carlessa le fueron arrebatados ese día sus hijos, los tres.

Su horrible destino figura en el diario. Finaliza con una anotación escrita por uno de los amos o algún capataz: la letra es diferente, lo que pone de manifiesto que la tarea de llevar los registros no era cosa de una sola persona.

7 de noviembre de 1858. Este será recordado como un día cruel. Hubo un incendio en los barracones y estos tres nos fueron arrebatados.

Esas palabras, *un día cruel*, quedan abiertas a la interpretación. ¿Eran una muestra de los remordimientos que sentía la persona que escribió la nota, sentada frente al escritorio, con la pluma en la mano, mientras el tenue aroma a ceniza y hollín se le adhería a la piel, al pelo y a la ropa?

¿O eran una forma de delegar la responsabilidad por las circunstancias que acabaron con tres jóvenes vidas? Lo cruel fueron los acontecimientos de ese día, no la costumbre de retener como prisioneros a seres humanos, de obligar a las mujeres a dejar desatendidos a sus hijos mientras trabajaban de forma no remunerada para engrosar las arcas de los ricos.

Los entierros de los niños aparecen mencionados esa misma semana, aunque utilizando términos meramente pragmáticos para documentar el acontecimiento.

Se hizo cada vez más tarde mientras Nathan y yo leíamos los registros, sentados uno junto al otro en el sofá; nuestras pantorrillas se rozaban y nuestros dedos cruzaban caminos tratando de descifrar las anotaciones que se habían desvanecido lentamente debido al paso del tiempo.

Intento acordarme del resto mientras me espabilo, sin saber muy bien cómo acabé acurrucada en el sillón reclinable del otro extremo de la habitación.

—¿Qué… qué hora es? —grazno amodorrada, antes de incorporarme y echar un vistazo a la ventana.

Nathan alza la barbilla —puede que también estuviera adormilado— y me mira. Sus ojos lucen rojos y cansados. Está despeinado. Me pregunto si ha dormido aunque sea un poco. Por lo menos en algún momento se quitó los zapatos para estar más cómodo. Se ha tomado la libertad de agenciarse un montón de folios que formaban parte de mi material escolar. Unas cuantas hojas llenas de anotaciones reposan sobre mi mesita de café.

—No pretendía quedarme tanto rato —dice—. Me quedé dormido y luego quise copiar el mapa del cementerio. La cuestión es que existe un acuerdo de anexión con la asociación de cementerios, pero ya hay gente enterrada allí. Intentaré calcular más o menos dónde empiezan y dónde acaban. —Señala las parcelas marcadas.

—Deberías haberme lanzado algo. Me habría levantado para ayudarte.

—Es que parecías estar muy a gusto. —Sonríe y la luz de la mañana le ilumina los ojos; noto que me recorre un extraño cosquilleo.

Un sentimiento de horror aflora justo después.

No, me digo a mí misma. *Rotundamente no*. Estoy en un punto extraño, incierto, solitario y errante de mi vida. Y ahora conozco lo bastante a Nathan como para saber que a él le pasa lo mismo. Representamos un riesgo para el otro. Yo estoy aún recuperándome de mi ruptura y él está… Bueno, no estoy segura, pero ahora no es el momento de averiguarlo.

—Seguí leyendo después de que te quedaras dormida —explica él—. Debería haber ido al pueblo y haberme quedado en algún motel.

—Eso habría sido una tontería y sabes perfectamente que solo hay un motel en Augustine y es horrible. Me quedé allí la primera noche. —La verdad es que es muy triste que estando en el pueblo de su familia, un lugar que parece pertenecer casi en su mayoría a sus tíos y donde él tiene no solo esta casa sino una mansión aquí al lado, esté hablando de irse a un motel.

—Te prometo que los vecinos no dirán ni mu. —Uso el manido chiste del cementerio para hacerle saber que no estoy en absoluto preocupada por un posible daño a mi reputación—. Si empiezan a cuchichear y los oímos, entonces sí me asustaré.

Un hoyuelo aparece en su mejilla bronceada. Me resulta entrañable de una manera totalmente inapropiada, así que evito pensar en ello. Aunque me sorprendo a mí misma preguntándome cuántos años más joven que yo será. Un par, me parece.

Y entonces me obligo a dejarlo estar.

Su comentario me proporciona la excusa perfecta para ponerme a hablar de trabajo, lo cual es un alivio. Los documentos de Goswood Grove nos han sumido de una manera tan profunda en nuestra investigación, que ni siquiera he sacado a relucir la otra razón por la que quería reunirme con él, al margen de las cuestiones que tienen que ver con el valor de los libros antiguos, las donaciones a la biblioteca municipal y las medidas que hay que tomar para la adecuada conservación histórica de los registros de la plantación.

—Antes de que te escabullas, me gustaría comentar contigo una última cosa —le digo—. La cuestión es que quiero usar todo este material en clase. Gran parte de las familias del pueblo llevan viviendo aquí durante generaciones, y muchas de ellas están vinculadas, de una manera u otra, a Goswood. —Estoy atenta a su reacción, pero se la guarda para sí. Parece casi indiferente mientras prosigo con mi argumentación—. Muchos de los nombres que aparecen en estos cuadernos, en los registros de compraventa, nacimiento, defunción y sepultura, incluso los de los esclavos que se cedían temporalmente desde esta plantación a otras a lo largo de River Road, y viceversa, y de los comerciantes que pasaron por aquí o vendieron mercancía a los Gosset... Muchos de estos nombres se han ido transmitiendo de padres a hijos de una forma u otra. Están presentes en mi cuaderno de calificaciones, los oigo por el altavoz cuando los mencionan durante los partidos de fútbol y se habla de ellos en la sala de profesores. —Una serie de rostros me vienen a la mente. Rostros de todos los colores. Ojos grises, verdes, azules y marrones.

Nathan echa hacia atrás el mentón ligeramente, como si presintiera el golpe y su instinto fuera evitarlo. Puede que no haya considerado que lo ocurrido aquí hace tanto tiempo está firmemente tejido al presente.

Soy consciente, si es que antes no lo había interiorizado del todo, de por qué en este pueblo hay tanto blancos como negros que se apellidan Gosset. Están relacionados entre sí por la enmarañada historia que se plasma en esta Biblia, por el hecho de que los esclavos de las plantaciones compartían el apellido de sus amos. Algunos se lo cambiaron tras la emancipación. Otros lo conservaron.

Willie Tobias Gossett es el niño de siete años que fue enterrado hace más de un siglo junto con su hermano de cuatro años y su hermana Athene, que era un bebé. Eran los hijos de Carlessa, y fallecieron presos de las llamas en su cabaña cerrada con llave. Lo único que queda de Willie Tobias es una anotación en el escrupulosamente conservado mapa de las fosas que se encuentra en la mesita auxiliar junto a la mano de Nathan Gossett.

Pero Tobias Gossett es también un niño de seis años que deambula, según parece, sin ningún tipo de límites por las cunetas y los senderos de este pueblo, ataviado con un pijama de Spiderman; lo más probable es que su nombre se haya transmitido de generación en generación igual que una reliquia —como una moneda o una joya valiosa—, que sea el legado de unos antepasados que no tenían nada que dejarles a los suyos, salvo sus nombres y sus historias.

—Mis alumnos quieren llevar a cabo un proyecto para clase. Algo que se les ocurrió a ellos. Y creo que es una buena idea... de hecho, es una idea estupenda.

Como sigue prestándome atención, le cuento que el viernes por la mañana tuvimos una invitada en clase que nos habló de la historia de la biblioteca Carnegie, le describo la reacción de los críos y el modo en que sus ideas se transformaron a partir de ese momento.

—Y lo cierto es que todo empezó con el fin de que se interesaran por la lectura y la escritura. Fue una forma de alejarlos de una lista de libros obligatorios para clase que no les interesan lo más mínimo y encauzarlos hacia historias más personales: historias que forman parte del pueblo y que puede que hayan pasado por alto toda su vida. La gente se pregunta hoy en día por qué los niños no tienen ningún respeto por sí mismos ni por su pueblo y por qué no honran sus nombres. Ignoran el significado de sus nombres. Ignoran la historia de su tierra.

Veo cómo le da vueltas al asunto mientras se frota lentamente el mentón sin afeitar. Creo que se le está pegando mi emoción. O eso espero.

Yo sigo con la matraca:

—Lo que se les ha ocurrido... es algo que llaman *Cuentos desde la cripta*. Al parecer es algo que se lleva a cabo en Nueva Orleans durante las excursiones al cementerio. Su tarea consistirá en investigar y escribir acerca de alguna persona que viviera y muriera en el pueblo, o incluso en la plantación, un antepasado o alguien de esa época con quien se sientan vinculados hoy en día. Como colofón (puede que incluso puedan recaudar fondos) se disfrazarán y se colocarán junto a la lápida, como una representación viviente de la persona, y contarán su historia durante la visita al cementerio. Así el pueblo se dará cuenta de que todas las historias están entrelazadas entre sí. Entenderán por qué las vidas de la gente normal y corriente eran relevantes entonces y por qué siguen siéndolo hoy en día.

Contempla el libro de registros que tiene en el regazo y acaricia el borde de la página con el pulgar.

—A Robin le habría encantado la idea. Tenía planeadas muchas cosas con respecto a Goswood; quería reformar la casa, documentar su historia y despejar los jardines. Quería abrir un museo que se centrase en todas las personas que formaron parte de Goswood, no solo en los que dormían en las camas con dosel de la casa principal. Robin pensaba a lo grande. Era una soñadora. Por eso el juez le dejó a ella la casa.

—Parece que era una persona increíble. —Intento imaginarme a la hermana que ha perdido. La esbozo en mi mente. La misma mirada intensa de color verde azulado. La misma sonrisa. Con el pelo castaño de Nathan, pero siete años mayor, más menuda y con rasgos más finos.

Era evidente que la adoraba. Su mera mención parece dejarlo hecho polvo.

—Es a ella a quien necesitáis, no a mí —admite.

—Pero solo contamos contigo. —Se lo digo de la manera más gentil posible—. Sé que estás ocupado, que vives fuera de la ciudad y que todo esto no te interesaba demasiado —señalo los documentos que se ha pasado leyendo toda la noche—. Te estaré enormemente agradecida si dejas que mis alumnos tengan acceso a los registros para llevar a cabo sus investigaciones, pero muchos de ellos descubrirán que sus antepasados reposan en un cementerio que no está señalizado. Necesitamos permiso para hacer uso del terreno que está detrás de mi casa, y ese terreno te pertenece a ti.

Transcurre una desmesurada cantidad de tiempo mientras él lidia con la pregunta. En dos ocasiones, y luego en tres, intenta darme su respuesta antes de detenerse. Examina los materiales que hay sobre la mesita de café, sobre la mesita auxiliar y sobre el sofá. Se pellizca la frente y cierra los ojos. Sus labios se reducen hasta convertirse en una línea sombría y fina, fruto de unas emociones que, naturalmente, siente la necesidad de ocultar.

No está preparado para todo esto. Este lugar le produce un dolor inmenso y yo no entiendo completamente todas las heridas que lo alimentan. ¿La muerte de su hermana, su padre y su abuelo, la realidad de lo ocurrido en Goswood Grove a lo largo de la historia?

No quiero que pase este mal trago, pero soy incapaz de decir nada que le permita ahorrárselo. Les debo a mis alumnos el seguir con el proyecto antes de que ocurra alguna calamidad y se nos deniegue el acceso a los documentos e incluso a Goswood Grove.

Nathan se echa hacia delante y, durante un instante, temo que haya decidido marcharse. Se me acelera el pulso.

Finalmente, apoya los codos en las rodillas, agacha la cabeza y mira por la ventana.

—Odio esa casa. —Aprieta los puños. Con fuerza—. Está maldita. Mi padre murió allí, y también mi abuelo. Si Robin no se hubiera empeñado en luchar por quedársela, no habría ignorado los síntomas que afectaban a su corazón. La última vez que fui a visitarla vi que no tenía buen aspecto. Debería haberse hecho pruebas, pero no quería oír hablar del asunto. Se negaba a aceptar el hecho de que la casa le daba más quebraderos de cabeza de los que podía soportar. Se pasó catorce meses enzarzada en disputas por los planes que quería llevar a cabo en la casa: con los hermanos de mi padre, con la parroquia y con abogados. Will y Manford le tienen echado el guante a todo el pueblo. Eso fue lo que agotó los últimos años de mi hermana y por eso discutimos la última vez que nos vimos. —Los ojos le brillan al recordarlo—. Pero Robin le había prometido a mi abuelo que cuidaría de la casa, y ella no era de las que incumplía sus promesas. La única que incumplió fue cuando murió. Me prometió que no se moriría.

El dolor que le provoca la pérdida de su hermana es brutal, abrumador e inconfundible, incluso aunque trate de ocultarlo.

—Nathan, lo siento —susurro—. No pretendía… No quería…

—Tranquila. —Se frota los ojos con el pulgar y el índice, toma una bocanada de aire, se endereza e intenta serenarse—. No eres de aquí. —Sus ojos se encuentran con los míos, nuestras miradas se aferran entre sí—. Entiendo lo que intentas hacer, Benny. Es admirable y comprendo su importancia. Pero no tienes ni idea de dónde te estás metiendo.

Capítulo 19

Me despierto de rodillas. El suelo se sacude y se mece como si me hubiera puesto a cabalgar sobre una tormenta. Las astillas me atraviesan la ropa y se me clavan en la piel.

A lo lejos, en los campos, veo a mi familia. A mi madre y a todos mis hermanos y primos; están plantados al sol y han dejado sus cestas en el suelo para alzar las manos y ver quién les llama.

—¡Mamá, Hardy, Het, Prat, Epheme! —grito—. ¡Easter, Ike, tía Jenny, Mary Angel, estoy aquí! Mamá, ven a por tu hija. ¡Estoy aquí! ¿Es que no me ves?

Alargo la mano hacia mi madre, pero ella desaparece, y al abrir los ojos, veo un cielo estrellado y oscuro. El viento me golpea la cara, me la ensucia con las cenizas ardientes que expulsa el fogón del tren que nos lleva al oeste. Mi madre no está ahí, nunca lo ha estado. He vuelto a soñar con ella. Cuanto más nos adentramos en Texas, más veces se me aparece al cerrar los ojos.

¿Será una señal?

Juneau Jane tira de mí con fuerza. Me ha atado una cuerda a la cintura para asegurarse de que no me caigo del vagón mientras duermo. La señorita Lavinia y Juneau Jane también están sujetas a la cuerda. No hubo manera de deshacerse de la señorita en Jefferson, ya que Moses nos pisaba los talones. No sé por qué no nos disparó y nos mató a las tres. No quiero saberlo.

Simplemente se dio la vuelta y siguió a los otros hombres; y nosotras nos subimos al tren y nos alejamos de él.

Viajar en el vagón abierto resulta muy incómodo, el viento nos arroja cenizas a través del cielo nocturno. No es la primera vez que veo un tren, pero nunca me había subido a uno. No creí que fuera a gustarme, y no me gusta. Pero era la manera más rápida de salir de Jefferson. Los trenes se dirigen al oeste, así que van repletos de ganado, mercancía y gente, y apenas queda sitio para nadie. Muchos viajan en la parte de arriba de los vagones de pasajeros, en los vagones de carga con sus caballos o acomodados entre las mercancías de los coches de plataforma, como hacemos nosotras. A veces, se bajan de un salto cuando el tren reduce la velocidad lo suficiente como para dejar caer o recoger bolsas de correo, y hacen sonar el silbato.

Nosotras seguiremos hasta la última parada, tras pasar el pequeño pueblo de Dallas, y nos bajaremos en Eagle Ford, junto al río Trinity; de momento, el ferrocarril solo llega hasta allí. Desde Eagle Ford, cruzaremos el río e iremos a pie o en tren hasta Forth Worth, que está a más de un día de viaje, para buscar al señor o al abogado… o averiguar qué ha sido de ellos.

Nunca había visto tantos territorios. Cuanto más al oeste se dirige esta bestia temblorosa, más cambia el paisaje. Atrás ha quedado el refugio de los bosques de coníferas, la última zona de Texas que llegué a conocer durante los años que pasé refugiada. En este lugar, la hierba se extiende, kilometro a kilómetro, por las colinas bajas, y los olmos, las encinas y los robles de los pantanos se agrupan a lo largo de los arroyos y en los pliegues de las cuencas secas.

Esta es una tierra extraña. Vacía.

Me acomodo junto a la señorita y noto que me agarra de la ropa. Este lugar también le da miedo.

—No hagas ningún ruido —le digo—. Calla y estate quieta. No pasa nada.

Los diferentes árboles desfilan ante mis ojos en la oscuridad, y sus sombras, fruto de la iluminación de la luna, se extienden sobre las colinas y las llanuras sin toparse, hasta donde yo puedo apreciar, con ningún farol o fogata.

El sueño se apodera de mí, pero mi madre no se me aparece, ni yo me encuentro en el patio de ventas ni veo a la pequeña Mary Angel sobre la plataforma de subasta. En mi interior no hay nada más que una apacible calma. Esa donde el tiempo no transcurre.

Me parece haber cerrado los ojos hace tan solo un instante cuando el ruido me despierta y noto que Juneau Jane me sacude el brazo; la señorita lloriquea y se estruja los dedos. La música suena desde algún lugar y un molino se sacude y muele el grano. Me duele el cuello por haber estado con la cabeza apoyada sobre el hombro y se me han pegado las pestañas por culpa del viento y la mugre. Me restriego los ojos y me fijo en que todavía es de noche. La luna ha desaparecido, pero las estrellas todavía salpican el cielo negro.

El tren avanza con un lento y perezoso vaivén, como una madre que mece a su bebé, demasiado ensimismada con su hijo como para pensar en la jornada de trabajo o las dificultades que están por llegar.

En cuanto el tren se detiene, hay un revuelo de hombres, mujeres, caballos, perros, carros y carretas. Un mercader exclama: «¡Ollas, sartenes, calderas! ¡Lomo a la sal, tocino!».

Otro se une al grito de: «¡Cubos de buena calidad, hachas afiladas, hule, palas…!».

Un hombre se pone a cantar *Oh, Shenandoah* y una mujer se ríe a carcajadas.

A pesar de que la gente decente debe de estar durmiendo a estas horas, parece haber jaleo por todas partes. Ruido y más ruido.

Nos bajamos del tren y nos alejamos de los vagones y los nerviosos caballos, antes de situarnos bajo una lámpara de carbón. Los vagones se aproximan demasiado unos a otros y la gente berrea: «¡Con *cuidao*!» y «¡Tira, Bess! ¡Arrea, Pat! ¡Venga *pa* arriba!».

Un hombre grita algo en un idioma que no conozco. Un grupo de caballos emerge entre la oscuridad y recorre la calle a toda prisa con los arneses agitándose por detrás. Un niño llama a su madre.

La señorita me estruja el brazo con tanta fuerza que noto cómo la sangre se me acumula en la mano.

—Para ya. Me haces daño. No pienso ir hasta Forth Worth contigo agarrada. —Intento quitármela de encima, pero se niega a soltarme.

Un toro manchado trota hacia la luz de una antorcha y pasa con toda tranquilidad; por lo que veo, no hay nadie que lo guíe ni que se encargue de él. La luz ilumina sus manchas blancas y sus grises y aterradores cuernos, que son lo bastante largos como para tumbarse en ellos. El brillo de la antorcha desciende hasta la pupila del toro y el reflejo es una mezcla de rojo y azul; el animal resopla y expulsa una nube de polvo y vaho.

—Este lugar es horrible —le digo a Juneau Jane, preocupada de que Forth Worth sea aún peor. En cuanto dejas atrás el puerto fluvial, Texas se convierte en un lugar del todo asalvajado—. Pongámonos en marcha y larguémonos de aquí.

—Pero primero tenemos que solucionar lo del río —discrepa Juneau Jane—. Debemos esperar hasta que se haga de día para ver cómo lo cruzan los demás.

—Supongo que sí. —Odio darle la razón, pero lo que dice es cierto—. De todas formas, puede que por la mañana podamos pagarle a alguien para que nos deje subir a su carro.

Vagamos de un lado a otro buscando algún rincón donde acurrucarnos. Pero la gente nos echa si nos ve. Encontrarse con lo que parece ser un andrajoso grupo mixto de chicos, en el que a uno de ellos tienen que llevarlo de la mano, no es algo que suscite la simpatía de nadie. Finalmente, vamos hasta la orilla del río, donde están los campamentos de carretas, nos metemos en unos matorrales y nos hacemos un ovillo, como tres cachorritos perdidos, con la esperanza de que nadie nos moleste.

Poco después amanece, y nosotras tomamos un desayuno compuesto por galletitas duras que llevábamos en la bolsa y los últimos trozos de jamón curado que nos dio la tripulación del *Katie P.* Después de eso, nos ponemos las bolsas a la cabeza y cruzamos el río por los bajíos. No es complicado, pues solo tenemos que seguir la hilera de carros que vadean el agua y se dirigen al oeste. Nos encontramos con otro grupo de gente que va con sus carretas en dirección contraria, hacia el ferrocarril. Varios rebaños de animales con cuernos avanzan arrastrados por hombres y niños robustos que llevan sombreros de ala ancha y botas hasta las rodillas. A veces, parece que los rebaños tarden una hora en pasar.

Antes de media mañana, la señorita empieza a cojear debido a los zapatos nuevos. El sudor y el polvo del camino le recubren la piel, pegándole la camisa al cuerpo. Forcejea con ella y el trozo de tela que le aplana el pecho se le afloja.

—Para ya —le digo una y otra vez, apartándole la mano.

Finalmente nos colocamos en la hierba mientras dos carros se cruzan. En cuanto me doy la vuelta, la señorita se repantiga a la sombra de un pequeño roble. Por mucho que intentemos convencerla, se niega a levantarse.

Me sitúo en el sendero y comienzo a buscar una carreta donde podamos subir a cambio de unas monedas.

Un cochero de rostro amable a cargo de un carro de mercancías nos recoge. Es uno de esos a los que les gusta hablar, y nos cuenta que se llama Rain. Pete Rain. Su padre era un indio creek y su madre una esclava que se fugó de una plantación que pertenecía a unos cherokees. Tanto el carro como los animales son suyos, por lo que él se dedica a transportar mercancía desde el ferrocarril hasta los asentamientos, y viceversa.

—El trabajo no está mal —nos dice—. Solo hay que evitar que te arranquen la cabellera. —Nos señala los agujeros de bala del carro y nos cuenta historias de emboscadas y asaltos donde aparecen temibles guerreros con la cara pintada.

Se pasa la mayor parte del día contando anécdotas. Nos habla de los indios que viven al norte de la región, los kiowas y los comanches, los cuales abandonan sus reservas cuando les viene en gana y roban caballos, incendian granjas y toman prisioneros, en caso de que no dejen un reguero de cadáveres.

—No parece que sus costumbres tengan ninguna explicación —dice—. Hacen lo que les apetece en cada momento. La guerra ha terminado en el sur, pero no aquí. Id con cuidado, muchachos. Mucho ojo con los salteadores de caminos y los criminales. Si os encontráis con alguien que dice pertenecer a la banda de Marston, os dais media vuelta de inmediato. Esa banda es la peor de todas, y cada vez son más.

Para cuando empieza a oscurecer, Juneau Jane y yo escudriñamos detenidamente cada arbusto y árbol con el que nos topamos y olfateamos el aire en busca de algún rastro de humo. Prestamos atención a cualquier ruido, preocupadas por si aparecen los indios, los salteadores de caminos o la banda de Marston. Es un alivio poder acampar con Pete Rain. Juneau Jane ayuda con los caballos y los arreos y yo preparo un guiso de arroz, jamón curado y judías. Pete Rain caza un conejo, y también lo añadimos al guiso. La señorita se queda sentada y contempla el fuego.

—¿Qué le pasa al chico? —pregunta Pete mientras cenamos y yo le doy de comer a la señorita, ya que no puede agarrar el cuenco con las manos.

—No lo sé. —En su mayor parte es cierto—. Tuvo la desgracia de cruzarse con unos canallas y lleva así desde entonces.

—Es una lástima —murmura Pete; restriega el plato con arena y lo deja caer en un cubo con agua antes de tumbarse a mirar las estrellas. Aquí se ven mucho más grandes y brillantes que en casa. Y también hay más. El cielo se extiende desde un extremo del mundo al otro.

Mientras Pete guarda silencio, le hablo de las cuentas azules y le pregunto por los míos. Que él sepa, nunca se ha encontrado con ellos.

Juneau Jane le habla de los Amigos perdidos, y él parece muy interesado, así que ella saca las páginas y se acerca al fuego. Yo me asomo por encima de su hombro y ella desplaza el dedo por las palabras a medida que lee. Pete tampoco reconoce ninguno de los nombres, pero dice:

—Tengo una hermana en algún lugar. Los cazadores de esclavos se la llevaron y mataron a mi madre mientras mi padre y yo habíamos salido a cazar. Eso fue en 1852. No creo que la encuentre ni que ella se acuerde de mí, pero me gustaría que su nombre saliera en las páginas de los Amigos perdidos. Os daré 50 centavos para la nota del periódico, más el dinero que cueste enviarla por correo, si podéis hacerme el favor al llegar a Forth Worth. No me gusta quedarme por allí. No lo llaman el patio del infierno por gusto.

Juneau Jane le dice que hará lo que le pide, pero en vez de las páginas, saca el libro de contabilidad que tomó del despacho del abogado y lo abre.

—En los papeles ya no queda espacio —dice ella—. Así que lo anotaré aquí.

—Te lo agradezco. —Pete descansa la cabeza en sus brazos entrelazados, como si estuviera apoyado en una almohada, y contempla el rastro luminoso que recorre el cielo nocturno—. Amalee, así se llamaba. Amalee August Rain. En aquel entonces era demasiado pequeña como para pronunciarlo, así que no creo que haya conservado el nombre.

Juneau Jane comienza a escribir, mientras dice en voz alta cada palabra que anota.

—Amalee August Rain, hermana de Pete Rain, de Weatherford, Texas. Perdida en las naciones indígenas en septiembre de 1852, cuando tenía tres años.

Pronuncia las letras en voz alta y yo intento imaginar qué forma tienen antes de que el lápiz las escriba. Acierto unas pocas.

Cuando me acuesto, pienso en el alfabeto, alzo un dedo hacia el amplio cielo de seda negra y trazo las letras sobre las estrellas. *A de Amalee... R de Rain... T de Texas. H de Hannie.* Sigo hasta que dejo caer la mano y se me cierran los ojos.

Al amanecer, cuando me despierto y me incorporo, la linterna chisporrotea colgada de su gancho. Juneau Jane está sentada debajo, en la oscuridad del alba, con las piernas cruzadas y el libro en el regazo. El cuchillo para desollar está clavado junto a ella en la tierra, y el lápiz es ahora del tamaño de una colilla. Tiene los ojos rojos y cansados.

—¿Llevas con eso toda la noche? —Ni siquiera ha acercado su manta al carro.

—Sí, efectivamente —susurra ella, ya que Pete y la señorita siguen dormidos.

—¿Has estado escribiendo la carta de Pete para enviarla en Fort Worth? —Me levanto y me acerco a ella.

—No solo eso. —Pone el libro a la luz para que pueda verlo. Cada una de las páginas tiene ahora palabras—. Las he escrito todas. —Me enseña su labor mientras yo miro hacia abajo pasmada—. Cada una en la página donde aparece la letra inicial del apellido. —Pasa las páginas hasta llegar a una con la R, que es una letra que ya conozco, y lee la parte de arriba—. Amalee August Rain.

Me siento a su lado, ella me pasa el libro y yo hojeo todas las páginas.

—Esto va a ser —susurro— el libro de los amigos perdidos.

—Sí —coincide ella, y me entrega un trozo de papel con algo escrito; me dice que es la carta de Pete.

Un anhelo brota en mi interior entonces, y aunque deberíamos encender un fuego y empezar a hacer el desayuno, me coloco en un trozo de hierba que hay a su lado.

—¿Puedes arrancar otro trozo de papel y escribirme una carta, antes de que el lápiz se gaste del todo? Quiero preguntar por mi familia… en las páginas de los Amigos perdidos.

Ella levanta una ceja.

—Ya habrá tiempo para eso más adelante. —Contempla a la señorita y a Pete Rain, que están durmiendo. En los robles que se alzan por encima de nosotros, los pájaros anuncian la llegada de la mañana.

—Ya lo sé. Y todavía no tengo los 50 centavos para que lo pongan en el periódico… ni el dinero de los sellos. —No sé ni cuándo podré permitirme gastarme todo eso en palabras para el periódico—. Pero supongo que quiero llevar la carta conmigo. Hasta que llegue el momento. De alguna manera será como mantener viva la esperanza, ¿no crees?

—Supongo que sí. —Va al final del libro, dobla la cubierta y rasga el borde con la uña y arranca una página, que sale intacta—. ¿Cómo quieres que suene?

—Refinada, más o menos. Así, si la lee mi familia, no… —Noto un cosquilleo en la garganta, como si un pajarito se hubiera sacudido las plumas dentro—. En fin, quiero que piensen que soy lista. Una chica como Dios manda. Quiero que la carta quede impecable, ¿vale?

Asiente y coloca la punta del lápiz en la página, se inclina hacia delante, cierra los ojos, y luego los vuelve a abrir. Supongo que los tiene resecos por llevar despierta toda la noche.

—¿Qué quieres que ponga?

Cierro los ojos y pienso en mi niñez.

—No me leas las palabras a medida que escribes —le digo—. Esta vez no. Por ahora, escríbelas y ya está. Que empiece así: «Señor editor: Busco información sobre mi familia». —Me gusta que suene educado, pero no sé qué decir a continuación. Tengo la mente en blanco.

—*Très bien.* —Oigo cómo el lápiz se desliza por el papel y luego se detiene. Una paloma se pone a cantar suavemente y Pete Rain cambia de postura—. Háblame de tu familia —me pide Juneau Jane—. Dime sus nombres y qué les pasó.

La lámpara parpadea y se pone a pitar. Las sombras y las luces titilan tras mis párpados, me cuentan mi propia historia y yo se la cuento a Juneau Jane.

—Mi madre se llamaba Mittie. Yo soy Hannie Gossett, la mediana de nueve hijos. —El mantra aflora en mi mente. Nos oigo a mi madre y a mí recitarlo juntas en el carro—. Los demás se llamaban Hardy, Het, Pratt…

Siento su presencia junto a mí, danzando en las sombras rosadas y marrones que se me aparecen al cerrar los ojos, y todos recordamos juntos nuestra historia. Al acabar, noto que las lágrimas me han humedecido la cara y que la brisa de la mañana me ha enfriado la piel. El sentimiento de soledad que me produce el final de la historia me ha dejado la voz pastosa.

Pete Rain se despierta con un gruñido y un suspiro, así que me seco las lágrimas y tomo el trozo de papel que me entrega Juneau Jane. Lo doblo para poder metérmelo en el bolsillo. *Esperanza.*

—Podríamos enviarla en Fort Worth —dice Juneau Jane—. Todavía me queda algo del dinero que saqué por el caballo.

Trago con fuerza y niego con la cabeza.

—Será mejor que nos guardemos el dinero para ir tirando. Enviaré la carta en cuanto pueda pagarla. Por ahora, me basta con saber que la llevo conmigo. —El frío se apodera de mis huesos al contemplar el fragmento del cielo que se extiende hacia el oeste, donde las últimas estrellas todavía brillan sobre el fondo gris del amanecer. Mi madre me decía que las estrellas eran las hogueras del cielo, que mi abuela, mi abuelo y todos aquellos que vivieron antes que nosotras las encendían cada noche.

La carta se convierte en una carga más pesada cuando pienso en ello. ¿Y si toda mi familia ya está allí arriba, reunida alrededor de las hogueras? Si nadie responde a mi carta, ¿será que han dejado este mundo?

Más tarde, me pregunto si Pete Rain piensa lo mismo al contemplar su carta. Se la enseñamos mientras recorremos los últimos kilómetros hasta Fort Worth.

—¿Sabéis qué? Creo que la mandaré yo mismo —decide y se la mete en el bolsillo con una expresión seria—. Así podré rezar una oración antes.

Cuando llegue la hora, yo haré lo mismo.

Antes de separar nuestros caminos al llegar al pueblo, Juneau Jane arranca un trozo de periódico y se lo entrega a Pete Rain.

—Esta es la dirección del *Southwestern* —le dice.

—Gracias. Y llevad cuidado, muchachos —nos advierte de nuevo, y se guarda también el trozo de periódico—. Fort Worth no es el peor pueblo donde puede acabar alguien de color, las cosas no están tan mal como en Dallas, pero tampoco es ningún remanso de paz, y a la banda de Marston le encanta pasarse por aquí. Tened cuidado también en los campamentos de ilegales que están junto al río, a la altura de los juzgados. Podéis acampar por esa zona, pero no os dejéis vuestras cosas allí. Los robos son más que habituales en el barrio de Battercake. Los más necesitados viven allí apelotonados. Las cosas no han estado muy boyantes en Fort Worth desde que el ferrocarril quebró y no pudieron ampliarse las vías para que llegasen hasta el pueblo. Las dificultades vuelven a las personas buenas o malas. Os encontraréis tanto con unas como con otras.

»Si necesitáis ayuda, id a ver a John Pratt en la herrería que está junto al juzgado. Es un hombre de color, un buen tipo. O al reverendo Moody y al grupo Metodista Episcopal Africano de la capilla Allen. Ojo con los prostíbulos y las cantinas. Allí no encontraréis más que problemas. Si queréis un consejo, no os quedéis mucho tiempo en Fort Worth. Marchaos a Weatherford o a la ciudad de Austin. Las cosas pintan mejor por esa zona.

—Hemos venido a buscar a mi padre —le explica Juneau Jane—. No tenemos intención de quedarnos después de que lo encontremos. —Le da las gracias por traernos e intenta pagarle por las molestias, pero él se niega a aceptar el dinero.

—Me habéis devuelto la esperanza que perdí hace mucho —dice—. Es pago suficiente.

Espolea a los caballos, sigue su camino y allí nos quedamos nosotras. Es mediodía, de modo que nos acurrucamos entre dos edificios con revestimiento exterior de madera y almorzamos unas cuantas galletitas más y unos melocotones que no nos durarán demasiado.

Unos ruidos nos hacen volver la vista a la calle. Al levantar la mirada, imagino que me encontraré con algunos carros o con un grupo de ganado, pero se trata de un destacamento de soldados federales, que avanzan montados a caballo de dos en dos. La caballería. No se parecen demasiado a los harapientos soldados federales que veíamos durante la guerra; aquellos llevaban los uniformes azules remendados y manchados de mugre y sangre, y si perdían los botones de latón, los sustituían por trozos de madera. Los soldados de entonces montaban en cualquier caballo raquítico que pudieran permitirse comprar, aunque a veces también los robaban, pues la guerra había acabado con muchos de ellos y había escasez de monturas.

Los soldados que marchan ahora frente a nosotras van todos montados en caballos de la misma raza. Las rayas amarillas de sus pantalones tienen un aspecto brillante y llevan las gorras negras perfectamente colocadas. Las placas de bronce de sus rifles resplandecen al sol. Las vainas, las hebillas y las pezuñas producen un fuerte repiqueteo.

Permanezco en las sombras. Noto un nudo en el estómago y el malestar se extiende por mi interior. Hacía mucho que no veía soldados. En casa, cuando nos encontrábamos con uno bajábamos la mirada y dejábamos de hablar. Da igual que la guerra terminara hace ya años, a los que son como la señora no les hace ninguna gracia que hablemos con ellos.

Tiro de Juneau Jane y de la señorita.

—Tenemos que ir con cuidado —susurro, y me las llevo a toda prisa al otro lado del callejón—. La mujer con la que hablaste en Jefferson dijo que los que fueron a buscar a tu padre eran federales. ¿Y si han venido hasta aquí a por él? Puede que Lyle lo haya metido en algún lío. —Durante un instante, mis propias palabras me dejan pasmada. No lo he llamado señorito, ni amo Lyle, ni siquiera señor Lyle, sino Lyle a secas, igual que hace Juneau Jane.

Bueno, ya no es tu amo, me digo a mí misma. *Eres una mujer libre, Hannie. Y puedes llamar a esa alimaña por su nombre de pila si se te antoja.*

Justo en ese momento, algo crece en mi interior. No sé muy bien qué es, pero ahí está. Más poderoso. Diferente.

A Juneau Jane no parecen preocuparle los soldados, pero es evidente que tiene la cabeza en otra parte. Está contemplando la zona inferior del lugar, donde unas chozas enanas fabricadas con trozos de carretas, ramas caídas, madera de leña, duelas de barril y troncos de árboles ocupan las orillas fangosas del río Trinity. La estructura de las chozas se inclina hacia el agua, que está repleta de pieles, hule, pedazos de rafia y trozos de letreros pintados con colores brillantes. Un niño de color agarra un trozo de leña de una de las chozas para poder alimentar el fogón de la cocina de otra.

—Podría cambiarme de ropa ahí abajo, antes de que vayamos a buscar al señor Washburn. Algunas de las cabañas parecen estar vacías —dice Juneau Jane.

¿Qué bicho le ha picado?

—Ese debe de ser el barrio de Battercake. El lugar sobre el que nos advirtió Pete. —Pero discutir no sirve de nada. Ya se ha encaminado hacia allí. No puedo dejar que baje sola, así que agarro a la señorita y voy tras ella. Al menos, puede que la señorita asuste a los bandidos—. Vas a conseguir que me maten. En Battercake —le grito a Juneau Jane—. No quiero espicharla en un lugar como este, ya te lo digo yo.

—No dejaremos nuestras cosas allí —responde ella mientras sigue meneando sus piernas flacuchas.

—Si nos matan, sí.

Dos mujeres blancas con la piel manchada de hollín y la ropa desgastada se aproximan. Nos miran de arriba abajo, y me pregunto si están examinando nuestras bolsas para robarnos. Agarro a la señorita del brazo como si estuviera preocupada y le digo:

—No se te ocurra molestar a las señoras. No te han hecho nada.

—¿*Querís* algo? —pregunta una de ellas. Los dientes se le han podrido hasta convertirse en agujas—. Estamos *acampás* allí atrás. Si *tenís* hambre compartimos *encantás* la comida. Y si lleváis alguna moneda encima, Clary se acerca un momentito al *mercao* y nos trae una chispa de café. Nos hemos *quedao* sin. Pero el *mercao* está ahí al *lao*.

Miro hacia la parte baja de la pendiente y veo que hay un hombre observándonos. Me aparto del sendero y tiro de la señorita.

—Ea, ¿*pa* qué tanto susto? —La mujer sonríe, y la lengua se le asoma por los huecos de los dientes—. Si *semos mu* majas.

—No venimos a hacer amigos —dice Juneau Jane y se hace a un lado para dejar pasar a la mujer.

El hombre que está en la parte de abajo sigue mirando. Esperaremos a que las mujeres rodeen el juzgado y luego nos daremos media vuelta y nos dirigiremos hacia allí también. Colina arriba.

Me acuerdo de lo que nos ha dicho Pete. Que hay gente buena y gente mala. En Fort Worth parece que tras cada esquina hay alguien observándonos para averiguar si merece la pena robarnos. En este pueblo conviven la abundancia y la pobreza. Hay que saber cómo moverse por aquí, así que nos dirigimos a la herrería para hablar con John Pratt. Dejo a la señorita y a Juneau Jane junto a la puerta y entro yo sola. Es amable, pero no sabe nada del señor Washburn.

—Mucha gente ha abandonado el pueblo desde lo que pasó con el ferrocarril —me cuenta—. Muchos habían estado especulando para hacer negocio. Pero todo se fue a la porra cuando nos enteramos de la noticia. Son tiempos difíciles. Aunque algunos se han mudado al pueblo para quedarse con las gangas. Puede que uno de ellos sea tu señor Washburn. —Nos indica cómo llegar a las casas de baños y a los hoteles, donde van la mayoría de los forasteros con dinero—. Preguntad por los alrededores. Si se sabe algo de él, lo más probable es que lo averigüéis allí.

Hacemos lo que nos dice y preguntamos a cualquiera que esté dispuesto a hablar con tres chicos que no hacen más que deambular.

Una mujer con el pelo rubio y un vestido rojo nos hace gestos para que nos acerquemos a la puerta lateral de un edificio. Nos cuenta que regenta la casa de baños y nos ofrece un baño por muy poco dinero. Tienen lista el agua caliente y no hay nadie aprovechándola.

—Está la cosa muy mal, chicos —nos dice.

El cartel de la ventana indica que los míos tienen prohibida la entrada, y también los indios. Lo sé porque Juneau Jane lo señala y me susurra lo que pone al oído.

La mujer de la puerta nos echa un buen vistazo.

—¿Qué le ocurre al grandullón? —Se cruza de brazos y se acerca un poco—. ¿Qué te pasa, muchachote?

—Es un simplón, señora. Corto de entendederas —respondo—. Pero no es peligroso.

—No te he preguntado a ti, chico —me suelta, y luego mira a Juneau Jane—. ¿Y qué hay de ti? ¿Eres retrasado también? ¿Tienes sangre india? ¿Eres blanco o mestizo? Aquí no se acepta a la gente de color ni a los indios. Y tampoco a los irlandeses.

—Es francés —le digo yo, y la mujer sisea para hacerme callar y se vuelve a Juneau Jane.

—¿Es que estás mudo? Eres muy guapetón, ¿eh? ¿Cuántos años tienes?

—Dieciséis —dice Juneau Jane.

La mujer echa la cabeza hacia atrás y se pone a reír.

—Yo diría que más bien doce. Ni siquiera has empezado a afeitarte. Pero la verdad es que sí tienes acento francés. ¿Tienes dinero? Puedes gastarlo aquí. No tengo nada en contra de los franceses. Siempre que paguen.

Juneau Jane y yo nos alejamos de ella.

—No me huele bien —susurro, pero Juneau Jane ya ha tomado una decisión. Agarra las monedas que necesita para entrar y la bolsa con la ropa de mujer, y me deja a cargo del resto.

—Te esperamos aquí —digo en voz lo bastante alta como para que me oiga la mujer. Y luego le susurro a Juneau Jane—: Entra y busca otra puerta. ¿Ves el vapor que sale por detrás del edificio? Deben de estar vaciando cubos y lavando la ropa en esa zona. En cuanto acabes, sal por la otra puerta para que no te vea vestida con la ropa de mujer.

Agarro a la señorita Lavinia del brazo, me la llevo de allí y se me ocurre que podría preguntarle a alguien de color por el señor Washburn. En el muelle hay un chico que se ofrece a limpiar botas. Es un niño flacucho y de piel oscura, y puede que ronde la edad de Juneau Jane. Me acerco a él y le pregunto.

—Puede que sepa algo —me dice—. Pero no suelto prenda a no ser que se me pague por mi trabajo. Tus zapatos son una birria y no vale la pena sacarles brillo, pero si me das cinco centavos y quieres que te los limpie, lo haré. Eso sí, en el callejón. No puedo dejar que los blancos me vean lustrarle los zapatos a alguien de color. No querrán que use los mismos cepillos con ellos.

En este pueblo nada sale gratis.

—Supongo que iré a otra parte a preguntar... a no ser que quieras hacer un trueque.

Sus ojos se convierten en dos rendijas.

—¿Qué me ofreces?

—Tenemos un libro —le cuento—. Un libro donde apuntamos los nombres de aquellos que se extraviaron durante la guerra o fueron vendidos antes de que nos liberaran. ¿Has perdido a alguien de tu familia? Podemos anotar sus nombres en el libro. Y preguntar por ellos allá donde vayamos. Si tienes los tres centavos que cuesta un sello y los cincuenta que vale poner un anuncio, escribiremos una carta preguntando por tu familia y la enviaremos al periódico *Southwestern*. Se reparte por las iglesias de Texas, Luisiana, Misisipi, Tennessee y Arkansas, donde los reverendos leen los anuncios en voz alta desde el púlpito, por si alguna de las personas está allí. ¿Has perdido a alguien?

—No me queda nadie —dice el chico—. Mis padres murieron por las fiebres. No me acuerdo de ninguno de los dos. Y no tengo más familia.

Noto un tirón en los pantalones y, al bajar la mirada, veo a una mujer mayor de color sentada con las piernas cruzadas y apoyada en la pared. Está envuelta en una manta y tiene la espalda tan encorvada, que apenas puede levantar el rostro para mirarme. Tiene la mirada nublada y opaca. Una cesta de almendras garrapiñadas reposa en su regazo junto a un cartel del que solo soy capaz de leer unas pocas letras. Su piel luce tan oscura y agrietada como el cuero viejo.

Quiere que me acerque a ella. Me dispongo a agacharme, pero la señorita Lavinia me tira del brazo.

—Deja de dar la lata —murmuro—. Quédate ahí de pie.

»No puedo comprarle nada —le digo a la mujer—. Lo haría si pudiera. —Es una criatura andrajosa y desamparada.

Habla en voz tan baja que tengo que inclinarme hacia ella para poder oírla por encima del ruido que arman los carros, los caballos y la gente al pasar.

—Yo tengo familia —me susurra—. ¿Me ayudas a encontrarla? —Alarga la mano hacia el bote de hojalata que tiene al lado, lo sacude y presta atención al sonido que produce. Dentro no pueden haber más que unos pocos centavos.

—Quédese el dinero —le digo—. Anotaremos a su familia en el libro y preguntaremos por ella en todos los lugares por los que pasemos.

Acerco a la señorita Lavinia a la pared. La siento en un banco pintado frente a una ventana. Es blanca, así que no pasa nada porque se quede ahí.

Vuelvo junto a la mujer y me pongo de rodillas.

—Hábleme de su familia. Lo recordaré todo y en cuanto pueda, los anotaré en el libro de los amigos perdidos.

Dice que se llama Florida. Florida Jones. Y mientras la música suena desde algún lugar cercano y la gente recorre el muelle y el martillo de un herrero entona un *pam plim plim, pam plim plim* y los caballos resoplan y se lamen los hocicos al dormitar atados a los postes, ella me cuenta su historia.

Cuando acaba, se lo repito todo. Los nombres de sus siete hijos, los de sus tres hermanas y sus dos hermanos, los lugares adonde se los llevaron y los nombres de aquellos que se los llevaron. Ojalá pudiera anotarlo. Llevo encima el libro y el trocito de lápiz que queda, pero no sé escribir las letras suficientes. Y tampoco sé cómo se usa el lápiz.

Florida me agarra con sus delgadas manos, y noto lo frías que están. El chal se le cae y veo la marca que lleva en el brazo. *F* de fugitiva. Antes de que me dé cuenta de lo que estoy haciendo, toco la marca con un dedo.

—Fui a buscar a mis hijos —me cuenta—. Cada vez que se llevaban a uno, yo salía a buscarlo. Y no paraba hasta que me encontraban, o hasta que los *cazaesclavos* me echaban el guante o los perros me arrastraban de vuelta a ese odioso lugar, con el hombre con el que me obligaban a yacer. *En cuanto acabe con la zurra*, decía el amo, *más vale que os pongáis a hacer otro bebé, o ya veréis la que os espera…* Y entonces el hombre se me ponía encima y al poco volvía a estar preñada. Adoraba a cada preciosa criaturita que salía de mí. El amo me decía todas las veces: *Florida, a este te lo puedes quedar.* Pero cada vez que andaba corto de dinero, me los quitaba y me decía: *Bueno, Florida, ese era demasiado bueno para que te lo quedaras.* Y yo me quedaba sentada, gritando y sollozando hasta que podía escaparme e ir a buscarlos.

Me pregunta si puedo escribir una carta y enviarla al *Southwestern* por ella. Y luego me entrega el bote para que tome el dinero.

—No hay suficiente para pagar por el anuncio —le digo—. Pero podemos ir preparando la carta. Aún es temprano. Podríamos ayudarla a vender el resto de la…

Un revuelo estalla en la calle e interrumpe mis palabras. Me doy la vuelta y oigo gritar a un hombre y a una mujer mientras un carro está a punto de llevarse a alguien por delante. Uno de los caballos que lleva el carro tira de las bridas y las rompe. Se encabrita y patea el aire. Los otros se asustan y tiran de sus riendas hasta liberarse; uno de ellos choca contra un hombre que va montado en un caballo tan joven que no debería ni estar ensillado.

—¡Arre! —aúlla el hombre; le da un tirón al raquítico potro, le clava las espuelas y lo azota con las largas riendas. El potro baja la cabeza, comienza a corcovear… y a punto está de golpear a la señorita Lavinia, que se ha levantado del banco. Está plantada en la calle, mirando fijamente la escena. Los caballos del carro salen disparados y el cochero se afana por atraparlos antes de que se escapen. La gente y los perros que van paseando se dispersan por todas partes. Unos hombres se dirigen a toda prisa hacia los postes para agarrar a sus caballos, pero aquellos que se han desenganchado recorren la calle con las riendas ondeando tras ellos.

Doy un salto y echo a correr mientras el potro y su jinete levantan nubes de polvo; el animal por poco atiza a la señorita con las pezuñas, pero ella sigue ahí plantada.

Alguien grita desde el muelle:

—¡Epa! ¡Cuidado, muchacho!

Llego hasta la señorita antes de que al potro se le doblen las rodillas, caiga con fuerza al suelo y aplaste a su jinete, que se agarra y logra levantarse a medias junto con el animal.

—Levántate, cretino zarrapastroso. —El hombre azota al caballo en el hocico y las orejas hasta que este consigue levantarse del todo, y entonces lo espolea en dirección a la señorita Lavinia.

—¡Quita de en medio! ¡Has asustado a mi caballo! —Agarra una cuerda de su silla con la intención, imagino, de golpearla con ella.

La señorita alza la barbilla, le enseña los dientes y lanza un bufido.

Intento subirla al muelle, donde él no puede pasarnos por encima, pero ella permanece inmóvil, sin dejar de bufar.

La cuerda desciende con fuerza. Noto cómo me golpea el hombro, la oigo silbar en el aire, mientras azota la silla de montar, al caballo y cualquier cosa que se le ponga por delante. El jinete tira de las riendas y la enloquecida criatura relincha, resopla y se resiste. Se pone a dar vueltas y a embestir, y choca contra la señorita Lavinia. Esta cae al barro y yo me coloco sobre ella.

—¡Por favor! ¡Está lelo, no sabe lo que hace! —chillo, y alzo las manos al tiempo que la cuerda vuelve a silbar. Me machaca los dedos y yo me agarro como puedo, intentando detenerla por todos los medios. El látigo retrocede y me azota la mejilla. Empiezo a ver lucecitas y se me nubla la vista al tiempo que me desplomo. Me aferro a la cuerda con todas mis fuerzas. Oigo los gritos del vaquero y la fuerte caída del potro tras tambalearse. Huelo su pesada respiración.

La cuerda tira de mí antes de que pueda soltarme y me lanza por los aires. Antes de darme cuenta, estoy tirada en la calle boca abajo, contemplando el ojo del caballo. Es grande y negro, y brilla como una gota de tinta, con los bordes teñidos de rojo y blanco. Parpadea una sola vez, lentamente, y me observa.

No te mueras, pienso y veo al jinete intentando salir de debajo del potro. Unos hombres llegan corriendo y tiran de las cuerdas que envuelven a la pobre criatura. En un abrir y cerrar de ojos, consiguen levantarlo; el animal se queda ahí plantado, jadeando y en mejor estado que el hombre, que está apoyado sobre una sola pierna. Intenta ponerse de pie, pero se desmorona; suelta un aullido y alguien lo agarra antes de que llegue al suelo.

—¡Mi rifle! —grita, intentando sacar la vaina de la silla de montar. El potro se asusta y se aleja—. ¡Mi rifle! ¡Voy a cargarme al retrasado y a su chico! Cuando haya acabado con ellos, hará falta una pala para recoger los restos.

Intento espabilarme. Tengo que levantarme y echar a correr antes de que agarre el arma. Pero la cabeza me da vueltas y todo se arremolina a mi alrededor como una tormenta de polvo: Florida, el potro alazán, un poste a rayas rojas y blancas junto a una tienda, el sol que se refleja en el cristal de una ventana, una mujer con un vestido rosa, la rueda de un carromato, un perro atado con una correa que no deja de ladrar y el limpiabotas.

—Alto. Espera un momento —dice alguien más—. El *sheriff* está al caer.

—¡Ese retrasado ha intentado matarme! —aúlla el hombre—. Él y su chico han intentado matarme y robarme el caballo. ¡Me ha roto la pierna! ¡Me ha roto la pierna!

Arriba, Hannie, grita una voz en mi interior. *Levántate y corre.*

Pero no distingo dónde es arriba y dónde es abajo.

AMIGOS PERDIDOS

Señor editor:

Ruego que me ceda un espacio en su inestimable periódico para preguntar por mis hermanos y hermanas. Pertenecíamos al señor John R. Goff, del condado de Tucker, en Virginia Occidental. A mí me vendieron a Wm. Elliot, del mismo estado. A mi hermana Louisia la vendieron a Bob Kid y la enviaron aquí, a Luisiana. Mis hermanos se llaman: Jerome, Thomas, Jacob, Joseph y Uriah Culberson. Las hermanas éramos: Jemima, Drusilla, Louisa y Eunice Jane. Sé que Jerome, Joseph y Eunice Jane están muertos. Uriah sigue viviendo cerca de nuestra antigua casa. Thomas se marchó con el ejército rebelde. Desconozco qué fue de Jacob y Drusilla. Me casé con Jas. H. Howard en Wheeling, Virginia Occidental, en 1868 y me mudé a Luisiana en 1873. Mi hermana, Louisa, vive aquí con Gilbert Daigre, su antiguo amo y actual marido. Deseo encontrarla con todas mis fuerzas y agradeceré cualquier información que me lleve hasta ellos. Ruego a los periódicos de Atlanta, Georgia; Richmond, Virginia, y Baltimore que publiquen también el anuncio. Pónganse en contacto conmigo en Baton Rouge, Luisiana.

Jemima Howard
—Columna de los «Amigos perdidos»
del *Southwestern*
1 de abril de 1880

Capítulo 20

Hay pocas cosas más estimulantes que ser testigo de cómo una idea, que era sencilla y frágil en sus inicios, y parecía destinada a germinar y marchitarse casi al mismo tiempo, extiende sus miembros y se aferra a la vida con una determinación que no puede entenderse, solo sentirse. El proyecto de historia en el que llevamos trabajando tres semanas y al que los alumnos han llamado *Cuentos desde la clandestinidad*, combinando la idea original de *Cuentos desde la cripta* con un homenaje al ferrocarril clandestino, la red que ayudó a los esclavos fugados a llegar al norte, ha tomado forma.

Durante las clases de los martes y los jueves, leemos acerca de las figuras más importantes del ferrocarril clandestino, como Harriet Tubman, William Still y el reverendo John y Jean Rankin. El aula, que antes resultaba tan ensordecedora que apenas podía oír mis propios pensamientos, o tan silenciosa que era capaz de percibir —incluso mientras leía en voz alta *Rebelión en la granja*— el *tic tac* del reloj y los suaves resoplidos de los estudiantes que dormían sobre sus pupitres, se ha convertido en un espacio donde se oyen los golpecitos de los bolis y los lápices y tienen lugar animados y agudos debates. Durante las últimas dos semanas, hemos hablado largo y tendido de las circunstancias nacionales y políticas del período anterior a la guerra, pero también de las historias regionales que estamos descubriendo los lunes, miércoles y viernes, cuando formamos una fila y recorremos dos manzanas, aunque no siempre de manera ordenada, hasta llegar a la biblioteca Carnegie.

La propia biblioteca se ha convertido en colaboradora de nuestro proyecto *Cuentos desde la clandestinidad*, y añade a nuestras reuniones un colorido fragmento de historia local, no solo por el relato de cómo llegó a fundarse este magnífico edificio, sino también por lo que significó para la comunidad y por el servicio que prestó durante décadas. En la planta de arriba, en una sala común con un estilo como el de los teatros antiguos, que se llama, de forma acertada, la Sala Noble, las fotos que hay enmarcadas en las paredes son testimonio de una vida diferente, de una época diferente, cuando Augustine se encontraba oficialmente dividido por colores. La Sala Noble albergaba desde obras de teatro, conferencias políticas y conciertos de jazz de la mano de músicos invitados, hasta agrupamientos de soldados que se preparaban para la guerra y equipos de béisbol de las ligas negras que necesitaban un lugar donde dormir, ya que no los dejaban hospedarse en los hoteles.

En una de las estancias vecinas, la Sala Destino, hemos creado una especie de centro de investigación temporal con unas mesas plegables que hemos tomado prestadas de la iglesia de al lado, la ayuda de algunas de las herederas del legado del Club de las Damas del Nuevo Siglo y dos semanas de arduo trabajo por parte de los chicos. Que nosotros sepamos, es la primera vez que se han recopilado en un solo lugar tantos datos históricos de la zona. La historia de Augustine lleva muchos años guardada en cajones, áticos, cajas de expedientes del juzgado y muchos otros rincones apartados. En su mayor parte, ha llegado hasta nosotros en fragmentos y pedazos: en fotos descoloridas, Biblias familiares, partidas de bautismo, escrituras de venta de terrenos y anécdotas que les han contado los abuelos a sus nietos y que se han ido transmitiendo de generación en generación.

El problema es que, hoy en día, en un mundo plagado de familias divididas, de entretenimiento al alcance de la mano gracias a la televisión por cable y de consolas que se enchufan a la tele de casa para jugar durante horas al *Pong*, al *Super Mario Bros.* y al

Punch-Out!!, las historias corren el riesgo de perderse en el torbellino que constituye la era moderna.

Y, aun así, una parte de estos chicos siente curiosidad por el pasado, por los acontecimientos que nos han llevado hasta aquí y por aquello... o aquellos... que nos precedieron.

Además, los muertos, los huesos, los cementerios y la idea de disfrazarse para traer de vuelta a los fantasmas resultan demasiado atractivos como para que ni siquiera los chicos más retraídos sean capaces de resistirse. Puede que sea por la presencia de Yaya T y las demás mujeres del Club del Nuevo Siglo, pero los alumnos se están tomando el trabajo muy en serio en la Sala Destino y no ponen pegas al hecho de tener que compartir los diez pares de guantes blancos de algodón que nos ha prestado el coro de la iglesia. Y gracias a la visita que nos hizo un profesor de Historia de la Universidad del Sudeste de Luisiana, los chicos han descubierto la fragilidad de los documentos antiguos y entienden la importancia de llevar los guantes. Manipulan con cuidado los materiales que hemos tomado prestados de los archivos de la biblioteca y de los registros de las iglesias de la zona, así como los que nos hemos traído de Goswood Grove y de los áticos de diversas familias del pueblo.

Salvo por las pocas horas en las que la biblioteca permanece abierta al público, tenemos el edificio para nosotros solos, así que no tenemos que moderarnos con el ruido. Y vaya si hacemos ruido. Las ideas recorren la sala como si fueran abejas, zumbando de un lugar a otro y recolectando el néctar de la inspiración.

Cada uno de los días de las últimas tres semanas nos ha traído nuevos descubrimientos. Avances. Pequeños milagros. Nunca imaginé que la enseñanza pudiera ser así.

Adoro mi trabajo. Adoro a estos chicos.

Y creo que el sentimiento empieza a ser mutuo.

Al menos, en parte. Me han puesto un mote nuevo.

—¿Señorita Maza? —dice Lil' Ray mientras mi clase de noveno recorre el corto trayecto hasta la biblioteca para la sesión del lunes.

—¿Sí? —Levanto la mirada hacia las partes de luz y sombra que se deslizan sobre sus mejillas regordetas. Es un gigantón, y está en pleno estirón adolescente, algo bastante común en chicos de esta edad. Juraría que ayer era cinco centímetros más bajito. Debe de medir por lo menos 1,85 m, pero aun así, sus manos y pies siguen siendo enormes en comparación con su cuerpo, como si todavía tuviera que crecer mucho más.

—Podría añadirles trocitos de chocolate. —Levanta el mazacote que se está zampando mientras caminamos. Le cuesta tragárselo sin tener nada que beber. En la biblioteca no está permitido comer, pero hay una fuente art decó justo en la entrada—. Así estarían muy buenas.

—Entonces no serían tan sanas, Lil' Ray.

Da otro bocado y es como si estuviera intentando comer cartílago.

—¿Señorita Maza? —Saca otro tema. Me gustaría creer que me han puesto este formidable apodo porque soy perseverante y dura, como una maza. Pero en realidad me lo han puesto por las galletas grumosas de avena.

—¿Sí, Lil' Ray?

Levanta la mirada y escudriña los árboles mientras se limpia con la lengua los restos de galleta del labio inferior.

—He tenido una idea.

—Es un milagro —se burla LaJuna. Volvió al instituto de la misma manera en que se marchó: sin mayor ceremonia, y lleva viniendo a clase las últimas dos semanas y media. Se ha ido a casa de Sarge y tía Dicey. Nadie, ni siquiera LaJuna, sabe cuánto tiempo se quedará allí. Su actitud con respecto al proyecto *Cuentos desde la clandestinidad* es extrañamente negativa y apática. No sé si es debido a su situación en casa o porque el proyecto empezó a ponerse en marcha mientras ella estaba ausente o porque no le hace gracia que otros alumnos se entrometan en la exploración de Goswood Grove para buscar los secretos que el juez dejó escondidos. Esa casa era para ella territorio sagrado, un refugio que tuvo desde su infancia.

A veces, me da la sensación de que he traicionado la frágil confianza que existía entre ambas o de que no he logrado superar una prueba importante, y nunca llegaremos al punto que a mí me gustaría alcanzar. Pero tengo otros alumnos en los que pensar y ellos también son importantes. Tal vez esté siendo ingenua e idealista, pero tengo la esperanza de que *Cuentos desde la clandestinidad* ofrezca la posibilidad de reducir las brechas que asolan a la comunidad. Entre ricos y pobres. Entre blancos y negros. Entre los privilegiados y los desfavorecidos. Entre los paletos y los del centro.

Ojalá pudiéramos llevar a cabo el proyecto con el colegio del lago; poner en contacto a alumnos que viven a pocos kilómetros de distancia los unos de los otros, pero que aun así se encuentran en mundos distintos. Las únicas ocasiones en las que se ven las caras es cuando se enfrentan en el campo de fútbol o están en el Oink-Oink poniéndose morados de pelotas de Boudin y carne ahumada. Pero durante lo que se han convertido en reuniones habituales de puesta al día los jueves por la noche, Nathan me ha advertido que debo mantenerme alejada del Instituto Lakeland, así que eso he hecho, y pienso seguir haciéndolo.

—¿Señorita Maza?

—¿Sí, Lil' Ray? —Las conversaciones con este chico siempre son eternas. Todas se ejecutan de la misma manera. Por partes. Las ideas circulan poco a poco dentro de esa cabeza suya. Toman forma mientras él parece estar ensimismado mirando por la ventana, o contemplando los árboles o con la vista fija en su pupitre, construyendo meticulosamente pajitas para lanzar bolas y balones de papel.

Pero cuando afloran por fin, son muy interesantes. Están bien desarrolladas. Y estudiadas a conciencia.

—Bueno, señorita Maza, como le iba diciendo, se me ha ocurrido una cosa. —Hace girar sus manazas en el aire con el meñique estirado, como si estuviera ensayando para tomar el té con la reina. La idea me saca una sonrisa. Cada uno de estos críos es único. Con una personalidad increíble—. En ese cementerio, y también en los registros, no solo hay ancianos y gente mayor muerta. —Una expresión de desconcierto le arruga el ceño—. También hay niños y bebés que murieron casi después de nacer. Es muy triste, ¿no? —Su voz se apaga.

El defensa estrella del entrenador Davis se ha emocionado. Por unos niños que murieron hace más de 100 años.

—Pues claro que hay niños, tarado —suelta LaJuna—. En esa época no tenían medicinas y eso.

—Yaya T nos contó que machacaban hojas, raíces, musgo y cosas así —interviene Michael el flacucho, con muchas ganas de poner en práctica su trabajo como celestino-barra-guardaespaldas de Lil' Ray—. Dijo que algunas de esas cosas curaban mejor que las medicinas de ahora. ¿No te acuerdas, maja? Ah, es verdad, ese día hiciste pellas. Si hubieras venido, lo sabrías igual que los demás, en vez de estar dándole la matraca a Lil' Ray. Él intenta ayudar con el proyecto. Y tú lo único que quieres es echarlo todo por tierra.

—Eso. —Lil' Ray endereza su permanente postura encorvada—. Antes de que empezaras con tus memeces, iba a decir que podemos representar a gente de nuestra edad o más mayores, tiñéndonos el pelo de gris o algo así, pero no a niños pequeños. A lo mejor tenemos que traernos a algunos críos para que nos ayuden. Como a Tobias Gossett. Vive donde los apartamentos, es mi vecino. No tiene nada que hacer. Podríamos darle el papel del Willie Tobias del cementerio. El que murió en el incendio con su hermano y su hermana mientras su madre estaba fuera trabajando. La gente debería saber que no pueden dejar a sus hijos pequeños solos en casa.

El nudo que tenía Lil' Ray en la garganta pasa a estar en la mía. Trago saliva con fuerza e intento mantener mis emociones bajo control. Una repentina oleada de opiniones surge a favor y en contra de la idea. Insultos a cascoporro, faltas de respeto hacia el pobre Tobias y un sinnúmero de palabrotas se suman al debate, pero no necesariamente de una forma productiva.

—Tiempo muerto. —Gesticulo como lo haría un árbitro para dar énfasis a mis palabras—. Lil' Ray, deja que te interrumpa un momento. —Y entonces me dirijo al resto—: ¿Cuáles son las normas de clase?

Media docena de alumnos ponen los ojos en blanco y gruñen.

—¿Tenemos que decirlas en voz alta? —pregunta alguien.

—Hasta que nos acordemos de cumplirlas, sí —insisto—. O podemos volver a clase y ponernos a analizar oraciones. A mí me da igual. —Gesticulo como si estuviera moviendo la batuta de un director de coro—. A ver, todos juntos. ¿Cuál es el artículo número 3 de la Constitución de clase?

La clase corea con poco entusiasmo:

—Estamos a favor del debate activo. El debate ciudadano es un proceso saludable y democrático. Si alguien no es capaz de exponer su punto de vista sin gritar, ofender o insultar a los demás, tendrá que encontrar un argumento de más peso antes de seguir hablando.

—¡Fenomenal! —Hago una reverencia burlona. Hemos redactado minuciosamente una constitución para clase; la he fotocopiado en tamaño grande, plastificado y colgado de forma permanente a un lado de la pizarra. También les he dado una copia de menor tamaño a cada uno. Les subo la nota si se la aprenden.

—¿Y el artículo 2? Porque hasta ahora he detectado tres (como lo oís, *tres*) violaciones de ese artículo en esta última conversación. —Me vuelvo y empiezo a caminar hacia atrás, blandiendo de nuevo la batuta del coro. Treinta y nueve caras exasperadas me transmiten de forma silenciosa: *Es usted insoportable, señorita Silva.*

—Si una palabra resulta despectiva o inadecuada en una conversación formal, no podemos decirla en la clase de la señorita Silva —murmura el grupo al acercarnos a los escalones de la biblioteca.

—¡Bravo! —Finjo estar completamente encantada con su capacidad para memorizar la Constitución—. Y aún os digo más: tampoco la digáis fuera de clase. Ese tipo de palabras nos hacen parecer mediocres y no nos conformamos con eso porque somos... ¿Qué? —Los apunto con los dedos en forma de pistola, el símbolo del colegio.

—Extraordinarios —corean.

—¡Muy bien! —Un hueco en la acera me fastidia la escenita: el pie se me resbala del zueco y estoy a punto de caerme. LaJuna, Lil'

Ray y una chica callada y estudiosa llamada Savanna se apresuran a sujetarme mientras el resto de la clase estalla en risitas.

—Estoy bien, ¡no ha pasado nada! —digo y me detengo para recuperar el zapato.

—Deberíamos añadir: «Está prohibido caminar hacia atrás si llevas zuecos» a la Constitución de clase. —Es la primera frase en tono desenfadado que ha dicho LaJuna desde que volvió a clase.

—Qué gracia. —Le guiño el ojo, pero ella se ha vuelto. El resto del grupo se ha detenido para no pasarme por encima, aunque también tienen la mirada fija en los escalones de la entrada.

Me doy la vuelta y el corazón me da un vuelco, como una mariposa revoloteando. Ahí está Nathan. Dejo escapar un vivaracho: «¡Ey!» antes de poder contenerme. Las mejillas se me encienden al tiempo que me percato de algo. La camiseta de color aguamarina hace juego con sus ojos. Le queda estupendamente.

Y la observación termina justo ahí, igual que una frase interrumpida o sin punto final.

—Me dijiste que... me pasara. Si tenía la oportunidad. —Nathan parece dudar. Puede que le incomode el hecho de que tengamos público, o tal vez perciba mi timidez.

Treinta y nueve pares de ojos curiosos nos observan con atención, conscientes de lo que se cuece.

—Me alegro de que lo hayas hecho. —¿Sigo sonando vivaracha? ¿Demasiado alegre? ¿O solo cordial?

Soy muy consciente de que, hasta ahora, nuestros encuentros se han llevado a cabo en mi casa, con comida para llevar del Oink-Oink. En privado. Desde nuestra primera sesión de investigación nocturna, nos hemos acostumbrado a quedar los jueves por la noche, ya que es un día que nos viene bien a los dos. Revisamos los últimos hallazgos de Goswood Grove o algunos fragmentos de las investigaciones de los chicos o diversos documentos que Sarge y las señoras del Nuevo Siglo han conseguido desenterrar de los juzgados del distrito. Cualquier novedad que tenga que ver con el proyecto.

Luego recorremos el cementerio de la plantación y la fosa común que se encuentra entre el huerto y la valla del cementerio
principal. De vez en cuando, nos dirigimos a las silenciosas lápidas
cubiertas de musgo, a las criptas de hormigón y a las ornamentadas
estructuras de ladrillo y mármol que atesoran los nichos de los
ciudadanos más prominentes de Augustine. Hemos visitado el lugar de descanso de los antepasados de Nathan en una sección pri-
vada de un majestuoso mausoleo, cuya elaborada estructura de
mármol está rodeada por una valla de hierro forjado. Las estatuas
y cruces que coronan sus sepulturas, incluidas las del padre de
Nathan y el juez, se extienden hacia el cielo, muy por encima de nuestra cabeza, lo que denota importancia, riqueza y poder.

Me he fijado en que la hermana de Nathan no está enterrada
allí, pero no he preguntado el motivo ni dónde está. Puede que se
encuentre en Asheville, donde crecieron. Por lo poco que sé de Robin, creo que la fastuosidad del sepulcro de los Gosset no habría ido
con ella. Todos los elementos de ese lugar tienen por objeto pro-
porcionar cierta sensación de inmortalidad aquí en la tierra. Y, aun
así, los Gosset de antaño no han alterado la naturaleza efímera de
la vida humana. Al igual que los esclavos, los aparceros, la gente de los
bayous y los agricultores que labraban la tierra, todos han acabado
del mismo modo. Convertidos en polvo y cenizas. Lo único que
nos queda reside en aquellos que todavía siguen aquí. Y en las historias.

En ocasiones me pregunto, mientras paseamos por el cementerio, qué quedará de mí cuando yo no esté. ¿Estoy creando un legado
importante y duradero? ¿Habrá alguien plantado frente a mi tumba algún día, preguntándose quién era yo?

Durante nuestros paseos, Nathan y yo mantenemos profundas conversaciones sobre el significado más amplio de nuestra
existencia… en un sentido hipotético. Mientras no nos acerquemos demasiado al tema de su hermana, ni a la posibilidad de hacer una visita a Goswood Grove, se muestra relajado y hablador.
Me cuenta lo que sabe de la comunidad, lo que recuerda del juez
y lo poco que recuerda de su padre, que no es mucho. Habla de la

familia Gosset de forma distante, como si él no formara parte de ella.

Yo me reservo la mayor parte de mi historia familiar. Resulta mucho más fácil conversar de un modo más general. Aun así, espero con ansias nuestros encuentros de los jueves por la noche; más de lo que quiero admitir.

Y ahora, aquí está, un día laborable por la mañana —cuando a estas horas, por lo general, sale a navegar con el barco— para ver por sí mismo aquello sobre lo que hablo sin cesar cuando nos reunimos. Estos chicos, mi trabajo, la historia. Temo que lo que le motive en parte sea la necesidad de aprender más en caso de que todo esto se convierta en un campo de batalla con el resto de los Gossett, pues me ha advertido ya varias veces de la posibilidad de que así sea. Llegados a ese punto, él intervendrá o intentará mitigar el daño causado o algo así. No estoy segura.

—No pretendo molestarte. Tenía que acercarme al pueblo para firmar unos papeles. —Se mete las manos en los bolsillos y echa un vistazo a la horda de alumnos que se amontona a mi espalda igual que una banda de música con una *majorette* desparramada al frente.

Lil' Ray se vuelve para poder verlo todo mejor. LaJuna también. Son como dos flamencos rosas de plástico con el cuello curvado en direcciones opuestas; dos signos de interrogación.

—Esperaba que te pasaras alguna vez. Para… vernos en acción. —Reanudo mi enérgico avance—. Los chicos han descubierto esta semana cosas muy interesantes, no solo en los libros y los escritos de Goswood, sino también en algunos documentos de la biblioteca municipal y de los juzgados. Tenemos incluso unas cuantas cajas llenas de fotografías familiares, cartas antiguas y álbumes de recortes. Algunos alumnos están entrevistando a las personas mayores de la comunidad, sirviéndose de las historias orales. En fin, tenemos muchas ganas de enseñártelo.

—Parece asombroso. —Su elogio me conmueve.

—Si quiere, me encargo yo de enseñárselo todo —se ofrece Lil' Ray rápidamente—. El material que he recopilado es una pasada. Como yo.

—Lo que eres es un pesado —gruñe LaJuna.

—Mejor cierra esa bocaza asquerosa tuya —protesta Lil' Ray—. Creo que voy a tener que apegarme a la norma *antinatividad*, ¿no cree, señorita Silva? Eso es lo que voy a hacer. LaJuna me ha faltado el respeto dos veces. Artículo seis: norma de natividad. Dos faltas. ¿Verdad, señorita Maza?

LaJuna se me adelanta:

—Que sí, lo que tú digas. Se dice «norma antinegatividad» y «acogerse», ignorante

—¡Oh! —Lil' Ray da un salto enorme, aterriza con una rodilla, se incorpora de nuevo, chasquea los dedos y la señala con el dedo—. Y ahora has infringido el artículo tres, la norma de civismo. Acabas de llamarme ignorante. Me has insultado en vez de responderme de forma educada. Eso va en contra del artículo tres, ¿verdad? ¿Eh? ¿Eh?

—Tú también te has pasado conmigo, has dicho que tengo una bocaza asquerosa. ¿Cuál de vuestras patéticas normas has infringido al decir eso?

—Se acabó —digo yo bruscamente, avergonzada de que la discusión se haya llevado a cabo delante de Nathan. El problema de muchos de estos chicos (de una triste mayoría, da igual que sean del campo que del pueblo) es que para ellos es habitual estar siempre a la gresca. No pueden debatir sin que la cosa se tuerza y se salga de madre. Empiezan a lanzarse insultos unos a otros y acaban empujándose, tirándose del pelo, arañándose o dándose puñetazos, lo que sea. El director Pevoto y el responsable de la seguridad del instituto disuelven múltiples peleas a diario. Familias rotas, barrios fracturados, problemas económicos, consumo de drogas, hambre, patrones de conducta disfuncionales. Es muy frecuente que los niños de Augustine se críen en un entorno que es como una olla a presión.

Vuelve a venirme a la cabeza el ambiente del pueblo rural donde se crio mi madre, un ambiente que creyó dejar atrás. Pero al observar a estos críos, me acuerdo de lo mucho que se llevó consigo sin pretenderlo. Las relaciones que mi madre tenía con los hombres eran impulsivas, irresponsables y tormentosas, y se caracterizaban por su inestabilidad, por actitudes manipulativas y por un abuso verbal mutuo que a veces se tornaba físico. Mi relación con ella era igual, una mezcla de amor, humillaciones, rechazo devastador y amenazas que podían acabar llevándose a cabo o no.

Pero ahora me doy cuenta de que, a pesar de lo complicada y voluble que fue mi vida familiar, fui afortunada. Tuve el privilegio de crecer en lugares donde la gente que me rodeaba —profesores, abuelos «adoptivos», niñeras, padres de amigos— me consideraba digna de su tiempo y se interesaba por mí. Me proporcionaron ejemplos, modelos a seguir, comidas en familia alrededor de una mesa y regañinas que no venían acompañadas de bofetadas, ni comentarios hirientes ni acababan con preguntas del tipo: *¿Por qué no prestas atención nunca, Benny? ¿Por qué a veces eres tan estúpida?* La gente de mi alrededor me invitaba a hogares que funcionaban de acuerdo a ciertas normas, donde los padres se dirigían a los hijos con palabras de aliento. Me mostraron lo que podía ser una vida estable. Si no se hubieran molestado, ¿cómo habría sabido que existía otra forma de vivir? No se puede aspirar a algo que no se conoce.

—Un minuto de silencio —digo, porque a mí me hace tanta falta como a ellos—. Ni una palabra. Luego analizaremos los motivos por los que esta conversación no ha sido adecuada. También podemos revisar las normas de civismo y antinegatividad... si queréis.

Un silencio maravilloso tiene lugar a continuación. Oigo el crujido de las hojas, el canto de los pájaros y una línea de teléfono que chirría suavemente cuando una ardilla la recorre a toda prisa. Una bandera ondea al viento y su gancho de metal produce un irregular código morse al chocar contra el poste.

Es un momento de paz glorioso que aflora gracias al artículo seis: la norma antinegatividad y la sanción establecida por romperla. Los alumnos detestan tener que compensar cada comentario negativo con tres positivos. Prefieren guardar silencio a elogiarse unos a otros. Es triste, pero espero que comprendan que la negatividad entraña consecuencias y tiene un coste elevado. Para resarcir los daños hace falta el triple de trabajo.

—Muy bien —digo al cabo de unos treinta segundos—. Os aviso que la norma antinegatividad se va a aplicar a partir de ahora. El próximo que diga algo negativo tendrá que redimirse con tres comentarios positivos. ¿Queréis que practiquemos todos juntos?

Las protestas se manifiestan a montones.

—¡No!

—¡Ni hablar!

—Por fa, señorita Silva, ya lo hemos pillado.

Nathan me mira con disimulo y parpadea con sorpresa y... ¿admiración? Me siento ligera como una pluma, como si el helio hubiera impregnado de repente la turbia atmósfera de Luisiana.

—Empiezo yo —bromeo—. Sois increíbles. De verdad os lo digo, os prometo que estáis entre mis seis clases favoritas.

Responden con gruñidos y bufidos. Solo tengo seis horas de clase, incluida, por supuesto, la hora complementaria.

Lil' Ray hace flotar una de sus manos sobre mi cabeza, como si fuera a agarrarme como a una pelota de baloncesto.

—Somos sus preferidos —señala Michael el flacucho—. No hay nadie mejor. Los de noveno somos la leche.

Me paso la mano por los labios como si estuviera cerrando una cremallera.

—Yo también podría enseñarle a su amigo mi trabajo —se ofrece Michael cuando empezamos a subir los escalones de la biblioteca—. Es muy guay. He llegado a retroceder cinco generaciones. La historia de los Daigre es una locura. Nueve hermanos y hermanas que nacieron esclavos en Virginia Occidental y acabaron cada uno en un lugar. Thomas se marchó con el ejército confederado. ¿Por qué? Ni idea. Su hermana Louisa se casó con el que era su amo después de la guerra. ¿Se enamoraron o a ella no le quedó más remedio? A saber. Ya os digo, mi trabajo es superguay.

—Ya, pues el mío es tres veces más guay —afirma Lil' Ray, y entonces se percata de que puede estar a punto de infringir la regla antinegatividad—. No digo que el suyo sea una birria, ¿eh? Pero el mío mola cantidad, ¿sabe? He rastreado a muchos más antepasados. Incluso he sacado cosas de la biblioteca del congreso para mi trabajo.

—Mi familia lleva en este país mucho más tiempo que las vuestras —protesta Sabina Gibson, quien figura en los registros de la tribu Choctaw—. Así que gano yo, a no ser que en vuestros trabajos salgan, yo que sé, hombres de las cavernas o algo así.

Una discusión por los antepasados de cada uno tiene lugar a continuación. Esta se prolonga hasta después de pasar un magnífico pedestal de mármol con el letrero «Biblioteca Carnegie de Augustine» y subir los escalones de cemento.

La clase se congrega frente a las puertas ornamentadas, que, sin duda, en algún momento fueron resplandecientes, aunque ahora exhiben una triste pátina de óxido debido a la falta de uso. Los hago callar antes de entrar. Quiero que aprendan a comportarse como es debido en una biblioteca, a pesar de que en estos momentos estará vacía, salvo por nuestras ayudantes del Club del Nuevo Siglo.

Lil' Ray refunfuña entre susurros que él fue el primero en ofrecerse a enseñarle *al tipo* su trabajo, así que tiene prioridad.

El tipo no dice nada, pero la mirada que me dedica sugiere que le parecerá bien cualquier cosa que decidamos.

Me doy cuenta de que no lo he presentado, y aunque puede que algunos de ellos lo reconozcan, la mayoría no sabe quién es. Hago las presentaciones, pero en cuanto pronuncio su nombre, el ambiente animado se desinfla. Un silencioso sentimiento de inquietud se posa sobre la clase. Unas cuantas miradas de recelo y curiosidad se dirigen a Nathan. La chica que se apellida Fish se inclina hacia una amiga y le susurra algo al oído.

Nathan parece dispuesto a bajar los escalones, marcharse del pueblo y no volver nunca más, pero algo lo hace detenerse. Lo mismo que lo ha traído hasta aquí hoy.

Sospecho que ninguno de los dos sabe de qué se trata.

Capítulo 21

La señorita Lavinia se mece en la litera y lloriquea en la oscuridad. Se ha orinado encima porque no ha querido usar el orinal de la esquina, y se ha alterado tanto que ha acabado vomitando todo lo que tenía en el estómago. Un hedor horrible se ha extendido por todo el calabozo. Hace una noche tan apacible que no sopla ni una pizca de aire entre los barrotes de la ventana que pueda llevarse el mal olor.

¿Cómo he acabado así?, me pregunto a mí misma. *Señor, ¿cómo he acabado aquí?*

El hombre de la celda de al lado protesta por el ruido y el hedor, golpea la pared que hay entre ambas celdas y le dice a la señorita que se calle, que lo va a volver loco. Oí cómo los guardias lo traían un par de horas después del atardecer; es un memo que se puso como una cuba y se metió en líos por robar unos caballos del ejército. El *sheriff* de Fort Worth está esperando a que la milicia venga a por él. Me doy cuenta, por su forma de hablar, de que es irlandés.

Estoy sentada en la oscuridad, acariciándome la zona del cuello donde deberían estar las cuentas de mi abuela. Pienso en mi madre y en que todo ha salido mal desde que perdí las cuentas; ahora puede que no la vuelva a ver a ella ni al resto de mi familia. Un sentimiento de soledad se aferra a mí igual que un halcón. Se abalanza sobre mis ojos hasta que lo único que veo por la ventana es el exterior desdibujado mientras la media luna posa su aliento sobre las estrellas y las atenúa.

Nunca he estado tan sola. La última vez que estuve encerrada fue a los seis años, después de decirle a la mujer que me compró que me habían robado de Goswood Grove. Aunque era solo una niña y estaba sola y asustada tras ser entregada a las autoridades, al menos tenía la esperanza de que el señor Gossett iba a venir a buscarme y encontraría a mamá y al resto.

Esta vez no vendrá nadie. Esté donde esté Juneau Jane, no tiene ni idea de qué ha sido de nosotras. Y aunque lo supiera, no podría hacer nada al respecto. A estas alturas, lo más probable es que ella se haya metido en líos también.

—¡C-ciérrale la boca a ese ta-tarado! —grita el ladrón de caballos irlandés—. O *she* la cie… cierras tú, o lo… O lo…

Me siento junto a la señorita en la oscuridad y el estómago se me revuelve al captar su olor.

—*Shhh*, a callar. Empeorarás las cosas. Calla.

Echo la cabeza hacia atrás, levanto la nariz para oler el aire nocturno e intento tararear la canción que la mujer y el niño entonaron frente a la iglesia del pantano. No canto la letra, pero la oigo con la voz de mi madre en el interior de mi cabeza.

¿Quién es esa joven vestida de blanco?
Caminad por las aguas
Serán los hijos del israelita
Dios va a separar las aguas

La señorita se hace una bola y apoya la cabeza en mi rodilla, igual que hacía cuando era una bebé y yo me metía en su cuna para apaciguar sus llantos. Solo se comportaba de manera tan cariñosa cuando estaba asustada y quería que alguien la consolase.

Le acaricio el fino y ralo cabello con los dedos, cierro los ojos y sigo tarareando hasta que la canción y la noche me dejan marchar por fin…

Cuando me despierto, oigo mi nombre.

—Hannie —susurra una voz rápidamente—. Hannie.

Me incorporo a toda prisa. La señorita se remueve, pero se cae de mi rodilla y vuelve a dormirse. El irlandés también está en silencio. ¿Ha sido un sueño?

Los primeros rayos de sol se filtran por la ventana. Vienen acompañados de una sensación de temor. ¿Cuánto tiempo nos van a retener aquí y qué va a pasar luego? Me da miedo averiguarlo.

—¿Hannibal? —Vuelve a decir la voz. Entonces me doy cuenta. Solo una persona me llamaría Hannibal, pero no es posible que esté aquí, así que debo de estar soñando. Aun así, me subo a la litera, me agarro a los barrotes y acerco la barbilla al alféizar de la ventana para mirar. Para descubrir qué quiere decirme el sueño.

Veo su figura en la penumbra del alba; va montado en un burro que está enganchado a un carro de madera de dos ruedas.

—¿Gus McKlatchy? ¿El del barco?

—¡*Shhhh!* Que te van a oír —dice, pero no hay nadie más en mi sueño.

—¿Has venido a darme un mensaje? ¿Te ha enviado el Señor?

—Lo dudo mucho, yo no creo en *ná.*

Me pregunto si poco después de que me lanzaran al agua tiraron también a Gus y las ruedas del barco le pasaron por encima. ¿Es ese el fantasma de Gus McKlatchy, con su andrajosa camisa y su sombrero torcido, en medio de la niebla?

—¿Eres un espectro?

—Que yo sepa, no. —Mira por encima del hombro y pone al burro junto a la pared, luego se sube al lomo del animal para acercarse a la ventana.

—¿Qué haces aquí, Hannie? Menuda sorpresa volver a verte. Creí que te ahogaste en el río cuando ese Moses te lanzó al agua.

Un escalofrío me recorre al recordarlo. Noto el agua rodeándome la cabeza, el amasijo de ramas deslizándose por el fondo, enredándose en mis pantalones y tirando de mí. Noto el aliento de Moses en la mejilla cuando sus labios me rozan la oreja. *¿Sabes nadar?*

—Conseguí alejarme del barco antes de que me hiciera pedazos y llegar hasta la orilla. No es que se me dé demasiado bien, pero sé nadar.

—Sabía que era a ti a quien detuvieron ayer. Ibas con un chicote blanco y lelo, pero no entendía *ná*, porque la última vez que te vi te habían *lanzao* al río.

Conforme se va emocionando, Gus habla más y más fuerte. Mira a su alrededor y vuelve a bajar la voz.

—Por *certo*, vaya suerte tuviste, macho. A la noche siguiente, arrearon a un tipo con una pistola antes de cortarle el pescuezo y lanzarlo por la borda. Los oí decir que era un norteño que estaba husmeando en sus asuntos. El barco estaba llenito de simpatizantes de los confederados, ya sabes a qué me refiero. Había un tipo con un parche en el ojo al que todos llamaban «teniente», como si fueran soldados y no supieran que la guerra acabó hace diez años. Me escondí hasta llegar a Texas y, si te digo la *verdá*, fue un alivio poder largarme.

Noto un nudo en la garganta. No me hace gracia estar aquí, pero me alegro de que Gus y yo consiguiéramos salir con vida del barco.

—A lo mejor puedo sacarte de ahí, Hannibal —dice Gus.

—Pues ya me dirás cómo. Nos hemos metido en un lío de cuidado.

Piensa durante un momento, se frota las abundantes pecas de la barbilla y asiente.

—Tengo trabajo en un carro de carga que pasa por Hamilton y San Saba hasta llegar a Menardville. Es un poco peligroso por los indios y eso, pero la paga es decente. Desde allí seguiré hacia el sur, donde está *to* el ganado que escapó en la guerra. Solo tengo que atrapar a unos cuantos animales y empezar a hacer dinero. Vente conmigo, seremos socios, tal y como hablamos. Si te apuntas, igual consigo que el jefe te adelante la paga *pa* que puedas salir de la cárcel. Andan *desesperaos* buscando cocheros y guardias. Podrás manejar un tiro de cuatro caballos, ¿no?

—Pues claro. —Dejo que mi mente divague con la idea. Podría dejar que la señorita Lavinia y Juneau Jane se las apañaran solas, marcharme con Gus y buscar a mi familia. Tarde o temprano, Gus descubrirá que no soy un chico, pero tal vez le dé igual. Soy fuerte y buena trabajadora. Puedo hacer la faena de un hombre—. Sé llevar mulas, caballos y bueyes, y arar la tierra con ellos. Sé poner herraduras, enmendar los arreos, y conozco los síntomas de un cólico. Podrías hablarle a tu jefe de mí.

—Y tanto que sí. Como te he dicho, es un poco peligroso. Podemos vérnoslas con los comanches, los kiowas y todas esas tribus. A veces asaltan y se cepillan a los viajeros, y luego vuelven al norte, a los territorios indios, donde las autoridades no pueden atraparlos. ¿Sabes disparar un rifle?

—Sí. —Llevo años cazando en los bosques y los *bayous* de Goswood Grove. Tati pensó que era mejor que Jason y John se encargaran de la cosecha, ya que son más fuertes—. Ni te imaginas todas las ardillas y zarigüeyas que he cazado.

—¿Dispararías a alguien si no te quedara más remedio?

—Supongo que sí. —Pero no tengo ni idea. Pienso en la guerra. En todos esos hombres con boquetes en la cara; vi brazos, piernas y otras partes del cuerpo desperdigadas por ahí, flotando en el río o rumbo a casa para que se les diera sepultura. Siendo pasto de las moscas, los gusanos y los animales salvajes.

—No pareces muy convencido —me dice Gus.

—Creo que podría con ello. Haría lo que fuera necesario con tal de salir de aquí.

—Me pondré a ello —promete Gus, y sus palabras me llenan de esperanza. Me las tomo como una señal de que la libertad llegará de un modo u otro—. Pero primero quiero darte una cosa. —Se hurga los bolsillos—. No sé por qué me lo guardé, pero como éramos compañeros de viaje y a lo mejor nos hacíamos socios… antes de que te largaran del barco, claro. Además, te prometí que preguntaría por tu familia.

Alarga la mano y sobre su palma sucia veo un cordel hecho un revoltijo y tres redondeles pequeñitos.

Las cuentas de mi abuela, pero ¿cómo es posible?

—Gus, ¿cómo…?

—Estaba en la cubierta, en la parte donde te lanzaron. Me pareció que, si al final encontraba a tu familia, lo menos que podía hacer era contarles lo que había *sío* de ti. He *preguntao* por ahí si alguien conocía a algún Gossett que llevara tres cuentas azules en un cordel. Gus McKlatchy nunca rompe una promesa. Ni aunque la persona a la que se la ha hecho tenga todas las papeletas *pa* haberse *ahogao*. Pero no estás fiambre, visto lo visto, así que, toma.

Alargo la mano y noto que tiene la palma sudada y caliente. Envuelvo las cuentas con los dedos. *Agárralas fuerte, Hannie. Agárralas fuerte en caso de que esto sea un sueño.*

Recuperar las cuentas después de todo este tiempo resulta demasiado bonito como para ser verdad.

—Te he *estao* buscando —prosigue Gus—. Y he *preguntao* por esos hombres que mencionaste, el tal William Gossett y el señor Washburn. No he *averiguao na*.

Me da la sensación de que estoy escuchándolo desde el extremo de un extenso campo, a metros y metros de distancia.

Me llevo las cuentas al rostro y las huelo, me las restriego contra la piel. Siento la historia de mi familia. La historia de mi abuela y la de mi madre. Mi historia. Noto un pálpito en mi interior que cada vez se acelera más. Me invade y me transporta de tal manera que podría extender los brazos y salir volando como un pájaro. Marcharme volando de aquí.

—Los carros de carga siguen el camino habitual —sigue contándome Gus, pero lo único que quiero hacer yo es escuchar la música de las cuentas—. Llegamos allí y buscamos algún trabajito… En Menardville, Mason, Fredericksburg e incluso en Austin. Ahorraremos *pa* comprarnos cada uno un caballo y los arreos. Y mientras, te ayudaré a buscar a los tuyos. Me encargaré de preguntar en los sitios donde es peligroso que un chico de color meta las narices. Sé cómo conseguir que a la gente se le suelte la lengua. *Quien no llora, no mama*, eso es lo que decimos los McKlatchy.

Me paso las cuentas por la piel e inhalo su aroma una y otra vez. Cierro los ojos y me pregunto: *Si lo deseo con todas mis fuerzas, ¿podré salir volando por los barrotes?*

Un gallo canta a lo lejos y, en algún lugar más cercano, una campana repica para anunciar la llegada del alba. Gus toma aire.

—Tengo que irme. —El burro se queja cuando Gus se deja caer—. Más vale que siga a lo mío antes de que alguien me vea por aquí. Pero volveré a pasarme. Ya te he dicho que Gus McKlatchy no rompe sus promesas.

Abro los ojos y veo cómo se marcha, con la cabeza echada hacia atrás mientras silba una canción a la tenue luz del alba. Poco a poco, la bruma del río se apodera de él, hasta que solo se oye la melodía de *Oh, Susana*, las pisadas de los pequeños y redondos cascos del burro y el traqueteo del carro con cada vuelta de las ruedas de madera. *Clac-clac, clac-clac, clac-clac...*

Cuando todo queda en silencio de nuevo, me vuelvo a la litera con las cuentas agarradas en la mano y me acurruco llevándomelas al pecho para asegurarme de que son reales.

Una luz brillante se filtra a través de los barrotes de la ventana en formas rectangulares cuando vuelvo a despertarme. Llagan casi hasta la mitad del suelo. Para cuando se ponga el sol, habrán trepado por la pared.

Abro la mano y la alzo hacia la cálida luz. Los rayos de sol iluminan las cuentas, que resplandecen como el ala de un pájaro.

Siguen aquí. Son reales.

La señorita se ha despertado; está meciéndose y haciendo un ruidito, pero lo único que hago es subirme a la litera y mirar por la ventana. Ha estado lloviendo, porque no veo las huellas del chico ni las del carro, pero al notar las cuentas en la mano, sé que es real.

—Gus McKlatchy —digo—. Gus McKlatchy.

Me cuesta creer que un chico de doce o trece años sea capaz de sacarnos de aquí, pero de vez en cuando una se conforma con el más leve atisbo de esperanza, aunque esta tome la forma delgaducha de un chico blanco y glotón que se llama Gus.

El día se me hace un poco menos pesado a medida que los rectángulos de luz del suelo avanzan. Pienso en Gus, que está en algún lugar del pueblo. Pienso en Juneau Jane, que no tiene ni un centavo. Salvo por el vestido de Juneau Jane, me quedé todas nuestras cosas, y ahora están en manos del *sheriff*. El dinero. La comida, nuestras pertenencias y la pistola. El libro de los Amigos perdidos. Todo.

La señorita gime y se agarra el estómago; se queja durante un buen rato hasta que el carcelero viene con un perol de caldo de verduras y dos cucharas de madera. Una vez al día. Un solo perol. Eso es lo único que el *sheriff* nos permite comer.

Oigo que el irlandés se despereza en su litera. Ahora que se ha despertado, se pondrá a berrear. En vez de eso, susurra mientras nos tomamos el caldo:

—Oye. Eh, ¿me oyes, vecino? Sí que me oyes, ¿verdad?

Estiro las piernas, me pongo en pie y doy unos pocos pasos pegada a la pared, los suficientes como para ver los gruesos brazos que cuelgan de los barrotes y seguir oculta. El sol le ha quemado la piel. Una mata de vello grueso y rubio le recorre los brazos hasta los nudillos. Tiene las manos de un fortachón, así que me quedo donde estoy.

—Te oigo.

—¿Con quién hablabas esta mañana?

No tengo ninguna razón para fiarme de él, así que le digo:

—No lo sé.

—Le oí decir que se llamaba McKlatchy. —Así que estaba escuchando la conversación—. Es un apellido escocés. Los escoceses se llevan bien con los irlandeses como yo. Mi querida madre era medio escocesa, ¿sabes?

—No sé de qué hablas. —¿Qué quiere? ¿Piensa delatarme con el *sheriff*?

—Si me sacáis de aquí, muchacho, estaré en deuda con vosotros. Puedo ayudaros. —El hombre mueve las manos con rapidez.

Yo sigo pegada a la pared.

—Estoy al tanto de algunas cosas —dice el irlandés—. Conozco al hombre que buscáis, a William Gossett. Me topé con él en el sur, en las colinas junto a la ciudad de Llano. Le proporcioné un caballo cuando el suyo se quedó cojo. Si me ayudáis a escapar, os llevaré con él. Como los soldados de esa zona lo encuentren, se meterá en un buen lío… porque se llevó uno de sus caballos. Le advertí que se deshiciera del animal en cuanto llegara al pueblo más cercano. No era un hombre que aceptara consejos. Y no creo que Llanos sea el lugar adecuado para él. Si me sacáis de aquí, no os arrepentiréis; os acompañaré a buscarlo. Podría seros de ayuda, amigo.

—No creo que haya forma de sacarte de ahí —le digo para que se dé cuenta de que no me lo trago.

—Dile al jefe de tu amigo que tengo buena mano con los caballos y que los riesgos del trabajo no me quitan el sueño. Solo espero que pueda sacarme de este lío antes de que me aten una soga al cuello.

—Nunca sacarán de la cárcel a alguien que se dedica a robar caballos del ejército.

—No es complicado comprar a los alguaciles.

—Tampoco sé nada de eso. —No me creo ni una palabra que salga de la boca de un irlandés. Los irlandeses son unos liantes y odian a los míos; el sentimiento es mutuo.

—Las tres cuentas azules —dice de inmediato—. Te he oído hablar de ellas. Las vi en una ocasión, pues me he recorrido toda la región montañosa. Las vi en un hotel y restaurante de Austin, junto al arroyo de Waller. Tres cuentas azules en un cordel. Las llevaba colgadas al cuello una niñita blanca.

—¿Una niña blanca? —Supongo que no se ha dado cuenta de que soy de color, por lo que cualquiera que lleve las cuentas de mi abuela también lo será.

—Una monada pelirroja, pero muy jovencita. De unos ocho años, tal vez diez, diría yo. Servía agua en las mesas de un patio rodeado de robles. Podría llevarte hasta allí.

Me doy la vuelta y regreso a la litera.

—No conozco a nadie así.

El irlandés me llama, pero no le contesto. Me jura por el alma de su madre que no está mintiendo. No le hago caso.

Antes de que la sopa se haya enfriado, el ejército viene a buscarlo. Se lo llevan y él se pone a gritar tan fuerte que la señorita se tapa los oídos y se arrastra bajo la litera, a pesar de que el suelo está lleno de porquería.

El alguacil aparece entonces frente a nosotras y me saca del calabozo sin que yo pueda hacer nada para evitarlo.

—Si sabes lo que te conviene, mantendrás el pico cerrado —me amenaza.

El *sheriff* está en la sala de en frente y yo empiezo a rogarle y a decirle que no he hecho anda.

—Serás idiota —me dice, y me planta nuestras bolsas en la mano. Parece que no falta nada, tampoco la pistola ni el libro—. Te han empleado y te marchas a trabajar fuera, así que más vale que no vuelva a verte por aquí en cuanto los carros de J. B. French salgan del pueblo.

—Pero la se… —Me interrumpo antes de decir «la señorita»—. El chico. Tengo que cuidar del grandote. No tiene a nadie más. Es inofensivo, lo único es que es un cabeza de chorlito, pero…

—¡Calla la boca! Ni se te ocurra replicar al *sheriff* James. —El alguacil me da una patada y me tira al suelo. Aterrizo sobre las bolsas, de rodillas y apoyada en un codo; vuelvo a ponerme en pie.

—Enviaremos al chico al manicomio de Austin —dice el *sheriff*, y entonces el alguacil abre la puerta de la prisión, me saca de allí de una patada y me arroja nuestras cosas.

Gus, que está esperándome, me ayuda a recogerlo todo.

—Larguémonos antes de que se lo piensen mejor y vuelvan a encerrarte —sugiere.

Le cuento lo de la señorita, pero no quiere saber nada de eso.

—Mira, Hannibal. He hecho *to* lo que estaba en mi mano *pa* sacarte de ahí. Pero como empieces a dar problemas, volverán a meterte en ese agujero, y esta vez nadie podrá ayudarte.

Avanzo por la calle a trompicones, dejando que Gus me guíe.

—Deja de hacer cosas raras —me dice—. ¿Qué te ha *dao*? Conseguirás que nos cuelguen a los dos. Al señor J. B. French y a su encargado, Penberthy, no les van las tonterías.

Lo sigo e intento pensar qué hacer a continuación. Las calles del pueblo, los caballos y los carros, la gente de color y los blancos, los *cowboys* y los perros, las tiendas y las casas, todo se entremezcla frente a mí, y no veo nada. Llegamos al callejón junto a los juzgados y el barrio de Battercake. Me detengo y contemplo el acantilado, y me acuerdo de cuando la señorita, Juneau Jane y yo nos sentamos allí mientras almorzábamos.

—Por aquí. —Gus me da un golpecito en el hombro—. Solo hay que bajar hasta el patio de carros. Han *terminao* de cargar el vagón, los últimos en llegar viajamos encima de la mercancía. Nos uniremos a los carros de Weatherford y luego saldremos desde allí rumbo al sur. No hay tiempo que perder.

—Ahora vengo —digo, y le dejo a Gus las bolsas antes de que pueda decir que no—. Ahora vengo, es que tengo que hacer una cosa antes de marcharnos.

Me doy la vuelta y echo a correr, atravieso las calles y los callejones, paso junto a unos perros que ladran y unos caballos asustados. Sé que no debería, pero vuelvo al lugar donde comenzaron los problemas. Donde la anciana Florida y el limpiabotas se ganan la vida, al lado de la casa de baños. Les pregunto por Juneau Jane, pero me dicen que no la han visto, así que voy a toda prisa a la parte de atrás. Al llegar, me detengo y veo cómo los trabajadores entran y salen con cubos de agua.

Una mujer de color con el rostro redondeado sale para recoger la ropa tendida. Se ríe y bromea con algunos de ellos. Voy hacia ella con la intención de preguntarle por Juneau Jane.

Ni siquiera he podido acercarme antes de que un hombre aparezca por la galería de arriba. Echa la cabeza hacia atrás y deja salir el humo del puro que se está fumando. El humo se enrosca bajo el ala de su sombrero y desaparece cuando él se inclina sobre la barandilla para tirar la ceniza. Entonces, me fijo en las cicatrices de su rostro y en el parche que le tapa el ojo. Me cuesta muchísimo darme la vuelta lentamente y marcharme como si nada, en vez de echar a correr. Aprieto los puños, tenso los brazos y miro al frente, no me vuelvo ni hacia atrás, ni hacia la derecha ni hacia la izquierda. Noto que el teniente me observa.

No, no te observa, me digo a mí misma.

No mires.

Tuerzo la esquina y salgo escopetada.

Es entonces cuando me doy cuenta de que el callejón lateral no está vacío. Hay un hombre cargando cajas en una carretilla. Es alto, delgado y de complexión fuerte, y tan oscuro como las sombras que nos envuelven a ambos. Lo reconozco incluso en la penumbra. Una no se olvida del hombre que ha intentado matarla dos veces. Que volvería a intentarlo ahora mismo, si tuviera la oportunidad.

Intento detenerme y darme la vuelta, pero el agua de los baños fluye por el callejón formando un pequeño arroyo. Me resbalo en el barro y me caigo.

Moses llega hasta mí antes de que pueda volver a ponerme de pie.

AMIGOS PERDIDOS

Señor editor:

Nací en el condado de Henrico, Virginia, hace unos 70 años. Mi madre se llamaba Dolly, era una esclava que pertenecía a Phillip Frazer; yo fui esclava de Frazer hasta que cumplí los 13. Tenía dos hermanas pequeñas. Se llamaban Charity y Rebecca. Tenían 4 o 5 años cuando me vendieron a Wilson Williams, de Richmond. Al cabo de unos 6 o 7 meses, el señor Williams me vendió a Goodwin & Glen, unos comerciantes de esclavos que me vendieron en Nueva Orleans, Luisiana. Por aquel entonces, yo rondaba los 14 años. Tras aquello pasé de mano en mano a lo largo de Luisiana y de Texas, hasta que fui liberada gracias a la Proclama de Emancipación del presidente Lincoln. Ahora soy ciudadana de esta ciudad y miembro de la iglesia metodista episcopal. Me gustaría recibir alguna noticia de mis hermanas, Charity y Rebecca, de quienes me separé en Virginia, así como de otros parientes, en caso de que tenga alguno; cuento con sus columnas para llevar a cabo mi propósito. Pueden ponerse en contacto conmigo a través del reverendo J. K. Loggins, de la iglesia de San Pablo, en Galveston, Texas.

Señora Caroline Williams

—Columna de los «Amigos perdidos»
del *Southwestern*
14 de abril de 1881

Capítulo 22

Benny Silva – Augustine, Luisiana, 1987

Es jueves y sé, antes de haber echado un vistazo a través de los árboles, que la camioneta de Nathan estará aparcada en la entrada de mi casa. Mi cabeza gira a más revoluciones que el Bicho, que ya tiene nuevo parachoques gracias a Cal Frazer, el mecánico del pueblo y el sobrino de la señorita Caroline, una de las integrantes del Club del Nuevo Siglo. Le encantan los coches antiguos como el Bicho, ya que se fabricaron para que pudieran repararse y seguir utilizándose, en vez de tener que deshacerse de ellos después de que los contadores digitales y los cinturones automáticos se estropeen.

Un coche de policía sale de detrás de una valla publicitaria y empieza a seguirme, pero por una vez, el asunto del parachoques no me preocupa. Aun así, siento una sensación extraña al tiempo que ambos recorremos juntos cada curva. Es como una de esas escenas que salen en las películas donde la policía y los peces gordos del pueblo están compinchados. Todos tienen el mismo objetivo: asegurarse de que nadie altere el orden establecido.

A pesar de que me encantaría mantener en secreto nuestro proyecto, resulta bastante complicado cuando un montón de críos, un grupo de ancianas y un puñado de voluntarios, entre los que se encuentra Sarge, se patean el pueblo y echan mano de todo lo que puedan conseguir, desde registros del juzgado, recortes antiguos de periódico y fotos de familia hasta materiales para hacer las cartulinas y el vestuario. Estamos ya a principios de octubre, por lo que faltan menos de 30 días para llevar a cabo nuestra función de Halloween.

Me detengo al final del camino de la entrada de mi casa para ver quién conduce el coche de policía, pues hace ya rato que hemos salido de los límites del pueblo. Se trata, cómo no, de Redd Fontaine. Al ser hermano del alcalde y primo de Will y Manford Gossett, se cree que todo está bajo su jurisdicción. Pasa por al lado sin ninguna prisa, volviendo la vista hacia mi casa.

No puedo evitar preguntarme si busca la camioneta de Nathan. Permanezco en el mismo sitio con la intención de taparle la vista hasta que pasa de largo, y luego entro. Me tranquilizo al ver unos pantalones cortos de color caqui y una camisa verde militar asomando entre las adelfas donde reposa la estatua del santo. Reconozco el atuendo antes de ver a Nathan sentado en el balancín del porche. Por lo que sé, tiene unos cinco modelitos para uso diario, todos informales, cómodos y adecuados para el caluroso clima del sur de Luisiana. Su estilo es una mezcla entre el de un leñador y un fanático de la playa. No le gusta nada arreglarse.

Es una de las cosas que me gustan de él. A mí tampoco es que me interese mucho la moda, pero intento causar buena impresión en el instituto. *Vístete para el puesto que quieres, no para el que tienes* era una de las frases que más repetían los orientadores de la universidad. Creo que algún día me gustaría ser la directora de algún centro. Es algo que se me ocurrió hace poco y a lo que sigo dándole vueltas. Dar clase a alumnos de secundaria me satisface de un modo inesperado. Estos chicos me dan un propósito, me hacen sentir que el hecho de levantarme cada mañana e ir a trabajar importa.

El Bicho se acurruca tranquilamente en su sitio habitual y yo apago el motor. Nathan está sentado en el balancín con el codo apoyado confortablemente y los dedos colgando. Se ha colocado de cara al cementerio y tiene los ojos entornados, así que durante un momento me pregunto si se está echando una siesta. Parece estar... relajado, disfrutando del momento, ajeno a toda preocupación.

Intento que se me pegue su costumbre de vivir en el presente.
Yo me preocupo por todo y siempre hago planes. Me atormento
reviviendo mis errores del pasado; desearía haber sido más lista,
más fuerte, y haber tomado otras decisiones. Pienso demasiado a
menudo en la vida que podría haber llevado. También invierto el
tiempo y mi energía mental intentando anticipar constantemente qué peligros podrían estar acechando a la vuelta de la esquina.
Nathan parece tomarse la vida con filosofía y prefiere enfrentar-
se a los peligros cuando se presenten, *si* es que se presentan. Tal
vez sea el resultado de haberse criado en las montañas con una
madre artista a la que se refiere de forma cariñosa como una
«hippie».

Ojalá hablase más de ella. He buscado formas de conocerlo
más a fondo, pero él no me ayuda demasiado. Por otra parte, yo
hago lo mismo. Hay muy pocas cosas que puedo contarle acerca de
mi familia o de mi pasado sin sumergirme en aquello que he estado
evitando durante la mayor parte de mi vida adulta.

Los crujidos de los escalones del porche lo sacan de su ensoña-
ción. Me estudia un momento ladeando la cabeza.

—¿Un mal día?

—¿Tan horrible es la pinta que tengo? —Me recojo de forma
cohibida algunos rizos encrespados y vuelvo a colocármelos en la
trenza francesa que esta mañana lucía de lo más profesional.

Señala la parte vacía del balancín como si fuera el diván de un
psicólogo.

—Pareces... preocupada.

Me encojo de hombros, pero la realidad es que sí que estoy un
poco preocupada y dolida.

—Es por el tema de la autorización del proyecto de clase. Se
lo he descrito al señor Pevoto unas cuantas veces, pero no creo que
esté tomándome en serio, ¿sabes? Se limita a darme una palmadita y a decirme que le lleve los permisos firmados de los padres.
Aún me faltan bastantes. Pretendía ocuparme de ello durante la
reunión de padres. Se han pasado once personas por el aula. Once.
En total. De los cinco grupos a los que doy clase, con un promedio

de treinta y seis alumnos por grupo, han venido tres madres, un padre, un matrimonio, una tía, un tutor legal y una madre de acogida. Y dos abuelos. La mayor parte de la tarde me la he pasado sentada sola.

—Qué mal, qué faena. —Quita el brazo del balancín y me abraza por los hombros; sus dedos me rozan la piel del antebrazo—. Ha debido de sentarte mal, ¿eh?

—La verdad es que sí. —Me sumerjo en el consuelo de ese gesto de amistad... o lo que quiera que sea—. Había preparado unas cartulinas con sus redacciones y unas cuantas fotos. Quería que se implicara todo el mundo. Pero me han dejado plantada, con una bandeja de galletas y un cuenco de ponche... y un montón de platos y vasos de lo más monos con temática otoñal. Fui al Ben Franklin y arramblé con todo. Ahora no tendré que comprar más material de papelería hasta dentro de unos meses.

Soy consciente de que parece que esté buscando algo de consuelo por su parte, y no me hace ninguna gracia, pero así están las cosas. La reunión de padres ha sido un fiasco y esto... sea lo que sea, me hace sentir bien.

—Qué mal —vuelve a decir Nathan, dándome un amistoso apretón para intentar animarme—. Ya me comeré yo las galletas.

Apoyo la cabeza en su hombro. De pronto, me parece algo de lo más natural.

—¿Me lo prometes?

—Te lo prometo.

—¿Por el meñique? —Alzo la mano que tengo libre con el meñique extendido y, acto seguido, la dejo caer igual de rápido. Solía hacer eso con Christopher. Una vieja costumbre. Un espectro que se alza para recordarme que meterme en una nueva relación para apaciguar la melancolía que produce una ruptura era lo que hacía mi madre siempre, y nunca funcionaba. Nathan y yo somos amigos. Compañeros. Es mejor que las cosas se queden como están. Él es consciente, y por eso, cuando he intentado sonsacarle información sobre su pasado, se ha cerrado en banda. Incluso le he dejado caer que me encantaría ver el día a día de un barco camaronero. Nunca me ha invitado a conocer esa parte de su vida. No me ha dejado ni echar un vistazo. Hay una razón para ello.

Me aparto y vuelvo a dejar una distancia de seguridad entre ambos.

Apoya la mano en el banco y luego la aleja de mí, situándola de forma dubitativa en su muslo antes de ponerse a tamborilear los dedos con suavidad. Vemos a un reyezuelo brincar por la barandilla del porche y luego salir volando.

Por fin, Nathan se aclara la garganta y me dice:

—Ah, por cierto, antes de que se me olvide: quería contarte que he hablado con mi abogado para que cancele la venta del terreno, al menos con las cláusulas actuales. Como es obvio, no está nada bien vender una parcela de terreno donde enterraron a gente hace más de cien años. La asociación del cementerio tendrá que buscarse un anexo en otro sitio. Así que no tienes que preocuparte por la casa. Puedes quedarte el tiempo que quieras.

Un sentimiento de alivio y gratitud me recorre.

—Gracias. No sabes lo que eso significa para mí. —La noticia me tranquiliza sobremanera. Necesito esta casa y mis alumnos necesitan el proyecto de clase. Y el más mínimo amago de relación romántica entre Nathan y yo podría complicarlo todo.

Me vuelvo y apoyo la rodilla en el asiento, poniendo aún más distancia entre ambos, y luego cambio de tema y empiezo a hablar de la casa. De cosas sin importancia. Nada personal. Al final, acabamos poniéndonos a hablar del tiempo, del día tan agradable que hace y de que casi parece que sea otoño. Casi.

—Pero, por supuesto, mañana volveremos a estar a 35 grados —bromea Nathan—. Así es el sur de Luisiana.

Comentamos lo extraño que resulta vivir en un sitio donde cada día te encuentras con una estación diferente. A estas alturas, las montañas de Carolina del Norte donde vivía Nathan estarán salpicadas de intensos tonos amarillos y ámbar entre los innumerables verdes de los altos pinos. En Maine, que es uno de los lugares donde más me gustó vivir de pequeña, los puestecillos de temporada y los paseos en carruaje no darán abasto debido a la marabunta de turistas que se dirigen allí para ver los arces, los árboles del chicle y los nogales. Las heladas cristalinas se encargarán de endulzar las mañanas y puede que hasta caigan los primeros copos de nieve sobre la hierba moribunda. Como mínimo, el aire estará impregnado con el inconfundible rastro del invierno.

—No creía que fuera a echar de menos el otoño, pero resulta que sí —le digo a Nathan—. Aunque tengo que decir que si lo que uno busca es un paisaje que quite el hipo, los jardines de Goswood Grove cumplen sobradamente el objetivo. —Estoy a punto de ponerme a hablar de las rosas trepadoras que caen en cascada sobre las vallas y envuelven los altos árboles de lo que queda del antiguo cenador, el cual descubrí ayer... cuando de pronto me doy cuenta de a dónde he hecho virar la conversación.

La actitud relajada de Nathan desaparece. Parece haberse agobiado de repente. Quiero disculparme, pero no soy capaz. Incluso una simple disculpa pondría de manifiesto el hecho de que la casa y el futuro de la propiedad le provocan un gran malestar.

Desvía la mirada en esa dirección. Capto su expresión sombría y me amonesto a mí misma.

—En fin... si quieres, puedo preparar un poco de queso a la parrilla y sopa de tomate. ¿Y qué tal una taza de chocolate caliente, ya que estamos celebrando el otoño de pega y todo eso? —Soy como un equipo de fútbol que intenta tomar por sorpresa a su adversario para darle la vuelta al partido—. ¿Quieres picar algo? Porque yo me muero de hambre.

Se queda pensando un momento más. Quiere decirme algo. Luego las nubes abandonan su rostro y él sonríe y dice:

—Es más fácil pasarse por el Oink-Oink.

—Suena *de fábula*. —Mi acento de Luisiana es lamentable—. Ve a por unas chuletas mientras yo me enfundo los vaqueros.

Hemos vuelto a nuestra cómoda y habitual rutina de los jueves por la noche. Después de ponernos como cerdos, bajaremos la comida dando un paseo por el cementerio mientras intercambiamos opiniones sobre las diferentes vidas que representan cada una de las tumbas antiguas. O puede que recorramos el sendero de tierra para contemplar la puesta de sol sobre los campos de arroz, asegurándonos, por supuesto, de evitar la entrada a Goswood Grove.

—Nah —murmura mientras nos ponemos en pie. Me da miedo de que haya cambiado de opinión con respecto a la cena—. Vayamos allí a cenar. Has tenido una semana infernal. No quiero que luego tengas que recogerlo todo. —Debe de haber advertido la expresión de sorpresa de mi rostro, porque añade rápidamente—: A no ser que no te apetezca.

—¡No! —exclamo de inmediato. Aunque salvo por su visita a la biblioteca, donde solo estábamos con los chicos y unos cuantos ayudantes, Nathan y yo no nos hemos dejado ver juntos—. Me parece un plan estupendo. Deja que me cepille un poco el pelo.

—¿Para ir al Oink-Oink? —Arruga la frente, desconcertado.

—Vale, lo pillo.

—Estás genial. Pareces un cruce entre Jennifer Grey en *Dirty Dancing* y Jennifer Beals en *Flashdance*.

—Bueno, en ese caso… —Le enseño el torpe paso de baile al que mis compañeros del Departamento de Literatura llamaban de forma afectuosa «Pajarraca en patines». Nathan se echa a reír, y ambos nos dirigimos a su camioneta. De camino, charlamos de cosas triviales.

Al entrar en el Oink-Oink, siento una oleada de timidez. Yaya T está tras la caja registradora. LaJuna nos trae el menú, nos saluda de forma cohibida y nos comenta que ella se encargará de nuestra mesa.

Tal vez habría sido mejor pedir la comida para llevar. Una cosa fue lo de la biblioteca, pero esto no solo se parece a una cita, sino que también me da la sensación de que lo es.

La entrenadora del equipo femenino de campo traviesa está en un rincón. Me dedica una mirada muy poco amistosa. Todos los entrenadores están molestos conmigo. Algunos de los alumnos han estado llegando tarde a los entrenamientos de después de clase porque el proyecto los tiene muy ocupados.

Lil' Ray sale del almacén con una palangana y unas cuantas botellas de un spray limpiador rosa sujetas al cinturón, como si fuera un vaquero. Ni siquiera sabía que trabajaba aquí.

Se topa con LaJuna en el estrecho espacio que hay entre la zona de las camareras y la puerta de la cocina. Se dan unos empujoncitos y bromean y luego, mientras creen que nadie los ve, se funden en un abrazo y un beso.

¿Desde cuándo salen?

Noto que los ojos me arden. *No. Por favor, no.*

Otra vez no.

Por todos los santos, estos críos acabarán conmigo. Cada vez que me doy la vuelta, pasa algo. Siempre me encuentro con un nuevo obstáculo o bache, o con que alguien ha tomado una decisión horrible o ha cometido una tremenda estupidez.

Lil' Ray y LaJuna son muy jóvenes y ambos tienen un potencial enorme, pero también se enfrentan a enormes desafíos en su día a día. Cuando eres un adolescente con una vida familiar complicada, corres el peligro de intentar llenar el vacío que sientes con gente de tu edad. Aunque en teoría estoy a favor de que los jóvenes se enamoren y disfruten, también soy consciente de las posibles consecuencias. No puedo evitar pensar que una relación entre la LaJuna y Lil' Ray es tan buena idea como que yo me ponga de repente a llevar tacones de aguja.

No le des demasiada importancia, me digo a mí misma. *La mayoría de estos rolletes no duran más de una semana.*

—He estado pensando en la casa —me dice Nathan. Aparto la mirada de la escenita que está teniendo lugar en la zona de las camareras e intento ignorar también la penetrante mirada de la entrenadora.

—¿Te refieres a mi casa?

La pregunta flota en el aire mientras el chico que reparte el pan se acerca con una ofrenda que, bajo cualquier otra circunstancia, olería de muerte. Deposita en la mesa una cesta de plástico muy bien aprovechada y la inunda con bollitos de maíz, colines y panecillos, y luego deja diferentes tipos de mantequilla y un cuchillo.

—Hola, señorita Maza —dice. Estoy tan desconcertada que ni siquiera me he fijado en que el chico del pan es también uno de mis alumnos. Es un crío de pelo enmarañado que pertenece a la familia

Fish. Los demás lo sitúan en el grupo de los pandilleros. Corre el rumor de que fuma hierba y de que su familia la cultiva en algún lugar apartado del bosque. Por lo general, huele a cigarrillos, sobre todo después de comer.

En la sala de profesores tampoco se tiene muy buena opinión de la familia Fish. Se refieren a ellos como «gentuza». *Ninguno de los críos Fish se ha sacado el graduado, así que ¿para qué se molestan?*, fue la frase exacta. *Cuanto antes dejen las clases, mejor. Son una mala influencia para el resto.*

Le dirijo una sonrisa. Mientras que Shad Fish, el segundo hijo de la familia, es un poco más hablador, ignoraba que el mayor supiera mi nombre. Gar Fish nunca ha hablado en clase. Ni una vez. La mayor parte del tiempo, tiene la cabeza apoyada en las manos, con la vista clavada en el pupitre. Hace lo mismo incluso cuando estamos en la biblioteca. Como estudiante, es un vago de narices. Tampoco practica ningún deporte, de modo que ninguno de los entrenadores justifica su falta de esfuerzo académico.

—Hola, Gar. —El pobre tiene dos hermanas que se llaman Star y Sunnie y un hermano llamado Finn. Los demás se burlan de sus nombres constantemente.

No tenía ni idea de que Gar trabajaba en el Oink.

—He estado… He estado trabajando… en el proyecto —dice.

Casi me caigo de espaldas.

Una mirada tímida revolotea a través del grasiento y oscuro flequillo que se asoma por debajo de la gorra del uniforme.

—Mi tío Saul se acercó el otro día a la residencia de ancianos de Baton Rouge para saludar a mi abuelo. Shad y yo lo acompañamos para charlar con él también. En casa no tenemos ninguna Biblia familiar ni nada parecido.

Levanta la mirada, cohibido, al tiempo que una de las camareras sienta a unos clientes en la mesa de al lado. Gar se pone de espaldas a ellos antes de continuar:

—El abuelo me contó historias de la familia. Dirigían una cuadrilla río arriba. Se encargaban del contrabando en tres parroquias. El abuelo se unió a ellos a los once años, después de que las autoridades se llevaran a su padre. Aunque el negocio se fue a la porra al cabo de un tiempo. El abuelo se marchó al norte para trabajar en el aserradero de unos tíos suyos. Se acuerda de que en el granero todavía tenían un cuarto con cadenas para encerrar a los esclavos. De la época en la que perseguían a los fugitivos para llevarlos a Nueva Orleans y sacar tajada. ¿Se lo imagina? Eran cazadores furtivos. Igual que los tipos que cazan caimanes fuera de temporada. Eso era lo que hacía mi familia para ganarse la vida.

—Ah. —En ocasiones, eso es lo único que puedo decir cuando me hablan de sus descubrimientos. La verdad resulta a menudo horrible—. A veces cuesta mucho asimilar nuestra historia familiar, ¿no crees, Gar?

—Sí. —Deja caer los hombros. Baja la mirada, que es de un color similar a las aguas turbias de los pantanos. Tiene un moretón bastante grande debajo del ojo izquierdo... a saber quién le ha hecho eso—. ¿Podría empezar de nuevo con mi trabajo? Es que los Fish no hacen más que meterse en líos y todos acaban en su mayoría en la cárcel. Tal vez podría hacer el trabajo sobre alguien del cementerio. ¿Algún tipo rico o alcalde o algo así?

Contengo las ganas de llorar.

—No tires la toalla todavía. Sigue investigando. Recuérdamelo mañana en la biblioteca y te ayudaré a buscar. ¿Qué hay de tu familia materna?

—A mi madre la llevaron a una casa de acogida de pequeña, así que ni siquiera conocemos a esa parte de la familia. Creo que son de los alrededores de Thibodaux.

Me remuevo de forma incómoda en la silla al pensar en los niños que acaban a la deriva, en manos de unos desconocidos.

—Vale, no pasa nada, a ver qué encontramos. Empezaremos mañana buscando información sobre el apellido de tu madre. Quién sabe, puede que...

—*Nos llevemos una sorpresa*, ya lo sé. —acaba la frase por mí, es una especie de mantra que solemos decir en clase.

—Toda familia cuenta con dos lados, ¿no? ¿Cuál era el apellido de tu madre?

—Antes de casarse con un Fish era una McKlatchy.

Nathan deja caer de golpe el cuchillo de la mantequilla y se endereza un poco.

—En la familia de mi madre hay algunos McKlatchy. Son parientes lejanos. Todos viven por los alrededores de Morgan City, Thibodaux y Bayou Cane. Puede que estemos emparentados.

Gar y yo nos quedamos mirándolo boquiabierto. No sabía que Nathan tuviera parientes maternos por la zona. Al referirse a ella como una forastera, había asumido que era de algún lugar muy alejado del pueblo. Nathan cuenta con una vida plena al sur de aquí, a lo largo de toda la costa. Con personas que forman parte de ella. Llena de parientes y reuniones familiares.

—Puede —dice Gar, como si le costara creerse la posibilidad de que hubiera un vínculo genético entre Nathan y él—. Aunque lo dudo.

—Por si acaso —continúa Nathan—, investiga un poco sobre Augustus, Gus, McKlatchy. Mis tíos y tías más grandes solían hablar de él durante las reuniones familiares cuando yo era pequeño. Si resulta que estáis emparentados, podrás contarnos una historia muy interesante.

Gar no parece muy convencido.

—Disfruten del pan —murmura; se encoge de hombros y se marcha.

Nathan lo observa mientras se aleja.

—Pobre chico —señala, y luego me mira como diciendo: *No sé cómo haces esto día sí y día también.*

—Sí, sé cómo se siente. —En cierto modo, me identifico con él; puede que sea por lo que acabo de descubrir sobre Nathan y los Fish, pero sobre todo tiene que ver con los rumores sobre la conexión de la familia de mi padre con Mussolini—. Qué extraño resulta sentirse culpable por las cosas que hizo tu familia en el pasado, a pesar de que tú no tengas nada que ver, ¿no? Mis padres se divorciaron cuando yo tenía cuatro años y medio, y mi padre volvió entonces a Nueva York. No sigo en contacto con él, pero ahora me gustaría hacerle unas cuantas preguntas y averiguar la verdad. —No puedo creer que haya dicho eso, y menos a Nathan. Al estar metida de lleno en el proyecto de clase, supongo que no he podido evitar pensar en mis vínculos familiares. Nathan me presta atención y asiente, transmitiéndome la sensación de que no pasa nada.

Ni siquiera ha tocado el pan.

Durante un momento, me pregunto si podría contarle el resto... contárselo todo. Y si él reaccionaría del mismo modo. Un sentimiento de vergüenza me inunda con la misma rapidez y me hace descartar la idea. Su opinión sobre mí cambiaría. Además, estamos en un lugar público. De pronto, soy plenamente consciente de lo silenciosas que son las mujeres que están sentadas en la mesa de detrás. Espero que no hayan estado poniendo la oreja.

Seguro que no. ¿Qué más les dará a ellas?

Estiro un poco el cuello y me fijo en que la rubia que está frente a mí levanta el menú, así que solo le veo el pelo repleto de fabulosas mechas.

Le acerco el pan a Nathan.

—Lo siento. No sé por qué me he puesto a hablar de eso. Toma.

—Las damas primero. —Me devuelve la cesta, agarra el mango del cuchillo con dos dedos y me lo ofrece—. Siempre y cuando no te zampes todo el pan de maíz con jalapeño.

Me río.

—Ya sabes que no. —Lo del pan de maíz es una broma entre ambos. Prefiero comerme una anodina barra de pan de la panadería antes que un trozo de pan de maíz. Sé que en el sur es un alimento muy popular, pero a mí no me gusta. Es como comer serrín.

Damos buena cuenta de la cesta de pan. Nathan se come el pan de maíz y yo los colines. Los panecillos nos los repartimos con la cena. Se ha convertido en una costumbre.

Estoy mirando otra vez a las mujeres de la mesa contigua cuando LaJuna aparece para tomarnos nota. Se queda ahí plantada un momento, con el lápiz colgando.

—Señorita Silva. —Es una de las pocas que no me llama Señorita Maza. Creo que es su forma de diferenciarse del resto—. Mi madre tenía que venir de visita el otro día con los peques para que yo le diera a mi hermana su regalo de cumpleaños y una tarta que tía Dicey y yo preparamos. Pero al final solo pudimos hablar por teléfono porque el coche de mi madre se estropea cada dos por tres.

—Lo siento mucho. —Aprieto con fuerza la servilleta que tengo en el regazo y la retuerzo, descargando en ella mi frustración. Esta es por lo menos la cuarta vez que su madre la deja plantada después de prometerle que irá a verla. LaJuna espera ilusionada cada una de las visitas y luego se refugia en sí misma cuando los planes se van al traste—. Aunque me alegro de que pudieras hablar con ella por teléfono.

—No pudimos estar mucho rato porque las llamadas a cobro revertido disparan la factura de teléfono de tía Dicey. Pero le conté a mamá lo del proyecto de clase. Me dijo que cuando era pequeña, los mayores comentaban a menudo que, en los viejos tiempos, su trastatarabuela tenía dinero, llevaba ropa elegante y poseía tierras, caballos y cosas así. ¿Puedo ser ella para mi trabajo? Así podré ponerme un vestido bonito.

—Pues… —No llego a terminar la frase: *no veo por qué no*. Se oye la campanilla de la puerta y el ambiente cambia de forma repentina. Es como si el restaurante se hubiera quedado sin oxígeno.

Veo que una mujer le da un codazo a su marido y señala la puerta con disimulo. En otra de las mesas, un hombre deja de masticar de golpe un bocado de carne, deposita el tenedor en el plato y se inclina hacia delante.

Frente a mí, Nathan se queda de piedra y, acto seguido, una expresión de tensión cruza su rostro. Miro por encima del hombro y veo a dos hombres en la entrada vestidos con sendos atuendos para jugar al golf que no pegan nada con el interior de estaño y madera del restaurante. Will y Manford Gossett no tienen el mismo aspecto que tenían en los retratos que hay colgados en la casa de Goswood, pues han envejecido, pero aunque no hubiera visto las fotos ni me hubiera fijado en el parecido con el resto de la familia, lo más probable es que su comportamiento me hubiera chivado quiénes eran. Se pasean por la estancia como si fueran los dueños, riendo, charlando y saludando a los comensales.

Evitan mirarnos mientras pasan por delante y se sientan… con las mujeres de la mesa de al lado.

Capítulo 23

Los riscos, salpicados de robles y olmos de cedro, cuyos valles están recubiertos de pacanos y álamos, se han convertido en extensiones inmensas de hierba. Las colinas están teñidas de amarillo, una pizca de verde y el marrón típico de las gallinas, con la cima de color rosa. Los algarrobos descansan en zonas cubiertas de vainas. Los cactus y las piedras calizas lastiman los cascos y las patas de los caballos, con lo que avanzamos muy despacio, incluso ahora que hemos atravesado la parte superior de la zona montañosa, donde había campos de cultivo, graneros de piedra blanca e iglesias de estilo alemán. Tras dejar atrás la ciudad de Llano, hemos continuado rumbo al sur, donde no hay más que unos cuantos árboles dispersos, como si fueran puntadas de hilo verde en una colcha marrón y dorada.

Hemos visto antílopes y reses salvajes con manchas de diferentes colores y unos cuernos tan gruesos como el eje de un carro. Hemos visto a un animal al que llaman búfalo. Detuvimos los carros cerca de un río y observamos cómo aquellas criaturas lanudas lo atravesaban. Penberthy nos ha contado que, antiguamente, antes de que los cazadores furtivos fueran tras ellos, las manadas contaban con centenares de ejemplares. Aquí nadie llama «señor» al jefe. Sino Penberthy a secas. Nada más.

Así que yo también me dirijo a él de ese modo.

Trabajo en los dos últimos carros del convoy con Gus. Empezamos como aprendices en otras plataformas, pero en este viaje hemos perdido ya a cuatro hombres: uno se puso enfermo, otro se rompió una pierna, a otro lo mordió una serpiente y el último huyó en Hamilton al enterarse de los violentos ataques de los indios en el sur, donde muchos colonos fueron asesinados cruelmente. Yo intento no darle demasiadas vueltas al asunto. Me dedico a conducir el carro, observando cada piedra y árbol del camino, y cada tramo donde el cielo y la tierra se encuentran. Presto atención por si veo algo que se mueve, sin dejar de pensar ni un momento en Moses.

El hombre cumplió su palabra. Me equivoqué de medio a medio con él. No es ningún monstruo. Es el hombre que nos salvó: a la señorita Lavinia, a Juneau Jane y a mí.

«Vete», me dijo mientras me aprisionaba con su cuerpo contra la pared del callejón de la casa de baños. Me tapó la boca con firmeza para que no gritara. No habría servido de nada, de todas formas. No creo que nadie me hubiese oído en ese bullicioso pueblo, y aunque lo hubieran hecho, no le habrían dado mayor importancia. El patio del infierno. Pete Rain tenía razón. El nombre le va que ni pintado. Seguro que el sepulturero no da abasto.

La única razón por la que no estamos ya bajo tierra es Moses.

«*Shhh*», dijo, contempló el callejón por encima del hombro y se inclinó para susurrarme. «Márchate mientras puedas. No te quedes en Fort Worth». Su mirada era tan fría como el metal; su cuerpo, compacto debido a los tendones, los huesos y los fuertes músculos; y las líneas de su grueso y largo bigote endurecían su estrecho rostro.

Negué con la cabeza, él volvió a advertirme para que no gritara y me apartó la mano de la boca.

«No puedo», le dije y le conté que la señorita y Juneau Jane eran las hijas de William Gossett, el cual había desaparecido en Texas, y que las tres habíamos acabado separadas. «He conseguido trabajo como transportista. No tardaremos en marcharnos con rumbo a Llano, luego iremos a Menardville».

«Ya lo sé», respondió, y el sudor de la cabeza dejó un rastro húmedo sobre su piel.

Le conté lo que me dijo el irlandés del señor William Gossett.

«Tengo que ir a por la señorita y Juneau Jane. Luego nos marcharemos al sur, lejos de aquí».

Vi que el pulso le latía por debajo del reluciente cuello y él volvió a echar un vistazo al callejón. Oímos unas voces por los alrededores.

«Vete», repitió. «No podrás ayudarlas desde una caja de pino, y ahí es donde acabarás si no te marchas. Si puedo, haré que se reúnan contigo». Me alejó de las sombras, me dio un empujón y me dijo: «No te gires».

Eché a correr, sin detenerme ni una sola vez, y no fui capaz de recobrar el aliento hasta que salimos con los carros de Fort Worth.

Aún seguíamos en el punto de encuentro con los cargueros de Weatherford cuando un corpulento hombre blanco llegó cabalgando; la señorita Lavinia y Juneau Jane iban tras él, montadas en un enorme caballo bayo. El hombre llevaba ropa de vaquero, pero los caballos lucían la montura y las marcas de un regimiento federal.

«De parte de Moses», dijo el hombre sin mirarme.

«Pero ¿cómo...?».

Me dirigió una rápida sacudida de cabeza para advertirme de que no hiciera preguntas, y luego ayudó a la señorita y a Juneau Jane a subir al carro antes de ir a saldar cuentas con Penberthy. Y eso fue todo. No sé de qué hablaron y Penberthy no hizo ningún comentario en los días posteriores.

Ahora Gus McKlatchy, que conduce el carro de delante, y nosotras somos los cachorros de la manada. Somos el último mono, aunque el grupo de cocheros y vigilantes del carro de Penberthy está formado en su mayoría por chicos jóvenes; además, más de la mitad son de color, indios o mestizos, así que nosotras tres no llamamos demasiado la atención. Nos comemos la polvareda del camino, los surcos que dejan los demás al pasar por los cruces de agua y la neblina fruto de la paja y la hierba removida que flota sobre las praderas después de que pasen media docena de carros. Si los kiowas o los comanches aparecen, tomarán primero nuestro vagón. Lo más seguro es que no vivamos para ver lo que ocurre después. Nuestros exploradores, tonkawas y hombres de color que se casaron con indias, flanquean todos los ángulos desde sus veloces y robustos ponis. Están atentos a cualquier movimiento. Nadie quiere perder la carga.

Ni tampoco acabar bajo tierra. Gus tenía razón cuando me habló de lo peligroso que era el trabajo.

Por la noche, cuando acampamos, todos se ponen a contar historias. Morir a manos de los indios parece particularmente horrible. He enseñado a Juneau Jane a manejar la pistola y la carabina que nos prestó Penberthy. Incluso he cargado la Derringer del señor por si tenemos que comprobar si aún dispara. Por las tardes, Juneau Jane nos enseña letras y palabras a Gus y a mí, nos explica cómo suenan y cómo se escriben mientras sigue anotando información en *El libro de los amigos perdidos*. Gus no aprende tan rápido como yo, pero ambos nos esforzamos. Algunos de los hombres de este convoy son personas desaparecidas, hombres que vivían como esclavos en Arkansas, Luisiana, Texas y el territorio indio antes de la guerra. También hay gente extraviada en los pueblos por donde pasamos, de forma que tenemos muchas oportunidades de aprender palabras nuevas.

De vez en cuando, algunos desconocidos que nos encontramos por el camino nos piden que añadamos sus nombres al libro. Charlamos o acampamos con ellos, recopilamos historias de amigos perdidos o información sobre lo que nos espera más adelante, nos cuentan los problemas que ha habido con los indios, nos advierten sobre las zonas donde los salteadores o la banda de Marston se dedican a robar o nos hablan del estado de los ríos y los arroyos. Durante una de las últimas noches que tenemos que pasar acampados, el conductor de un carro que transporta correo nos advierte que llevemos cuidado en esta zona. Nos cuenta que están robando caballos y ganado, y que hay un conflicto entre los ganaderos alemanes y los americanos que se unieron a los confederados durante la guerra.

—Los alemanes se han montado un grupo de justicieros que se hacen llamar los Hechiceros. Echaron abajo la puerta de la prisión de Mason hace un tiempo para echarles el guante a unos tipos a los que habían detenido por robar ganado. Casi mataron al *sheriff* y a un *ranger* de Texas. Dispararon a un hombre en la pierna que no tenía nada que ver con el asunto, pero al que habían encerrado por ir montado en un caballo del ejército. El pobre desgraciado tuvo suerte de que no lo colgaran también esa noche. Los Hechiceros colgaron a tres de sus prisioneros antes de que el *sheriff* y el *ranger* intervinieran. Dispararon a otro más, y la familia del muerto se ha montado una banda y están todos a la gresca. También ha habido líos con la banda de Marston. Su líder se hacer llamar «el general». Ha estado alentando otra oleada de fiebre hondureña, diciéndoles a los secesionistas acérrimos que pueden fundar un nuevo sur en la Honduras Británica y puede que incluso en la isla de Cuba. Se ha ganado un buen número de seguidores. Tampoco es posible distinguirlos a simple vista. Llevad cuidado. En esta zona, la línea que separa a las autoridades de los forajidos es muy fina. Estamos en una región muy peligrosa.

—He oído hablar de la banda de Marston —dice Gus—. Se reunían en secreto en un almacén de Fort Worth y reclutaban a más gente. De donde no hay, no se puede sacar. El mundo no va hacia atrás, sino hacia delante. El futuro pertenece a los que lo afrontan de cara.

Penberthy se acaricia la barba gris y asiente. El jefe ha tomado a Gus McKlatchy como su protegido, igual que haría un padre o un abuelo.

—Esas ideas te llevarán lejos —conviene él, y al conductor del carro que lleva el correo le dice—: Gracias por avisarnos, amigo. Iremos con cuidado.

—¿Cómo se llamaba el hombre al que dispararon en la pierna? —pregunto, y todos me miran sorprendidos. Tenía la intención de no llamar la atención, pero me ha venido a la cabeza la historia del irlandés—. El que está en la cárcel por robar el caballo del ejército.

—No estoy seguro. Aunque sobrevivió a la bala. Era un ladrón muy peculiar, un tipo elegante. Supongo que el ejército lo colgará, si es que no lo ha hecho ya. Sí, hoy en día la gente está majareta. El mundo ya no es lo que era y...

Sigue con sus historias, pero yo me pongo a pensar en lo que ha contado, hasta bien entrada la noche. Puede que, después de todo, el irlandés estuviera diciendo la verdad cuando me contó que intercambió un caballo robado del ejército con el señor Gossett. Si es así, ¿será cierta también la historia de la niña blanca que llevaba las tres cuentas azules? Lo comento con Gus y Juneau Jane mientras nos acomodamos para dormir; decidimos acercarnos a Mason después de dejar el cargamento en Menardville para buscar al hombre al que dispararon en la pierna, por si al final resulta que es el señor Gossett o alguien que lo conoce.

Cierro los ojos y me amodorro, luego me despierto y me vuelvo a amodorrar. Sueño que conduzco un carro tirado por cuatro caballos negros. Estoy buscando al señor William Gossett, pero no lo encuentro. En su lugar, aparece Moses. Se cuela en mi sueño como una pantera a la que no ves pero sabes que te acecha por detrás, o por la izquierda, o por la derecha o desde arriba, encaramada a un árbol, con el cielo de fondo. Oyes cómo se mueve y entonces, de repente, se abalanza sobre ti, te aprisiona con su robusto cuerpo y el aliento acelerado.

Te quedas inmóvil, y te da miedo mirarla a los ojos. Te da miedo no hacerlo.

Su poderío te abruma.

Moses se cuela en mi mente del mismo modo, y no llega a confirmarme si es mi amigo o mi enemigo. Noto cada centímetro de su cuerpo pegado a cada centímetro del mío. Lo miro a los ojos, lo huelo.

Quiero que se marche…, pero en realidad, no.

No te gires, me susurra.

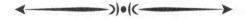

Me despierto con el corazón martilleándome en el pecho. Los golpes me inundan los oídos, y entonces me doy cuenta de que se trata de un trueno. El estruendo me pone de los nervios, me deja tan agitada como el tiempo. Recogemos el campamento sin desayunar y nos marchamos. Aún faltan dos días para llegar a Menardville; eso si no surge algún imprevisto.

En esta seca región no suele llover a menudo, pero durante los días que siguen, parece como si tuviéramos la cabeza metida bajo un chorro de agua. Los truenos asustan a los caballos y los rayos rasgan el cielo como si fueran las garras doradas de un halcón, dispuesto a aferrarse al mundo y marcharse volando.

Los animales avanzan hasta que la tierra queda empapada y el caliche blanco se torna resbaladizo y mancha los espolones de los caballos. Las ruedas de los carros se quedan atascadas y un agua blanquecina salpica como la leche mientras estas giran, giran, giran y giran.

Me pongo a darle vueltas a la cabeza y pienso en el señor Gossett, intento determinar si pudo haber llegado hasta esta región desértica y haber tomado un caballo robado para acabar encerrado en la cárcel mientras unos hombres derribaban la puerta y entraban con sogas y armas.

Ni siquiera me lo imagino en un lugar así. ¿Qué pudo haberlo traído a este paraje silvestre?

Pero en el fondo, sé la respuesta. Respondo a mi propia pregunta. *El amor.* Es lo único que conseguiría traerlo hasta aquí. El amor de un padre que es incapaz de renunciar a su único hijo. Que recorrería el mundo entero si hiciera falta para llevar a su hijo de vuelta a casa. Lyle no se merecía todo ese amor. Lo único que recibió su padre a cambio fueron sus canalladas y la tarea de enmendar los líos en los que andaba metido por culpa de su alocada forma de vida. Lo más seguro es que Lyle haya recibido lo que se merece. Estará muerto, le habrán disparado o colgado en algún lugar tan desangelado como este; los lobos lo habrán devorado por completo, dejando solo los huesos para que se conviertan en polvo. Es probable que el señor llegara hasta aquí persiguiendo un fantasma. Pero se negó a perder la esperanza hasta conocer con seguridad el destino de su hijo.

La lluvia cesa al segundo día de forma tan repentina como empezó. Algo típico en esta región.

Los hombres se sacuden el sombrero y se quitan los impermeables de hule. Juneau Jane sale de debajo de la lona del carro, donde ha estado escondida durante la mayor parte de la tormenta. Es la única lo bastante menuda como para poder hacer eso. La señorita está empapada porque no ha querido ponerse el impermeable. No se estremece ni se queja; ni siquiera parece darse cuenta. Simplemente se queda sentada en la parte trasera del carro mirando al vacío.

—¿Cuánto *manque*… falta? —le pregunta Juneau Jane a uno de los exploradores, un medio indio tonkawa que no habla inglés, sino español. Al saber hablar francés, Juneau Jane ha aprendido unas cuantas palabras de español. Yo también he aprendido unas pocas.

El explorador levanta tres dedos. Me imagino que eso significa que quedan tres horas para llegar. Luego extiende la mano y se la pasa de arriba abajo por la boca; es la señal que usan los indios para indicar que aún tenemos que cruzar el agua una vez más.

Los rayos del sol se abren paso entre las nubes, iluminándolo todo. Aun así, mi interior permanece sombrío. Cuanto más nos acercamos a Menardville más me agobio al pensar que no será la última parada que hagamos en busca del señor. Además, ¿y si tenemos noticias de él, pero Juneau Jane acaba devastada? ¿Y si ha muerto de forma horrible en este extraño lugar?

¿Qué será de nosotras entonces?

De pronto, un fragmento de cielo azul se asoma a lo lejos y a mí se me ocurre algo. Lo digo en voz alta.

—No puedo volver.

Juneau Jane vuelve la cabeza hacia mí y se coloca a mi lado; me contempla con esos ojos fríos y plateados desde debajo de su sombrero.

—No puedo volver a casa, Juneau Jane. Si averiguamos algo de tu padre en Mason, o incluso si lo encontramos a él, no puedo volver a casa con vosotras. Todavía no.

—Pero debes volver. —Se quita el sombrero mojado, se lo deja en la rodilla y se rasca la cabeza. Los hombres están bastante lejos, así que no pasa nada. Sin el sombrero, puede que ya no la tomen por un chico. Ha crecido un poco durante el viaje—. Acuérdate del terreno. De los cultivos. Es lo que más te importa en el mundo, ¿no?

—No, no lo es. —La certeza se apodera de mi alma. No sé a dónde me llevará todo esto, pero sé lo que está bien y lo que no—. Algo despertó en mi interior cuando estuvimos en esa iglesia del bosque y contemplamos las páginas de los periódicos. Cuando les hicimos una promesa a los jornaleros del *Katie P.*, cuando comenzamos a escribir *El libro de los amigos perdidos*. Tengo que seguir adelante y cumplir las promesas que hicimos.

No sé cómo lo lograré sin Juneau Jane. Ella es la que escribe. Aunque yo estoy aprendiendo y cada vez se me va a dar mejor. Lo bastante como para garabatear los nombres y los lugares y escribir las cartas a la columna de los Amigos perdidos.

—Me encargaré del libro después de que vuelvas a casa. Pero tienes que prometerme que cuando regreses a Goswood Grove te asegurarás de que Tati, John, Jason y los demás agricultores reciben un trato justo; de que se hacen cumplir los contratos. Tras trabajar como aparceros durante diez años les corresponde el terreno, la mula y los uniformes. ¿Me harás ese favor, Juneau Jane? Sé que no somos amigas, pero ¿podrías jurármelo?

Posa los dedos sobre los míos, que sujetan las riendas, y su piel pálida y lisa contrasta con los callos que me han dejado las herramientas del campo y las marcas de las brácteas secas y afiladas de las bolas de algodón. El trabajo ha afeado mis manos, pero no me avergüenzo. Mis cicatrices son fruto de mi esfuerzo.

—Yo creo que sí que somos amigas, Hannie —me dice ella.

Asiento y noto que se me forma un nudo en la garganta.

—La idea se me ha pasado por la cabeza un par de veces.

Espoleo a los caballos. He dejado que nos rezaguemos demasiado.

Nos dirigimos a una larga colina, pero el camino es muy accidentado y los caballos acaparan toda mi atención. Se han mojado y están cansados, y se han lastimado el cuello al tirar para sacarnos del barro. Se sacuden con la cola las moscas que se les apelotonan encima. Frente a nosotras, los caballos de los otros carros bregan con la pendiente y la tierra resbaladiza, deslizándose hacia abajo cada pocos pasos. Un carro rueda hacia atrás y parece a punto de escurrirse colina abajo. Guio a los caballos a un lado por si acaso.

Es entonces cuando me doy cuenta de que la señorita se ha bajado del carro y se ha sentado en el suelo a recoger flores amarillas como si nada. Ni siquiera tengo la oportunidad de pegarle un berrido antes de que a uno de los carros se le rompa una de las sujeciones y un barril de sorgo ruede colina abajo y salpique por todos lados una lluvia de piedrecitas blancas, barro, hierba y paja.

La señorita levanta la mirada y observa cómo el barril pasa a menos de tres metros de ella, pero no se mueve ni un centímetro, sino que se limita a sonreír y a mover las manos en el aire para intentar atrapar el maltrecho forraje, que resplandece a la luz del sol.

—¡Sal de ahí! —grito y Juneau Jane salta del asiento del carro. Echa a correr con sus enormes zapatos y esquiva los fosos de hierba y las piedras dando saltos, tan menudita como una cría de ciervo. Le quita a la señorita las flores de un manotazo, la tira al suelo y la maldice en francés; luego echan a andar, muy por detrás de los carros y la mercancía.

Es en ocasiones como esta cuando pierdo la esperanza de que la señorita se encuentre todavía ahí dentro, recuperándose poco a poco, o de que entienda las cosas que le decimos, aunque no conteste. En momentos así, pienso que ya no hay remedio: que el veneno o el golpe en la cabeza o lo que fuera que le hicieran esos desgraciados le causó un daño irreparable.

Al ver que los insultos de la hija mestiza de su padre la dejan indiferente, me digo a mí misma: *Si la señorita estuviera en alguna parte de ese robusto cuerpo, volvería en sí de inmediato y le daría una zurra de cuidado a su hermanastra. Igual que haría la señora.*

No quiero ni imaginarme cómo reaccionará la señora cuando la señorita vuelva a casa. Supongo que la mandará al manicomio, donde pasará el resto de sus días. Y de existir alguna posibilidad de que recupere el juicio, esta se esfumará en cuanto la encierren allí.

Todavía es joven. Solo tiene dieciséis años. Pasará muchos años en ese lugar.

Ese pensamiento me atosiga hasta que llegamos a Menardville, que apenas cuenta con unos cuantos almacenes, una herrería, una tienda para reparar ruedas, una prisión, dos tabernas y algunas casas e iglesias. Juneau Jane y yo planeamos marcharnos a Mason para preguntar por el señor. Está a un día de viaje a caballo, aunque tardaremos más si vamos a pie. Penberthy nos retiene la paga y no deja que nos marchemos. Dice que ir andando es demasiado peligroso y que encontrará otra forma de que lleguemos allí.

A la mañana siguiente, descubrimos que, al final, no tenemos que ir a Mason. Penberthy se ha enterado de que unos soldados se llevaron al hombre que tenía el caballo robado a Fort McKavett, y que allí sigue, pero que está tan mal que no pueden ni colgarlo.

Penberthy nos hace un hueco en un carro con suministros de correo que se dirige al fuerte, que está solo a 30 kilómetros al suroeste de Menardville. El jefe de carga se despide de nosotras amablemente y cumple sus promesas. Me paga el salario y ni siquiera me descuenta el dinero de la fianza de Fort Worth. Nos dice que tengamos cuidado al escoger nuestras compañías.

—A muchos jóvenes los pierde la promesa del dinero y las emociones fuertes. Guardaos bien la paga.

Ha contratado a Gus McKlatchy para otro viaje, así que aquí se separan nuestros caminos.

Nos despedimos de la cuadrilla. Al que más me cuesta decirle adiós es a Gus. Se ha portado muy bien conmigo. Ha sido un amigo de verdad.

—Me gustaría acompañarte —me dice antes de que nuestro carro emprenda la marcha—. Nunca he visto un fuerte. Incluso podría meterme a soldado de reconocimiento. Pero estoy *decidío* a comprarme un caballo y marcharme a capturar ganado. Un viaje más a Fort Worth y tendré el dinero necesario para empezar con buen pie.

—Ten cuidado —le digo, y él me sonríe, me saluda con la mano y responde que los McKlatchy siempre caen de pie. Nuestro carro se pone en marcha y la carga se sacude por debajo de nosotras. Juneau Jane se aferra a mí, y yo me agarro a las cuerdas con una mano y sujeto a la señorita con la otra—. Cuídate mucho, Gus McKlatchy —exclamo al tiempo que ponemos rumbo a Fort McKavett.

Se da una palmadita en la pistola que lleva al cinturón y una sonrisa dentuda aparece en su rostro lleno de pecas. Se pone las manos alrededor de la boca y me grita:

—¡Espero que encuentres a los tuyos, Hannibal Gossett!

Es lo último que oigo antes de que perdamos de vista el pueblo y el valle del río San Saba nos engulla.

AMIGOS PERDIDOS

Solicito información de mi madre, Martha Jackson, una mulata que pertenecía al juez Lomocks, en Fredericksburg, Virginia, y que fue vendida en 1855. La última vez que supe de ella, vivía en Columbia, Misisipi, y regentaba una sombrerería. Tenía tres hermanas (también mulatas): Serena Jackson, nacida el 13 de febrero de 1849; Henrietta Jackson, nacida el 5 de septiembre de 1853; y Louisa Jackson, que tenía unos 24 años. Todas fueron vendidas en Virginia junto a su madre. Su afligida y afectuosa hija agradecerá cualquier información recibida acerca de las personas anteriormente mencionadas. Escriban a la atención de la señora Alice Rebecca Lewis (Nee Jackson), en el 259 de la calle Peters, entre Delord y Calliope, Nueva Orleans, Luisiana.

—Columna de los «Amigos perdidos»
del *Southwestern*
5 de octubre de 1882

Capítulo 24

Benny Silva – Augustine, Luisiana, 1987

Es sábado por la noche y estoy preocupada, aunque me propongo que no se me note. Llevamos toda la semana intentando hacer un ensayo general del proyecto, pero el clima no nos lo ha puesto nada fácil. No ha hecho más que llover, y Augustine se ha quedado como una esponja después de que uno se dé una ducha. La lluvia ha cesado por fin, pero el cementerio está mojado y el parque del pueblo, lleno de charcos; mi patio se ha convertido en un pantano y en el huerto de detrás de casa, el barro llega hasta los tobillos. Aun así, debemos buscar una solución. Las últimas dos semanas antes de Halloween —el día en que llevaremos a cabo la función— están transcurriendo a una velocidad vertiginosa. El Departamento de Agricultura del instituto celebrará una fiesta de Halloween y convertirá el cobertizo en una casa encantada para recaudar fondos ese mismo fin de semana. Ya han colgado sus carteles, así que, si queremos tener alguna posibilidad de competir contra ellos, debemos empezar a anunciar el evento.

Pero para eso, debo asegurarme de que conseguiremos sacar adelante la representación. Por ahora, hay un poco de todo. Algunos de los chicos están preparados. A otros les cuesta más. Y unos cuantos siguen sin saber si quieren participar en la parte de la función. Tampoco ayuda el hecho de que muchos no reciban demasiado apoyo en casa ni tengan dinero para los disfraces y el material.

Estoy perdiendo la esperanza, y me pregunto si debería cancelar la función y, en vez de eso, pedirles que preparen un trabajo escrito o una presentación en clase. Algo que sea más fácil de gestionar. Olvidarnos de la función en el cementerio. De preparar los carteles. De colaborar con la comunidad. Y no correr el riesgo de quedar en ridículo o decepcionar a aquellos por los que nos hemos esforzado tanto.

Me he adueñado del antiguo campo de fútbol para intentar poner en práctica el ensayo. Está situado en un terreno bastante alto, donde los niños del pueblo suelen jugar a menudo al pillapilla o al béisbol, así que supongo que puede venir cualquiera.

Hemos aparcado el Bicho y unas cuantas tartanas más alrededor para poder encender los faros cuando oscurezca. No tengo las llaves para accionar las luces del estadio, que cuelgan torcidas y rotas sobre las viejas gradas de hormigón, aunque lo más probable es que no funcionen. Solo disponemos de un par de farolas inclinadas, que titilan por encima. Me he gastado lo que quedaba de una pequeña beca que nos concedió la Asociación Histórica para comprarles a los alumnos unos farolillos del bazar que sorprendentemente se parecen mucho a los de verdad. Dentro tienen velas de té baratas, y nos ha costado mucho que permanezcan encendidas.

Alguien pensó que traer una ristra de petardos amenizaría la velada. El caos se desató en cuanto empezaron a explotar: los críos se pusieron a corretear por todos lados, a gritar y a reír, lanzándose los unos contra los otros. Pisaron sin querer las tumbas de cartulina que estuvimos preparando durante la semana. Algunas eran muy bonitas. Unos cuantos chicos se pasaron por el cementerio y calcaron con carboncillo las lápidas de las personas sobre las que estaban haciendo el trabajo.

Los farolillos brillan alegremente en el barro; tras el follón con los petardos, la mitad de ellos han quedado ladeados.

No están acostumbrados a este tipo de cosas, afirma una voz en mi cabeza. *Están sobrepasados.*

Si no pueden acabar el ensayo, cualquier actuación pública quedará totalmente descartada. En parte, es culpa mía. No me esperaba que la dinámica grupal fuera a cambiar tanto al congregar a todos mis alumnos, de grupos de edades diferentes, junto a sus hermanos y primos pequeños, que también participarán en la representación.

—Venga, chicos. No vayamos a fastidiarla ahora. —Intento parecer enérgica, pero en realidad estoy bastante desanimada. Esto es una faena para los que querían que el proyecto saliera adelante. Incluyéndome a mí—. Todas estas eran personas de verdad. Vivían y padecían igual que vosotros. Merecen un poco de respeto. Por favor, recoged las lápidas y los farolillos y sigamos con lo planeado. Si no os habéis cambiado todavía, poneos el disfraz por encima de la ropa. *Ya.*

Mis órdenes suscitan muy poco entusiasmo.

Necesito que alguien más me ayude, aparte de los pocas ancianas que se han ofrecido como voluntarias; las mujeres se han situado en su mayoría a un lado, pues el campo está embarrado y resbaladizo y no queremos que nadie se caiga. Le pedí ayuda a uno de los profesores de Historia, que es también entrenador adjunto de fútbol pero el hombre resopló y me recordó que la temporada de fútbol todavía no había acabado, y luego dijo:

—Menudo follón. ¿Has conseguido la autorización de la junta escolar?

Desde entonces tengo un nudo en el estómago. ¿Los profesores deben avisar a la junta escolar cada vez que quieren hacer una actividad? El director Pevoto está al tanto... más o menos. Lo que me asusta es que no sea del todo consciente de la magnitud del proyecto. Tiene tantas cosas en la cabeza y está tan ocupado que a veces es como hablar con la pared.

Ojalá Nathan estuviera aquí. Los chicos no hacen más que preguntar por él. Tras nuestro incómodo encuentro de la semana pasada con sus tíos y las rubias, los rumores no hacen más que circular por todo el pueblo. Cuando Nathan me acercó a casa, me comentó que esta semana estaría ocupado. No me dijo por qué, y no estaba de humor para hablar. Es lo que pasa cuando sales a cenar y la mitad del pueblo se pone a cuchichear sobre ti.

Llevo sin verlo desde el jueves pasado, y aunque finalmente me rendí y lo llamé por teléfono un par de veces, colgué antes de que saltara el contestador. Ayer le dejé un mensaje avisándole del ensayo de esta noche. No hago más que mirar a mi alrededor con la esperanza de verlo aparecer. Sé que es una tontería y que ahora mismo tengo cosas más importantes de las que preocuparme.

Como por ejemplo, el hecho de que Lil' Ray está intentando acercarse a hurtadillas —si es que algo así es posible cuando el adolescente en cuestión pesa 130 kilos— a un grupo de alumnos para que no me dé cuenta de que ha llegado tarde. LaJuna lo acompaña con lo que supongo que son sus lápidas de cartón. Lleva un vestido de fiesta rosa con enaguas y un chal de encaje blanco. Él se ha puesto unos pantalones sueltos y un chaleco de seda, que parecen formar parte de un anticuado atuendo de boda. Lleva también un sombrero de copa y una chaqueta gris cuidadosamente doblada en el brazo.

Los disfraces no están mal —Sarge me comentó que ayudó a LaJuna con el suyo—, pero su retraso me deja preocupada. Ambos se dan empujoncitos mientras se mezclan con los demás. Me fijo en que ella se cuelga de forma posesiva del brazo del chico. Satisfecha consigo misma. Dependiente.

Entiendo sus motivos. Todavía recuerdo con todo detalle mis primeros años de adolescencia, a pesar de que ha pasado más de una década. Pero también soy consciente de las posibles consecuencias de un romance juvenil. Mi madre me puso sobre aviso mucho antes de que yo tuviera la edad de LaJuna. Hablaba con toda naturalidad del sexo, de los embarazos adolescentes y de los problemas en los que podía verme envuelta si salía con tipos cuestionables, cosa que ella había hecho muchas veces a lo largo de los años. Me contó que las mujeres de su familia eran especialistas en quedarse embarazadas muy jóvenes, y además de fracasados que no eran lo bastante maduros como para ejercer de padres. Por eso se marchó de su pueblo. Aunque al final dio igual. Aun así, se quedó preñada del hombre equivocado... y la cosa acabó como acabó. Tuvo que deslomarse para criarme, como todas las madres solteras.

El problema es que oír todo aquello me afectó. Acrecentó mis inseguridades y el miedo que me daba que mi mera existencia fuera una molestia, un error.

Quizá deberías tener una charla con LaJuna. Añado la idea a mi lista mental, que ya cuenta con una decena más de propósitos. *Y con Lil' Ray. Con ambos.*

¿Está permitido que los profesores mantengan ese tipo de charlas con los alumnos? Tal vez debería hablar con Sarge en su lugar.

Aunque ahora mismo, tenemos que acabar el ensayo o cancelar la representación. Una cosa u otra.

—¡Atended! —grito por encima del ruido—. ¡He dicho que atendáis! Dejad de jugar con los farolillos. Dejad de hablar y de arrearos en la cabeza con las lápidas. Dejad de molestar a los niños. Prestad atención. Si no sois capaces, es mejor que nos vayamos a casa ya. No tiene sentido que sigamos adelante con la representación. Nos conformaremos con escribir un trabajo y hacer una presentación en clase, y se acabó el asunto.

El jaleo se atenúa un poco, pero solo un poco.

Yaya T les dice que se callen, que lo dice en serio. Les contará a sus madres lo mal que se han portado, que no han hecho caso.

—Sé dónde vivís.

La cosa mejora, pero siguen comportándose como cerriles. Una especie de combate de lucha libre se ha desatado en el lado izquierdo del grupo. Veo unos cuantos chicos brincando, haciéndose llaves unos a otros y riéndose. Tropiezan y derriban a un par de alumnos de séptimo.

Deberías haber sabido que sucedería algo así. La pesimista que hay en mi interior me lanza una pulla. *Te crees que todo es de color de rosa, Benny. Te emocionas demasiado rápido.* La voz se parece mucho a la de mi madre, tiene el deje burlón que utilizaba a menudo durante nuestras discusiones.

—¡Vale ya! —grito. Veo pasar un coche por la calle junto al extremo del campo. No se detiene, pero el conductor se inclina con curiosidad por la ventana y nos observa. El nudo que tengo en el estómago trepa hacia mi garganta. Es como si me hubiera tragado un melón.

El coche da la vuelta y vuelve a pasar por delante. Esta vez más despacio.

¿Por qué nos observa?

Un agudo silbido atraviesa el aire y consigue apaciguar el jaleo. Me doy la vuelta y veo que Sarge se aproxima dando zancadas. Creía que esta noche tenía que volver a hacer de niñera, pero me alegro muchísimo de que la caballería haya llegado al fin.

Su segundo silbido se eleva por encima del barullo y nos deja los tímpanos hechos polvo. Logra reducir el barullo de forma admirable.

—Muy bien, piltrafillas, hace un frío de narices y yo tengo cosas mejores que hacer que quedarme aquí plantada y ver cómo hacéis el burro. Si esta es vuestra mejor actitud, entonces está claro que nos estáis haciendo perder el tiempo. A mí. A estas señoras. A la señorita Silva. ¿Vais a seguir portándoos como imbéciles? Pues marchaos a casa. Si no, cerrad el pico y no volváis a abrirlo a menos que tengáis levantada la mano y la señorita Silva os haya dado permiso para hablar. Y ni se os ocurra levantarla si no tenéis nada inteligente que decir, ¿estamos?

Se hace el silencio. Un silencio absoluto y perenne fruto de la intimidación. Maravilloso.

Los críos no saben qué hacer. ¿Marcharse? ¿Ir a hacer lo que hacen habitualmente un sábado de octubre por la noche? ¿O someterse a las figuras de autoridad y poner de su parte?

—No os oigo —insiste Sarge.

Esta vez, responden con un murmullo afirmativo y nervioso.

Sarge me mira poniendo los ojos en blanco y refunfuña:

—Por eso no soy profesora. Yo ya los habría agarrado de las orejas y dado un coscorrón.

Me repongo igual que un escalador tras una caída.

—En fin, ¿lo dejamos estar o seguimos adelante? Vosotros diréis.

Si se marchan, pues que se marchen.

Lo cierto es que en este instituto nadie se hace demasiadas ilusiones. La mitad de los profesores están aquí de paso. Lo único que se pide es que los alumnos no armen demasiado alboroto, que no se los deje deambular por los pasillos ni fumar en el edificio. Las cosas se han hecho siempre así.

—Perdone, Señorita Maza. —No sé quién dice aquello. No reconozco la voz, pero es uno de los más pequeños, uno de séptimo, tal vez.

Otros lo imitan después de que él tome la iniciativa.

Se produce un cambio de actitud. Los piltrafillas de Sarge se dan la vuelta sin que nadie les diga nada, recogen los farolillos, organizan las lápidas y se colocan en sus puestos.

Se me derrite el corazón. Hago todo lo posible por ocultarlo y dirigirles una expresión severa. Sarge relaja la postura y me dedica un asentimiento de cabeza satisfecho.

La representación da comienzo; la ejecución no es perfecta, sino que va a trompicones mientras yo doy vueltas alrededor, como si fuera el público.

Lil' Ray se ha construido dos lápidas. Representa a su pentabuelo, cuya madre era esclava en Goswood; con el tiempo se convirtió en un hombre libre, en un pastor itinerante.

—«Aprendí a leer a los veintidós años, cuando era todavía un esclavo. Me escabullía al bosque y una chica negra libre me enseñaba. Era muy peligroso para ambos, porque por aquel entonces hacer eso estaba prohibido. Podías acabar bajo tierra, o azotado o vendido a un traficante de esclavos, separado para siempre de tu familia. Pero yo quería leer, y eso hice» —dice, y enfatiza la frase con un firme asentimiento de cabeza.

Hace una pausa, y al principio, me da la sensación de que se ha olvidado del resto de la historia. Pero tras salirse del personaje durante un brevísimo instante y esbozar una ligera sonrisa al ver que tiene al público en el bolsillo, toma una bocanada de aire y prosigue:

—«Me convertí en pastor después de que a la gente negra se le permitiera tener sus propias iglesias. Me encargué de establecer muchas de las congregaciones de la zona. Y visitaba las demás muy a menudo, lo cual era también muy peligroso porque, aunque los patrulleros de la época de la esclavitud habían desaparecido, ahora eran el Ku Klux Klan y los Caballeros de la Camelia Blanca los que vigilaban los caminos. Viajaba con un buen caballo y un perro muy fiel que me avisaban si percibían que se acercaba alguien. Pero, además, conocía muchos escondites y a todos aquellos que me ofrecerían refugio de ser necesario».

Levanta entonces su otra lápida.

—«Me casé con la chica que me había enseñado a leer. Se llamaba Seraphina Jackson y siempre que yo me ausentaba de nuestra cabaña situada en los bosques pantanosos, ella se angustiaba enormemente. Oía cómo los lobos olfateaban y cavaban alrededor de las paredes, y permanecía despierta toda la noche empuñando un rifle que habíamos encontrado junto a una valla de piedra en un antiguo campo de batalla. A veces, oía pasar a bandas de alborotadores, pero nunca la amenazaron a ella ni a nuestros hijos. ¿Por qué? Pues porque la razón de que ella viviera libremente antes de que se proclamara la emancipación era que su padre era el banquero».

Lil' Ray cambia de postura, saca pecho, se pone el sombrero de copa y toma la otra lápida. Deja caer las pestañas y nos mira con los ojos entornados.

—«Señor Thomas R. Jackson. Soy blanco y rico. Tenía siete esclavos en mi caserón del pueblo y, años después, cuando se incendió, se usó el terreno para construir la iglesia metodista para gente negra y la biblioteca. Aunque también tuve tres hijos con una mujer negra libre, de modo que ellos también lo eran, pues la condición de los hijos dependía de la de las madres. Le compré una casa y un taller de costura porque no nos estaba permitido casarnos. Pero tampoco me casé con nadie más. Nuestros hijos fueron a la universidad de Oberlin. Nuestra hija, Seraphina, se casó con un liberto al que enseñó a leer, y se convirtió en la esposa de un pastor. También me cuidó durante mi vejez. Era una hija muy buena y enseñó a leer a mucha gente hasta que los achaques de la edad la obligaron a dejarlo, pues ya no veía las letras».

Para cuando termina la historia, soy incapaz de reprimir las lágrimas. Sarge se aclara la garganta a mi lado. Lleva a Yaya T y tía

Dicey agarradas cada una en un brazo; ninguna de las dos quiso perdérselo, y está asegurándose de que no se caen.

LaJuna es la siguiente en hablar:

—«Me llamo Seraphina» —dice—. «Mi padre era banquero...».

Al cabo de un rato deduzco que ha dejado de lado la investigación sobre sus propias raíces y en su lugar ha elegido representar a alguien de la familia de Lil' Ray, puesto que ahora salen juntos y todo eso.

Ya hablaré con ella luego.

Dejo que termine y seguimos adelante. Algunas de las historias tienen más detalles que otras, pero todas albergan algo magnífico. Incluso los más pequeños se las arreglan para salir del paso. Tobias cuenta, con unas pocas frases, la historia de Willie Tobias, que murió trágicamente junto a sus hermanos a una edad demasiado temprana.

Para cuando acaba el ensayo me encuentro agotada; permanezco al lado de las voluntarias, incapaz de expresar lo que siento con palabras. Estoy pasmada. Eufórica. Orgullosa. Quiero a estos chicos aún más que antes. Son increíbles.

Han llamado la atención de unas cuantas personas. Unos coches han aparcado en el arcén, donde suelen situarse los entusiasmados padres de los *quarterbacks* a ver los entrenamientos del instituto. Algunos de los curiosos son, sin duda, padres que han venido a buscar a sus hijos. Otros, no lo sé muy bien. Los elegantes monovolúmenes y los sedanes de lujo son demasiado sofisticados para este instituto, y la gente que sale de ellos se congrega en grupos, observándonos perplejos, hablando y señalándonos de vez en cuando. Su lenguaje corporal me resulta inquietante, y me parece divisar a la mujer del alcalde vestida con ropa de deporte. Un coche del Departamento de Policía tuerce la esquina y aparca. Redd Fontaine se acerca pavoneándose, con la barriga sacudiéndose frente a él. Algunos de los presentes se dirigen a hablar con él.

—*Mmm-hmmm*, qué mala pinta —dice Yaya T—. Parece que hay reunión del CC, el Club de los Catacaldos. *Mmm*, y ahí va el fanfarrón de Fontaine, ¿qué pretenderá, ver si pesca a alguien con una luz trasera rota o la matrícula caducada para ponerle una multa? Solo ha venido a menear esos kilos que le sobran, nada más.

Una camioneta destartalada al otro extremo de la calle arranca y se aleja antes de que el agente Fontaine pueda llegar. Uno de los alumnos acaba de quedarse sin transporte de vuelta a casa.

—Ajá —murmura una de las otras señoras del Nuevo Siglo.

Noto un ardor por debajo de la chaqueta que se me extiende hasta el cuello. Estoy lívida. Esta ha sido una gran noche. Me niego a dejar que me la fastidien. No pienso tolerarlo.

Empiezo a atravesar el campo, pero los chicos me interceptan para preguntarme que qué me ha parecido, y también que qué deberían hacer con los farolillos y que dónde pueden conseguir los materiales que les faltan para el vestuario. Como el ensayo general ha ido bien, aquellos que no lo tenían demasiado claro se han animado.

—¿Lo hemos hecho bien? —quiere saber Lil' Ray—. ¿Al final habrá representación? Porque LaJuna y yo hemos resuelto el tema de los carteles. Nuestro encargado en el Oink dice que, si escribimos algo para poner en un *flyer*, él se encargará de llevarlo a Kinko's y hacernos fotocopias cuando se pase por Baton Rouge a por suministros para el restaurante. Con papel de color y todo. No vamos a cancelarlo, ¿verdad, señorita Maza? Porque mi tío Hal me ha dejado estos trapitos y me quedan de muerte. —Suelta a LaJuna y da una vuelta completa para que pueda comprobarlo.

Su sonrisa se desvanece cuando se da cuenta de que LaJuna es la única que se echa a reír.

—Señorita Maza, ¿sigue enfadada con nosotros?

No estoy enfadada, estoy pendiente de los coches y de los fisgones. *¿Qué está pasando ahí?*

—¿Todo bien? —insiste LaJuna, volviendo a colgarse del brazo de Lil' Ray. Le queda muy bien ese vestido. Se le ciñe a la cintura y es escotado. Demasiado escotado. Y ella está *demasiado* mona. Las feromonas adolescentes impregnan el aire como el humo de una combustión espontánea antes de convertirse en llamas. He visto las travesuras que tienen lugar bajo las gradas del estadio. Sé cómo podría acabar todo esto.

No te pongas en lo peor, Benny Silva.

—Sí, todo bien. —Aunque por el circo que se ha montado en la calle me da la sensación de que tal vez no todo vaya bien—. Habéis estado fantásticos. Estoy muy orgullosa de vosotros… de la mayoría, al menos. Y en cuanto al resto… en fin, chicos, tenéis que ayudaros unos a otros para que todo vaya sobre ruedas.

—¿Quién es el puto amo? —dice Lil' Ray, y se aleja pavoneándose con el sombrero puesto. LaJuna se recoge las faldas y va tras él.

Sarge pasa por al lado con una caja de farolillos, se acerca a mí y me susurra.

—Eso no me hace ni pizca de gracia. —Hace un gesto hacia la calle, pero antes de que pueda responderle, se vuelve hacia LaJuna y Lil' Ray, que se desvanecen juntos en la noche—. Y eso tampoco me hace gracia. —Luego se pone la mano alrededor de la boca—. LaJuna Rae, ¿a dónde crees que vas con ese chico? —Y sale pitando.

Observo cómo el público se dispersa, los padres se llevan a sus hijos y los fisgones se marchan en sus vehículos, uno por uno. Redd Fontaine permanece por los alrededores lo suficiente como para ponerle una multa a algún desafortunado padre. Cuando intento mediar en el asunto, me sugiere que me meta en mis asuntos y luego me pregunta:

—¿Tiene permiso para que los chicos estén por aquí a estas horas? —Lame la punta del rotulador y se pone a escribir otra vez en su libretita.

—No están aquí por gusto. Estamos trabajando en un proyecto.

—Esto es propiedad del instituto. —Señala el edificio con sus tres papadas—. El campo solo se puede usar para actividades escolares.

—Es un proyecto en grupo… para *clase*. Además, aquí siempre hay críos jugando al béisbol fuera del horario escolar.

Deja de escribir, y tanto él como el desafortunado conductor —uno de los abuelos que vino a la reunión de padres— se me quedan mirando. Su nieta de octavo curso se mete en el coche y se mimetiza con el asiento mientras el agente está distraído.

—¿Me está replicando? —El agente Fontaine vuelve la barriga hacia mí.

—Jamás se me ocurriría.

—¿Se está haciendo la lista?

—Por supuesto que no. —¿*Quién se cree que es?*—. Solo me aseguro de que mis chicos puedan ir a casa.

—Pues asegúrese de recoger el campo —gruñe Fontaine, y vuelve a lo suyo—. Y apague las velas antes de que la hierba se prenda fuego y acabe incendiando todo esto.

—Creo que, con todo lo que ha llovido, no habrá problema —le suelto, y le dedico al abuelo de la alumna una mirada de disculpa. Lo más probable es que sea él el que termine pagando el pato—. Pero gracias por avisarnos. Iremos con mucho cuidado.

Sarge está esperándome cuando vuelvo a la acera junto al edificio del instituto. LaJuna y Lil' Ray andan por ahí cerca con cara de pocos amigos.

—¿Y bien? —pregunta Sarge.

—Ni idea —confieso—. En serio, no tengo ni idea.

—Dudo que la cosa se quede así. Avísame si necesitas ayuda.

Sarge agarra a LaJuna para llevársela a casa. Una cosa menos de la que preocuparse. Lil' Ray se marcha a solas con su sombrero de copa puesto.

Al llegar a casa, la encuentro espeluznantemente tranquila. Por primera vez, las ventanas me parecen oscuras y aterradoras. Al recorrer el porche, alargo la mano hacia las adelfas y le toco la cabeza al santo; froto un poquito de más para que me traiga suerte.

—Más vale que te pongas las pilas, colega —le digo.

El teléfono está sonando cuando entro por la puerta. Deja de sonar al cuarto timbrazo, justo cuando lo descuelgo.

—¿Diga? —saludo. Nadie contesta.

Llamo a Nathan antes de pensármelo dos veces. Tal vez fuera él. Espero que fuera él. Pero no responde. Le cuento una versión abreviada de lo que ha pasado esta noche: la emoción de haber conseguido algo con los chicos, la desazón al ver a Redd Fontaine, y termino con:

—En fin…, esperaba encontrarte en casa. Es que… quería hablar contigo.

Deambulo por la casa, enciendo todas las luces y voy al porche trasero; permanezco allí, observando las luciérnagas y oyendo cómo dos guabairos se llaman a lo lejos.

Unos faros alumbran el patio trasero. Me inclino y veo un coche de policía rodeando el cementerio y volviendo a meterse en la autovía. Una sensación incómoda y confusa hierve en mi interior, como si estuviera a punto de ponerme enferma. Me pregunto hasta dónde llegará la cosa antes de que todo termine.

Apoyo la cabeza contra un poste seco y agrietado que ha conocido días mejores, contemplo el huerto y el cielo salpicado de estrellas que se extiende sobre los árboles. Me pregunto cómo es posible que hayamos llegado a la luna y enviado sondas a Marte y, sin embargo, seamos incapaces atravesar los límites del corazón humano, de enmendar nuestros problemas.

¿Cómo es que todavía seguimos así?

Esa es la razón de que exista Cuentos desde la clandestinidad, me digo a mí misma. *Los relatos cambian a las personas. La historia, la de verdad, ayuda a que nos entendamos los unos a los otros, a conocer el interior de los demás.*

El resto del fin de semana, veo cómo las visitas al cementerio aumentan, aunque no solo por parte de la policía. Al parecer, los ciudadanos corrientes sienten la necesidad de pasarse por aquí para asegurarse de que ni los críos ni yo hemos alterado el lugar. Redd Fontaine también aparece de vez en cuando en su coche patrulla. Recibo más llamadas que se cortan en cuanto descuelgo el teléfono, hasta que me canso y dejo que sea el contestador quien responda. A la hora de dormir, le quito el sonido al teléfono, pero me quedo despierta en el sofá, esperando a que las luces atraviesen las persianas y pensando en que las llamadas de teléfono y las visitas de Fontaine al cementerio nunca ocurren a la misma hora. No es posible que un hombre adulto, un agente de policía, sea tan inmaduro.

Para cuando llega el domingo por la tarde, tengo los nervios destrozados, y estoy convencida de que si mi cerebro se imagina otro escenario horrible más, iré a los campos de arroz y yo misma me lanzaré al caimán para que me devore. Aunque me he repetido que no debería llamar a Nathan y que no voy a hacerlo, levanto el auricular para marcar su número una vez más. Y luego vuelvo a dejarlo.

Pienso en ir a casa de Sarge para hablar con ella y con tía Dicey, y tal vez con Yaya T también, pero no quiero preocupar a nadie. Puede que esté exagerando. Puede que el policía solo intente darme una lección porque me peleé con él. Puede que el aumento de las visitas al cementerio sea mera coincidencia, o quizá el interés que muestran los chicos ha despertado la curiosidad de los demás.

Deambulo por los terrenos de Goswood Grove desesperada, buscando algo que me haga volver a ver el mundo de color de rosa… y, tal vez, a Nathan, al que soy incapaz de localizar, por supuesto. Busco a LaJuna también, pero no aparece. Lo más seguro es que lo único que le interese ahora sea su nueva relación amorosa. Espero que ella y Lil' Ray estén ensayando sus papeles para la representación.

Espero que la representación se lleve finalmente a cabo.

Seguro que sí, me digo a mí misma. *Seguro. Piensa en positivo.*

Por desgracia, a pesar de todos mis esfuerzos por mantener una actitud optimista, el lunes resulta ser un día de lo más negro. Antes de las diez de la mañana, estoy en el despacho del director. Me avisaron durante mi segundo período de clase, y así estoy pasando mi hora complementaria, aguantando un interrogatorio sobre las actividades con mis alumnos y recibiendo una regañina del director Pevoto, supervisada por dos miembros del consejo escolar. Están plantadas en un rincón del despacho igual que dos soldados de asalto durante una redada. Una de ellas es la rubia que estaba sentada en la mesa de al lado en el Oink-Oink. La cuñada de Nathan, la segunda o tercera esposa florero de Manford Gossett.

Sus hijos ni siquiera acuden a este centro. Están matriculados —para sorpresa de nadie— en el instituto del lago.

Lo único que resulta más molesto que su actitud condescendiente es su voz de pito.

—Es que no veo qué relación puede tener una actividad como esa con el currículo educativo. Un currículo que le cuesta al distrito un dineral, por cierto, porque lo prepara un especialista en planes de estudio. —Su acento sureño hace que sus palabras suenen diplomáticas y dulces, pero no lo son—. Una novata como usted debería estar agradecida de contar con un plan de estudios estipulado. Haría bien en seguirlo al pie de la letra.

También me doy cuenta de por qué me resultó vagamente familiar en el Oink-Oink. Fue la que pasó con el coche junto a mí el primer día de clase, cuando me quedé sin parachoques delantero por culpa de aquel camión. Ella se me quedó mirando, y ambas intercambiamos expresiones horrorizadas por lo que había estado a punto de ocurrir. Algo así no se olvida. Pero luego siguió conduciendo como si no hubiera pasado nada. ¿La razón? Que era un camión de Industrias Gossett. En aquel momento, no sabía lo que eso significaba, pero ahora sí. Significa que pueden estar a punto de atropellarte, y aun así todos harán como que no lo han visto, nadie dirá nada. Porque nadie se atreve.

Estoy aquí sentada, agarrándome tan fuerte al asiento de una incómoda silla de oficina, que se me están doblando las uñas. Quiero ponerme en pie de un salto y decirle: *Su camión casi me arrolla y casi se lleva por delante a un niño de seis años, pero ni el conductor se detuvo ni usted tampoco. Y ahora, de repente, ¿le preocupa este instituto? ¿Estos niños?*

Ni siquiera tengo material suficiente para clase. Y tengo que llevar galletas para que los alumnos no se mueran de hambre mientras intentan aprender.

Pero lo único que hace usted es enseñarme su carísima manicura y menear esa descomunal pulsera de diamantes que lleva. Eso ayuda a que parezca que tiene razón. Aprieto los dientes para reprimir las palabras. Pero están ahí, justo detrás de la barricada. Justo, justo, justo...

Ahí.

El director Pevoto se ha dado cuenta. Me mira y sacude la cabeza casi imperceptiblemente. No es culpa suya. Está intentando que ni él ni yo perdamos el trabajo.

—La señorita Silva no tiene experiencia —dice con el tono tranquilizador que emplearía una niñera para aplacar a una mocosa malcriada—. Ignoraba qué tipo de autorizaciones eran necesarias antes de embarcarse en un proyecto de este... —Me lanza una mirada de disculpa. Está de mi parte... aunque no puede estarlo. No se lo permiten—. Calibre. En su defensa, debo decir que sí que me lo mencionó. Debí haber indagado más.

Me aferro a la silla, que está a punto de convertirse en un resorte. No puedo soportarlo más. No puedo.

¿A usted qué le importa, señora? Sus hijos son demasiado buenos para venir a este instituto...

Dentro de mi cabeza, estoy plantada en medio del despacho mientras le grito indignada, lanzándole todas esas palabras. La mayoría de los miembros de la junta escolar no envían a sus hijos aquí. Son empresarios, abogados, médicos... Forman parte de la junta por el prestigio que conlleva y para controlarlo todo. Quieren encargarse de regular cuestiones como las líneas divisorias del distrito, las solicitudes de aumento de los impuestos sobre la propiedad, las emisiones de deuda y los traslados de estudiantes al instituto del lago, la institución insignia del distrito: cuestiones que pueden costarles dinero, pues poseen propiedades y la mayor parte de los negocios del pueblo.

—Proporcionamos a todos los profesores nuevos una copia del manual del trabajador, donde se contemplan todas las políticas y procedimientos del instituto. —La encantadora señora Gossett, que no me ha considerado lo bastante digna como para que pueda llamarla por su nombre de pila, se quita uno de sus resplandecientes zapatos de tacón de piel de serpiente y lo deja colgar en el dedo gordo del pie—. Los empleados nuevos firman el documento después de leerlo, ¿no? Se deja guardado en su expediente, ¿verdad?

La lameculos que está a su lado, una morena elegante, asiente con la cabeza.

—Desde luego —responde el director Pevoto.

—Bueno, pues en el manual pone muy clarito que toda activi-dad con los alumnos que se lleve a cabo fuera del recinto del insti-tuto requiere la autorización del consejo.

—¿Para recorrer dos manzanas hasta la biblioteca municipal? —suelto. El director Pivoto me fulmina con la mirada. No se me permite hablar si no se dirigen a mí. Ya me lo han advertido.

La rubia gira su puntiaguda barbilla con una precisión robótica: *clic, clic, clic.* Ahora me encuentro directamente en su punto de mira.

—Prometerles a estos niños que van a representar una especie de... función... fuera del recinto del instituto, fuera del horario es-colar, es sin duda una violación de las reglas. Y de forma descarada, debo decir. Y quiere llevarlos al cementerio, nada menos. Virgen santísima. ¡Qué poca cabeza! No solo es ridículo, sino también obs-ceno e increíblemente irrespetuoso con los difuntos.

Se me está acabando la paciencia. *Mayday, mayday.*

—He preguntado a los ocupantes del cementerio. A ellos les da igual.

El director Pevoto inhala con fuerza.

La señora Gossett frunce los labios. Las fosas nasales se le en-sanchan. Es como la cerdita Peggy, pero en flaca.

—¿Qué le hace pensar que estaba de broma? Estoy haciendo todo lo posible por comportarme con amabilidad. Puede que el cementerio no signifique nada para usted, siendo de... Bueno, de donde quiera que sea... Pero es tremendamente importante para esta comunidad. Por razones históricas, desde luego, pero también porque nuestros familiares están enterrados allí. Naturalmente, no queremos que se los moleste, que se profanen sus tumbas para... para que unos vándalos pasen un buen rato. Ya es bastante difícil evitar que *este tipo* de críos hagan el gamberro por ahí, como para además animarlos a que consideren el cementerio como un patio de recreo. Es una irresponsabilidad y una falta de consideración.

—Ni mucho menos los he...

Ni siquiera me deja terminar la frase antes de señalar la ventana con violencia.

—Hace algunos años, alguien se coló en el cementerio y volcó unas cuantas lápidas muy caras. Quedaron destrozadas.

Abro los ojos tan indignada que parece que se me vayan a salir de las cuencas.

—Puede que, si la gente entendiera la historia, si conocieran a las personas a las que representan esas lápidas, esas cosas no pasaran. Tal vez incluso lo *evitaran*. Algunos de mis chicos tienen familiares enterrados allí. La mayoría...

—No son *sus* chicos.

El director Pevoto se mete un dedo por el cuello de la camisa y se afloja la corbata. Se ha puesto tan rojo como el camión de bomberos voluntario que conduce los fines de semana.

—Señorita Silva...

Me lanzo a degüello. Ahora que se ha abierto la veda ya no puedo reprimirme. Siento que todos nuestros planes se desvanecen. No puedo dejar que eso ocurra.

—O tienen familiares enterrados en el cementerio de al lado. Bajo unas tumbas sin identificar. Que mis alumnos están intentando pasar con mucho esfuerzo al ordenador, para que la biblioteca tenga un registro de aquellos que vivieron allí. Como *esclavos*.

Ya está. He dado en la diana. Esa es la auténtica cuestión. Goswood Grove. La casa. Lo que guarda. Las partes de su historia que son difíciles de digerir. Que provocan vergüenza. Que llevan consigo un estigma del que nadie sabe cómo hablar, que son la muestra de una herencia histórica que aún hoy sigue reproduciéndose en Augustine.

—¡Eso no es asunto suyo! —resopla—. ¡Cómo se atreve!

Su compinche se pone de pie de un salto con los puños cerrados, como si fuera a noquearme.

El director Pevoto se levanta, se inclina sobre su escritorio con los dedos atirantados, como si fueran las patas de una araña.

—De acuerdo. Ya es suficiente.

—Ya lo creo que sí —conviene la señora Gossett—. No sé quién se cree que es. Ha vivido aquí durante... ¿Cuánto... dos meses? ¿Tres? Si los alumnos de este instituto pretenden prosperar y convertirse en miembros productivos de la sociedad, tendrán que dejar atrás el pasado. Ser pragmáticos. Y adquirir algún tipo de formación profesional. La mayoría de ellos pueden darse por satisfechos si son capaces de adquirir los conocimientos funcionales mínimos para rellenar una solicitud de empleo. ¡Cómo se atreve a insinuar que a nuestra familia le es indiferente dicha cuestión! Pagamos más impuestos que nadie. Damos trabajo a toda esta gente, somos los responsables de que sea posible labrarse una vida en este pueblo. Los que contratan a los presos cuando salen de la cárcel. A usted se la contrató para enseñar *Literatura*. Ciñéndose al plan de estudios. Ya puede olvidarse del proyecto del cementerio. Acuérdese de lo que le digo. El cementerio está dirigido por un comité y no lo permitirán de ninguna manera. Me aseguraré de ello.

Me da un empujón al pasar por mi lado, con la soldado raso a la zaga. Se detiene al llegar a la puerta para lanzarme un último dardo:

—Limítese a hacer su trabajo, señorita Silva. Y tenga en cuenta con quién está hablando si quiere seguir conservándolo.

El director Pevoto me dirige a continuación una breve y calmada charla y me asegura que todos los profesores meten la pata durante el primer año. Dice que valora mi entusiasmo y que se ha dado cuenta de que estoy creando un vínculo con los alumnos.

—Ya verá cómo al final vale la pena —me promete, agotado—. Si les cae bien, se esforzarán. Pero en el futuro, limítese a seguir el plan de estudios. Márchese a casa, señorita Silva. Tómese unos días libres y despéjese. Ya le he pedido a alguien que la sustituya.

Murmuro algo, el timbre suena en el pasillo y salgo del despacho. Mientras vuelvo a mi aula, me detengo de golpe, conmocionada. Me doy cuenta de que no debo volver a clase. Me mandan a casa en mitad de mi jornada laboral.

Un torrente de estudiantes pasa por mi lado, envolviéndome en una extraña y estridente marea, pero a mí me da la impresión de que están muy lejos, de que ni siquiera me rozan al pasar, como si me hubiera desvanecido.

Los pasillos se han vaciado, el último timbre suena y yo vuelvo en mí y sigo caminando hacia mi aula. Intento tranquilizarme frente a la puerta antes de entrar para recoger mis cosas.

Hay alguien vigilando a los chicos; supongo que hasta que llegue el sustituto. Aun así, me acribillan a preguntas: *¿A dónde voy? ¿Qué me ocurre? ¿Quién los llevará a la biblioteca?*

Volveremos a verla mañana, ¿verdad? ¿Verdad, señorita Maza?

El vigilante me dedica una mirada comprensiva y les grita para que se callen.

Yo me escabullo y llego a casa, aunque ni siquiera recuerdo cómo. La casa tiene un aspecto desolado y vacío, y cuando abro la puerta del coche oigo sonar el teléfono cuatro veces antes de detenerse.

Quiero entrar en casa corriendo, descolgar el auricular, agarrarlo con ambas manos y gritar: *¿Qué problema tienes? ¡Déjame en paz!*

La luz del contestador parpadea. Aprieto el botón como si se tratara de la punta afilada de un cuchillo. Puede que la cosa esté yendo a peor y ahora… esa persona… esté dejándome amenazas anónimas. ¿Por qué iba a molestarse cuando puede amenazarme descaradamente a través de la junta y el director Pevoto?

Pero cuando el mensaje empieza a reproducirse, oigo que es Nathan. Su voz suena sombría. Se disculpa por tardar tanto en devolverme la llamada; está en Asheville, en casa de su madre. Hace unos días fue el cumpleaños de su hermana y el aniversario de su muerte. Habría cumplido 33 años. Su madre lo ha estado pasando bastante mal: la ingresaron en el hospital con la tensión por las nubes, pero ya se ha recuperado. Ha vuelto a casa y una amiga ha ido a visitarla.

Marco el número de teléfono y él contesta a la llamada.

—Nathan, lo siento. Lo siento muchísimo. No tenía ni idea —le digo de golpe. No quiero añadirle otra carga. La debacle en el instituto y la bronca de la junta escolar me parecen menos graves cuando pienso en Nathan y su madre llorando la pérdida de Robin. Lo último que necesita ahora mismo es enzarzarse en una guerra con los Gossett. Les pediré ayuda a otros. A Sarge. A las damas del

Nuevo Siglo, a los padres de mis alumnos. Llamaré al periódico, organizaré una protesta. Lo que está ocurriendo no está bien.

—¿Estás bien? —pregunta dubitativamente—. Cuéntame qué ocurre.

Las lágrimas me atenazan la garganta, me la cierran por completo. Estoy frustrada. Estoy triste. Trago saliva con fuerza, apoyo la frente en la palma de la mano y pienso: *para*.

—No pasa nada.

—Benny... —Su tono agrega: *Venga, te conozco*.

Me abro de par en par y lo dejo salir todo; termino mi relato con la desgarradora conclusión a la que he llegado esta mañana:

—Quieren suspender el proyecto. Si no colaboro, me echarán del trabajo.

—Escucha —dice, y oigo un golpeteo de fondo, como si lo hubiera pillado en medio de algo—. Estoy yendo al aeropuerto para intentar tomar un vuelo en lista de espera. No puedo entretenerme, pero mi madre me ha contado que Robin estaba trabajando en algún proyecto antes de morir. No quería que mis tíos se enteraran. No hagas nada hasta que vuelva.

Capítulo 25

Resulta difícil imaginar que el hombre hundido en el colchón es el señor William Gossett. Unas sencillas sábanas blancas envuelven su cuerpo, sudadas y hechas un revoltijo allí donde se ha aferrado para tratar de deshacerse de su dolor, exprimiéndolo, como si de agua sucia se tratara. Tiene los ojos, que una vez fueron tan azules como las cuentas de mi abuela, cerrados y hundidos en unas cavidades de piel amarillenta. El hombre que recuerdo no se parece en nada al que ahora yace en la cama. Incluso el vozarrón con que nos llamaba por nuestros nombres se ha convertido en un gemido constante.

Los recuerdos afloran en mi interior cuando los soldados nos dejan a solas con él en el largo edificio hospitalario de Fort McKavett. Antes de la emancipación, siempre celebrábamos una gran fiesta de Navidad en la que el amo nos daba regalos a cada uno: zapatos nuevos hechos allí y dos vestidos de tipo saco para trabajar, dos camisas nuevas, cinco metros de tela por niño, ocho para hombres y mujeres, y un vestido de algodón blanco con una cinta para que los esclavos de los Gossett tuvieran un aspecto más elegante que los de los demás al ir a la iglesia para los blancos. En esas fiestas, todos estábamos juntos, todos mis hermanos y hermanas, mi madre, tía Jenny Angel y mis primas, y la abuela y el abuelo. Había mesas con jamón, manzanas, patatas irlandesas y auténtico pan de trigo, caramelos de menta para los niños y licor de maíz para los adultos. Fueron los mejores momentos de una época muy dura.

Al hombre que está en la cama le encantaban las fiestas. Le gustaba creer que éramos felices, que todos permanecíamos con él porque queríamos, no porque tuviéramos que hacerlo, que preferíamos no ser libres. Supongo que eso es lo que se decía a sí mismo para justificarlo.

Ahora estoy frente a la cama, recordando todo eso, y no sé cómo sentirme. Quiero pensar: *Esto no es asunto tuyo, Hannie. Lo único que necesitas de este hombre es que te diga dónde está el contrato de aparcería para garantizar que Tati, Jason y John reciben lo que merecen. Ya te ha quitado bastantes años de tu vida, él y la señora.*

Pero el muro de indiferencia no se mantiene en pie. Está instalado sobre arena y se mece con cada una de sus respiraciones entrecortadas, tiembla junto con su cuerpo enjuto y azulado. No soy capaz de reunir la fiereza que me hace falta para consolidarlo. Morirse resulta a veces complicado. A este hombre le está costando mucho. La herida que le hicieron en Mason se le pudrió mientras estaba en la cárcel. El médico de aquí le amputó la pierna, pero la sangre ya se le había envenenado.

Supongo que lo que siento es misericordia. La misma que quisiera que me mostraran a mí si fuera yo la que estuviera en esa cama.

Juneau Jane es la primera que lo toca:

—Papá, papá. —Se arrodilla a su lado, le toma la mano y apoya la cara en ella. Sus hombros menudos tiemblan. Después de todo lo que ha pasado y lo valiente que ha tenido que ser, esto es lo que finalmente la hace desmoronarse.

La señorita Lavinia me ha agarrado del brazo con las dos manos. Con fuerza. No se acerca a él ni un centímetro. Le doy unas palmaditas, como hacía cuando era pequeña.

—Venga, acércate. No muerde. La bala le envenenó la sangre, eso es todo. No te lo va a pegar. Siéntate en el taburete. Agárralo de la mano, pero no te pongas a hacer ese ruidito que hiciste en el carro ni llores ni montes un escándalo. Sé buena y consuélalo. A ver si se despierta y puede hablar.

Pero no quiere acercarse.

—Venga —le digo—. El médico ha dicho que no se despertará muchas más veces, si es que se despierta.

La siento en el taburete y me quedo encorvada porque está aferrada a mi brazo, clavándome los dedos.

—Quédate ahí sentada. —Le quito el sombrero y lo dejo en un pequeño estante sobre la cama. Todos los catres de madera de la habitación (puede que haya una decena en cada pared) son iguales a este, pero los colchones del resto están enrollados. Un gorrión revolotea alrededor de las vigas como un alma atrapada en el interior de la carne y el hueso.

Le aliso a la señorita el pelo fino y ralo y se lo pongo detrás de la cabeza. Desearía que su padre no tuviera que verla así; si es que despierta, claro. A la mujer del médico le escandalizó nuestro aspecto cuando le dijimos que Juneau Jane y la señorita eran las hijas del hombre al que habían venido a buscar. Es una mujer amable y quiso que ambas fueran a asearse y cambiarse de ropa, pero Juneau Jane se negó a ir a ningún otro lugar que no fuera la cabecera de la cama. Supongo que seguiremos llevando ropa de chico un poco más.

—Papá —llora Juneau Jane, sacudiéndose de la cabeza a los pies y rezando en francés. Se santigua una y otra vez—. *Aide-nous, Dieu. Aide-nous, Dieu...*

Él se agita, parpadea y golpea la almohada, gime y mueve los labios, luego se queda quieto y toma respiraciones largas, se aleja aún más de nosotras.

—No os hagáis ilusiones —nos advierte de nuevo el médico desde su escritorio junto a la chimenea que está al fondo de la habitación.

El cochero del carro nos puso al corriente de camino. Suele hacer esa ruta de forma habitual, va al fuerte y a Scabtown, que está tras cruzar un tramo de agua junto al fuerte. Trajeron aquí al señor desde la cárcel de Mason para exponer su caso y contarle al comandante del puesto lo que sabía del hombre que le vendió el caballo del ejército, pero no tuvo oportunidad. Alguien les tendió una emboscada y disparó a un soldado antes de que pudieran ponerse a cubierto para defenderse. El soldado murió en el acto y al señor lo hirieron en la cabeza. Para cuando lo llevaron al fuerte, estaba bastante mal. El medico intentó que recuperase la conciencia para que les contara quién los había atacado y por qué. Creían que podía ser alguien al que el señor conocía, tal vez incluso el ladrón de caballos que les robó. Tenían muchas ganas de atraparlo. Y más si había matado a un soldado.

Podría contarles lo del irlandés, pero ¿de qué serviría? El ejército ya lo había capturado en Fort Worth, así que él no fue el responsable de la emboscada. Si el señor conoce al culpable, no dirá nada. La única persona a la que el señor William Gossett podría identificar es aquella a la que vino a buscar. Un hijo que no quiere que lo encuentren.

Guardo silencio, me quedo callada todo el día, y al día siguiente y al otro, aunque me gustaría hablarles de Lyle, decirles que el señor tuvo que sacarlo de Luisiana hace dos años, a un chico de dieciséis, pues lo habían acusado de asesinato. Que Lyle se ocupaba de las tierras que tenía el señor Gossett en Texas, unas tierras que iba a heredar Juneau Jane algún día, y que Lyle las vendió a pesar de que no le pertenecían. Puede que un chico así disparara también a su propio padre.

No se lo digo a nadie. Temo que las cosas se pongan difíciles si lo hago. Me guardo el secreto mientras los días transcurren en el fuerte y el señor lucha entre la vida y la muerte. La esposa del médico se ocupa de nosotras y nos proporciona vestimentas adecuadas que ha recolectado de las demás esposas del fuerte. Cuidamos del señor y nos cuidamos las unas a las otras.

Juneau Jane y yo nos entregamos a *El libro de los amigos perdidos*. En el fuerte viven regimientos de caballería de color. Los llaman «soldados búfalo». Son hombres que provienen de todas partes y que viajan a todas partes también. Se adentran en las tierras salvajes. Preguntamos por las personas anotadas en el libro, escuchamos las historias de los soldados y escribimos los nombres de sus amigos y familiares y los lugares desde donde se los llevaron.

—No os acerquéis a Scabtown —nos aconsejan—. No es lugar para mujeres.

Se me hace raro volver a ser mujer después de fingir ser un chico durante tanto tiempo. En cierto modo, es más duro, pero no pensaba abandonar el fuerte ni tampoco ir a ese pueblo. He vuelto a tener una corazonada. Siento que algo se avecina, aunque no sé qué es.

Lo que sí sé es que no es bueno.

La corazonada me hace permanecer junto a los soldados y no salir del edificio hospitalario, que se encuentra alejado de los demás para no propagar las enfermedades que pudiera haber. Veo a las esposas de los soldados ir de aquí para allá mientras sus hijos juegan. Veo entrenar a los soldados, formar sus compañías, tocar la trompeta y salir rumbo al oeste en largas hileras, montados unos al lado de los otros en sus caballos bayos.

Espero a que el señor tome su último aliento.

Y contemplo el horizonte.

Llevamos dos semanas en el fuerte cuando miro por la ventana de la habitación que ha dispuesto la esposa del médico para nosotras y veo a un hombre cabalgando solo por la pradera al amanecer; es apenas una sombra en la tenue luz. El médico ha dicho que el señor no pasará de hoy, como mucho mañana, así que pienso que tal vez ese jinete sea el ángel de la muerte, que ha venido por fin a llevárselo y liberarnos de esta carga. El señor se me ha estado apareciendo en sueños. Es un espíritu inquieto que no me deja en paz. Quiere decirme algo antes de marcharse. Guarda un secreto, pero se le ha acabado el tiempo.

Espero que pueda desprenderse de él y no me atormente después de haber abandonado este mundo. La idea me atormenta mientras examino cómo el ángel de la muerte se desliza a caballo a través de la neblina de la mañana. Me he levantado y llevo puesto un vestido azul de calicó como el que le compré a Juneau Jane en Jefferson. El dobladillo me está un poco corto, pero no resulta inapropiado. No me hace falta rellenar el corpiño como tuvimos que hacer con Juneau Jane.

Me aparto de la ventana al oír que la señorita se despierta con arcadas y tapándose la boca. Apenas me da tiempo a llevarle la palangana para evitar que deje el suelo hecho un desastre.

Juneau Jane sale con dificultad de la cama, moja un paño en la jarra de agua y me lo da. Tiene los ojos rojos y hundidos. La espera la ha dejado agotada.

—*Nos devons en parler* —dice, y hace un gesto de asentimiento hacia la señorita. *Tenemos que hablar.*

—Hoy no —le digo, porque ya le entiendo bastantes cosas en francés. Lo usamos en el fuerte cuando no queremos que los demás sepan lo que estamos diciendo. Este lugar está repleto de gente que se pregunta qué secretos podríamos estar callándonos—. Hoy no vamos a hablar de la señorita. Ya habrá tiempo suficiente mañana. Su problema no desaparecerá por arte de magia.

—*Elle est enceinte.* —No me hace falta que Juneau Jane me explique qué signifique esa última palabra. Sabemos que la señorita está embarazada. No le ha venido el periodo en todo el tiempo que llevamos viajando. Vomita casi todas las mañanas, y tiene los pechos tan sensibles que no deja que se lo vende, ni siquiera cuando todavía íbamos vestidas con ropa de chico. Protesta y se retuerce hasta por llevar un corsé suelto, pero aquí tiene que ponérselo por decoro.

Juneau Jane y yo no hemos hablado de ello hasta ahora, cada una hemos estado ignorando la cuestión con la esperanza de que no fuera cierto. No quiero pensar en cómo ha pasado o en quién puede ser el padre del bebé. Lo que está claro, es que el médico y su esposa no tardarán en darse cuenta. No podemos quedarnos aquí mucho más.

—Hoy dedícale el día a tu padre —le digo a Juneau Jane. Las palabras se me atascan en la garganta, se quedan ahí aferradas, como el zacate buffel de los campos secos—. Ve y ponte guapa. ¿Quieres que te ayude con el pelo? Te ha crecido un poco.

Ella asiente y traga con fuerza; se sienta en el borde de la camita donde ha dormido. Hay dos camas de hierro con colchón de cutí. A mí me toca quedarme en el camastro del suelo. Solo se permite que dos mujeres blancas y una de color duerman en la misma habitación si la de color duerme como hacían los esclavos en su día: a los pies de la cama.

Juneau Jane está rígida, se le marcan los hombros en su camisón de algodón. La tensión recorre todos los músculos de su piel. Frunce la barbilla y se muerde los labios.

—No pasa nada por llorar —le digo.

—A mi madre no le gustaba que hiciera tal cosa —responde.

—Pues a mí no me gusta mucho su actitud. —No tengo muy buena opinión de su madre. Puede que a mí me arrebataran a la mía cuando todavía era muy pequeña, pero mientras tuvo oportunidad, siempre me dirigió palabras buenas. Que permanecieron conmigo. Las palabras de una madre son las que más duran—. Y de todas formas no está aquí, ¿verdad?

—*Non*.

—¿Volverás con ella?

Juneau Jane se encoge de hombros.

—No lo sé. Es la única persona que me queda.

Se me encoge el corazón. No quiero que vuelva con ella. Con una mujer dispuesta a vender a su hija al primero que le ofrezca un arreglo económico para quedársela como amante.

—Me tienes a mí, Juneau Jane. Somos familia, ¿no lo sabías? Mi madre y tu padre eran hijos del mismo hombre, así que eran hermanastros, aunque nadie hiciera mención al asunto. Cuando mi madre era apenas una bebé, mi abuela tuvo que dejarla e ir a la casa principal y ser la nodriza del recién nacido blanco. El hombre tumbado en esa cama de hospital es medio tío mío. Cuando tu padre se haya ido, no te quedarás sola. Quiero que lo sepas. —Le cuento que el señor y mi madre nacieron con apenas unos meses de diferencia—. En cierta medida, tú y yo somos primas.

Le doy el espejo y cuando contempla nuestro reflejo, sonríe y me apoya la mejilla en el brazo. Las lágrimas brotan en esos ojos grises que se curvan en los extremos, como los míos.

—Nos irá bien —le digo, pero no sé cómo. Somos dos almas perdidas vagando por el mundo, lejos de casa. Y, de todas formas, ¿dónde está nuestra casa ahora?

Le arreglo el pelo a Juneau Jane y vuelvo a ponerme a mirar por la ventana. El sol se ha elevado por encima de la colina, disipando la niebla de la ladera. El hombre hecho de sombras se ha convertido en un ser de carne y hueso. No es el ángel de la muerte, sino alguien a quien conozco.

Me inclino para poder verlo mejor, observo cómo se quita los guantes, se los mete en el cinturón y habla con dos hombres en el patio de abajo. Es Moses. He oído algunas cosas de él desde que llegamos aquí. Algunas historias. Los hombres no tienen problema en hablar cuando hay alguna chica de color alrededor, al contrario que cuando esta es blanca. Se creen que las chicas de color no oímos. Que no entendemos las cosas. Que no sabemos nada. La esposa del médico también es de las que habla. Por las tardes, se reúne con las mujeres del fuerte para tomar café y té, y todas charlan de lo que dicen sus maridos durante la cena y el desayuno.

Moses no es el hombre que creí que era la primera vez que lo vi en aquel embarcadero de Luisiana. No es un mal hombre, ni un criminal, ni el criado del tipo con el parche, el teniente.

Ni siquiera se llama Moses. Sino Elam. Elam Salter.

Es agente adjunto de los U. S. Marshal.

¡Un hombre de color, ayudante adjunto de los U. S. Marshal! Apenas puedo creerlo, pero es verdad. Los soldados del fuerte cuentan historias sobre él. Habla media docena de lenguas indias, se escapó de una plantación de Arkansas antes de la guerra y se marchó al territorio indio. Vivió con los indios y aprendió sus costumbres. Conoce cada centímetro de la región salvaje.

No estaba ayudando a aquellos canallas de Luisiana, sino que intentaba capturar a los líderes de esa banda de la que tanto hemos oído hablar: la banda de Marston. Elam Salter los ha estado siguiendo por tres estados y por todo el territorio indio. El cochero que nos trajo hasta aquí nos lo contó. La mención de la banda enfurece a la gente.

«Su líder, ese tal Marston, no se detiene ante nada», les contó la mujer del médico a sus amigas. «Se ha rodeado de asesinos y ladrones. Sus seguidores se irían con él hasta fin del mundo, y sin rechistar. Eso es lo que he oído».

«Elam Salter irá tras ellos aunque tenga que atravesar el mismísimo infierno», dijo un soldado búfalo. «Aunque tenga que adentrarse en territorio indio, donde los kiowas y los comanches tienen sus campamentos; o en México, donde las autoridades no se lo piensan dos veces antes de liquidar a cualquier agente estadounidense, o en el oeste, donde los apaches campan a sus anchas».

Elam Salter se afeita el pelo para que no valga la pena arrancarle el cuero cabelludo. Dicen que todas las semanas se pasa la cuchilla por la cabeza.

Los hombres se acercan ahora a él, tanto los soldados búfalo como los blancos saludan amistosamente al ayudante adjunto. Al contemplarlo desde la ventana, pienso en esos momentos del callejón, cuando me aprisionó con su cuerpo contra la pared, mientras mi corazón latía junto al suyo. «Vete», dijo y me soltó.

De lo contrario, puede que hubiera muerto ese mismo día. O puede que la banda de Marston me hubiera encadenado a la bodega de un barco con rumbo a la Honduras Británica; volvería a ser esclava, perdería mi libertad. Las mujeres del fuerte dicen que raptan a gente: gente de color, mujeres blancas, niñas.

Quiero darle las gracias a Elam Salter por habernos salvado. Pero todo en él me atrae y me asusta al mismo tiempo. Es como una llama hacia la que estiro los dedos, antes de detenerme y apartarlos. Puedo percibir su vigor incluso a través del cristal.

Llaman a la puerta. La esposa del médico ha venido a avisarnos de que no nos entretengamos. El doctor dice que al señor se le acerca la hora.

—Mejor que nos demos prisa —digo, y termino de peinarle el pelo a Juneau Jane—. Tu padre necesita que le demos permiso para marcharse. Recitaremos el versículo de despedida. ¿Te lo sabes?

Juneau Jane asiente, se pone en pie y se alisa el vestido.

—*Hmmm-hmmm... hmmm-hmmm, hmmm-hmmm.* —La señorita Lavinia sigue meciéndose en un rincón. La dejo seguir con ello mientras la vestimos y salimos por la puerta.

—Bueno, deja de hacer ese ruido ya —digo al final—. A tu padre no le hace falta marcharse al otro mundo con más sufrimiento. Por muchas quejas que tengas, sigue siendo tu padre. Calla, anda.

La señorita cesa su melodía, y las tres nos ponemos junto al señor, que tiene un aspecto apacible y respetable. Juneau Jane le toma la mano y se arrodilla en el duro suelo. La señorita se sienta en el taburete sin hacer ningún ruido. El médico ha colgado unas cortinas de muselina alrededor de la cama, así que solo estamos nosotros cuatro en ese extraño e incoloro espacio. Paredes blancas, vigas blancas y sábanas blancas que contrastan con los brazos azul púrpura que yacen flácidos y delgados sobre la cama. Un rostro tan pálido como la ropa de cama.

El aire entra y sale de su interior.

Durante una hora. Y luego dos.

Juneau Jane y yo rezamos el Salmo 23. Le decimos que puede marcharse tranquilo.

Pero él se aferra a este mundo.

Y yo sé la razón. Es por el secreto que todavía guarda dentro. Aquello que lo lleva a adentrarse en mis sueños, pero que se niega a mencionar. Es incapaz de desprenderse de ello.

La señorita empieza a moverse y resulta bastante obvio que necesita ir al retrete.

—Ahora volvemos —digo, y le acaricio el hombro a Juneau Jane mientras me llevo a la señorita. Antes de cerrar las cortinas, la veo inclinarse y apoyar la mejilla sobre el pecho de su padre. Le canta en voz baja una canción en francés.

Un soldado sentado en una de las camas al otro lado de la habitación cierra los ojos y se pone a escuchar la canción.

Llevo a la señorita a que haga sus necesidades, y ahora que lleva vestido, la tarea se complica. Hace calor, y para cuando acaba, estoy sudando. Contemplo el hospital a lo lejos, y el sol y el cálido viento me envuelven. Estoy agotada en cuerpo y alma. Consumida y recubierta de arena.

—Ten piedad —susurro, y llevo a la señorita hasta un áspero banco que está junto a un edificio con un amplio porche. Me pongo a la sombra y me siento a su lado, apoyo la cabeza en la pared y cierro los ojos, acariciando las cuentas de la abuela. El viento abanica los robles y los álamos del valle. Los pájaros trinan no muy lejos de aquí.

La señorita vuelve a hacer ese sonidito, parecido al ruido del eje de un carro, pero en voz muy baja.

—*Hmmm-hmmm...*

La melodía es cada vez más tenue, como si estuviera alejándose, o como si fuera yo la que lo hiciera. *Será mejor que eches un vistazo*, pienso.

Pero no abro los ojos. Estoy cansada. Cansada de viajar y dormir en el suelo e intentar averiguar qué es lo correcto. Suelto las cuentas de mi abuela y apoyo la mano en el regazo. El aire huele a caliche, a las plantas de yuca, con sus peculiares y altos tallos coronados con flores blancas, a los cactus nopales con frutos dulces y rosados, a la artemisa y la estipa que se extiende hasta el lejano horizonte. Floto como si estuviera en el enorme lago del que solía hablarme mi abuela. Llego hasta África, donde la hierba crece roja, marrón y dorada y las cuentas azules vuelven a estar reunidas en un solo cordel, que cuelga del cuello de una reina.

Este lugar es como África. Es el último pensamiento que me viene a la cabeza. Me río con suavidad mientras me alejo por la hierba. *Estoy en África.*

Un toquecito en el hombro me despierta de repente. No he dormido demasiado. Lo sé por la posición del sol.

Elam Salter está frente a mí. Tiene a la señorita agarrada del codo. Ella lleva en la mano un ramo de flores silvestres; ha arrancado algunas con las raíces y todo.

La tierra seca cae al suelo y brilla con la luz del sol. A la señorita le sangra una de las uñas.

—La he encontrado deambulando —dice Elam desde debajo del recortado bigote que le rodea los labios como un marco pero sin el lado de abajo. Tiene la boca bonita. Amplia y seria, y con el labio inferior carnoso. Bajo esta luz, sus ojos tienen el tono dorado del ámbar pulido.

A pesar de fijarme en todo aquello, el corazón me palpita con fuerza, y la cabeza me da tantas vueltas que soy incapaz de retener ninguno de mis pensamientos. Cada agotado centímetro de mi ser cobra vida de golpe, como si me hubiera despertado la pantera que en un primer momento me pareció que era. No sé si echar a correr o quedarme contemplándolo, porque seguramente no volveré a estar nunca tan cerca de una criatura tan hermosa y temible.

—Oh… —Oigo mis propias palabras desde lejos—. No pretendía perderla de vista.

—La zona al otro lado del fuerte es peligrosa para ella —me dice, pero advierto que no quiere contarme los detalles. Deja a la señorita en el banco. Me fijo en que la sienta con suavidad, asegurándose de que las flores no se le aplastan. Es un buen hombre.

Me pongo de pie, estiro mi cuello dolorido e intento reunir todo mi valor.

—Sé lo que ha hecho por nosotras y…

—Mi trabajo —me interrumpe antes de que prosiga—. He hecho mi trabajo. Aunque no tan bien como me hubiera gustado. —Señala a la señorita con la cabeza, como si se echara la culpa de que esté en este estado—. No me enteré de lo que le hicieron hasta que ya fue demasiado tarde. El señor al que buscaban, William Gossett, se había visto envuelto de algún modo con la banda de Marston, y por eso se llevaron a sus hijas. Creí que las retendrían en el embarcadero de Luisiana. Le encargué a un hombre que las liberara en cuanto el *Estrella de Genesee* hubiera zarpado, pero cuando fue a por ellas, habían desaparecido.

—¿Qué querían de él… del señor Gossett? —Intento imaginar al hombre que conocí envuelto en algo semejante, pero no puedo.

—Dinero, propiedades o, en caso de que ya fuera aliado suyo, asegurar su total colaboración. Es así cómo han engrosado los fondos para su causa. A menudo se aprovechan de los miembros más jóvenes de las familias acaudaladas. Algunos son rehenes. Y otros, voluntarios. Algunos empiezan siendo lo primero y acaban convertidos en lo segundo en cuanto les da la fiebre de Honduras. La idea de adquirir tierras sin coste alguno en América Central les resulta tentadora.

Bajo la mirada. Pienso en el problema de la señorita, en el bebé que lleva en el vientre. La cara me arde. Me quedo mirando la tierra de color crema que le recubre las botas.

—¿Es así como la señorita se vio metida en esto? ¿A propósito, primero, antes de que las cosas se torcieran? —¿Debería contarle lo del hermano de la señorita? ¿O ya lo sabe y está poniéndome a prueba? Lo miro de reojo, y veo cómo se alisa el bigote con el pulgar y el índice; deja ahí los dedos, como si esperara que siguiera hablando, pero me quedo callada.

—Es bastante probable. La banda de Marston dedica todo su tiempo y recursos a la causa. La idea de volver a los viejos tiempos y a los reinos del algodón en unas tierras extrañas, donde pueden gobernar a su antojo, les brinda algo en lo que creer, la esperanza de que los días en los que poseían grandes caserones y cuadrillas de esclavos no han acabado. Marston exige lealtad absoluta. Crea antagonismo entre esposas y maridos, entre padres e hijos, entre hermanos. Lo único que importa es que lo sirvan a él, que sigan siendo devotos a la causa. Cuanto más dinero donen, cuanto más dispuestos estén a traicionar a su familia, a su pueblo, a sus vecinos, más alto ascenderán en la organización y más tierras se les prometerán en su colonia imaginaria de Honduras.

Me mira fijamente para ver cómo digiero dicha información.

Un profundo escalofrío me recorre de pies a cabeza.

—El señor William Gossett jamás tomaría parte en algo como esto. Por lo menos, a sabiendas. Estoy convencida de ello. —Pero en el fondo, me pregunto si los viajes a Texas del señor encerraban algo más que yo ignoraba. ¿Por eso han desaparecido todos sus documentos? ¿Pretendía incumplir nuestro contrato, vender las tierras que nos correspondían y marcharse a Honduras también?

Sacudo la cabeza. No puede ser. Su objetivo debía de ser salvar a Lyle.

—En general, no era un mal hombre, pero su amor por su hijo lo cegaba. De la forma más absurda. Habría hecho cualquier cosa por su hijo. Envió a Lyle a Texas para alejarlo de cierto lío en Luisiana que acabó con la vida de un hombre. Y hace unos meses, Lyle volvió a meterse en problemas. Por eso el señor vino hasta aquí. Estaba buscando a su hijo, y esa era la única razón.

Elam Salter me perfora con la mirada, como si pudiera ver a través de mí.

—No estoy mintiendo —digo, y me enderezo.

Elam Salter y yo nos miramos el uno al otro. Soy una chica alta, pero tengo que levantar la cabeza hacia él como si fuera una niña. Una especie de relámpago crepita entre ambos. Noto sus punzadas por toda la piel, como si él estuviera tocándome a través del aire que nos separa.

—Ya sé que no, señorita Gossett. —La forma tan caballerosa de decir mi nombre me desconcierta un poco. Siempre he sido Hannie a secas—. El estado de Texas puso precio a la cabeza de Lyle Gossett por crímenes cometidos en los condados de Comanche, Hill y Marion. Lo entregaron muerto hace seis semanas a la compañía A de los Rangers de Texas en el condado de Comanche, donde fue abonada la recompensa.

Me quedo helada, como si se me hubiera metido un espíritu en el cuerpo.

Lyle está muerto. Su padre ha estado persiguiendo a un alma que ya pertenecía al diablo.

—No quiero saber nada de esto. Nada. El único motivo por el que he venido… la única razón por la que hice lo que hice… fue… fue porque… —Cualquier cosa que diga hará pensar mal de mí a un hombre como Elam Salter. Un hombre que escapó de su dueño y logró la libertad cuando no era más que un niño. Un hombre que se ha convertido en alguien a quien incluso los hombres blancos admiran.

Y aquí estoy yo, Hannie a secas. Hannie Gossett, quien todavía lleva el nombre que le puso su *dueño*. No escogí uno nuevo para no hacer enfadar a la señora. Hannie a secas, viviendo todavía en la cabaña del campo de cultivo, labrando la tierra para ganarme la vida. Una mula. Un buey. Un mero animal de tiro, y no he hecho nada para ponerle remedio. No sé leer más que unas pocas palabras. No sé escribir. He venido hasta Texas y he seguido cuidando a personas blancas, como en los viejos tiempos.

No era nada. No soy nada.

¿Qué debe de pensar un hombre como Elam Salter de mí?

Aprieto los puños sobre el calicó arrugado. Me muerdo el labio inferior e intento, al menos, permanecer erguida.

—Ha sido muy valiente, señorita Gossett. —Desvía la mirada hacia la señorita, que tararea y deshoja, pétalo a pétalo, las flores mientras ve cómo los colores caen al suelo seco y apergaminado—. De no ser por usted, estarían muertas.

—Tal vez no debería haberme metido. Tal vez, debí dejar que sucediera, eso es todo.

—No es de esa clase de personas. —Sus palabras se derriten sobre mi piel como mantequilla dulce. ¿De verdad piensa eso de mí? Intento averiguarlo, pero tiene el rostro vuelto hacia la señorita.

—*Cada uno recoge lo que siembra* —dice con su voz grave—. ¿Va usted a la iglesia, señorita Gossett?

—*No os engañéis. De Dios nadie se burla.* —Conozco el versículo. La señora nos lo decía siempre para hacernos saber que, si nos castigaba, era culpa nuestra, no suya. Dios quería que nos azotasen—. Voy a la iglesia, señor Salter. Pero si lo desea, puede llamarme Hannie. Me parece que, a estas alturas, nos conocemos bastante bien. —Pienso en ese momento en el barco, cuando me agarró de mi zona más íntima para lanzarme por la borda. Debió de ser ahí cuando se dio cuenta de que no era un chico.

Eleva un poco la comisura de la boca, y puede que él también esté pensando en ese momento, pero mantiene los ojos clavados en la señorita.

—Debería llevarla adentro —le digo—. El médico dice que su padre morirá en cualquier momento.

Elam asiente, pero se queda inmóvil.

—¿Tienes idea de a dónde te marcharás cuando todo acabe? —Se acaricia el bigote de nuevo, se frota la barbilla.

—No lo sé. —Es la verdad. Lo único que sé ahora mismo es que no sé qué haré—. Tengo asuntos que atender en Austin.

Me saco las cuentas azules de la abuela del interior del vestido, le cuento lo que estamos haciendo Juneau Jane y yo con *El libro de los amigos perdidos*. Acabo el relato contándole lo que me dijo el irlandés de la niña blanca que vio en el café.

—No creo que signifique nada. Puede que encontrara las cuentas, o tal vez la historia ni siquiera es cierta… me la contó un ladrón de caballos irlandés. Pero no puedo marcharme sin estar segura. Debo comprobarlo antes de irme de Texas. Antes he estado pensando que podría quedarme por la zona, seguiré viajando con el libro, buscaré a los míos, difundiré los nombres de los amigos perdidos, anotaré más nombres, preguntaré en todas partes, por todas esas personas y por mí. —No le digo que no he sido yo quien ha escrito los nombres ni que solo sé leer un poco. Elam es un hombre culto. Digno y orgulloso. No quiero que me considere inferior.

Pienso otra vez en *El libro de los amigos perdidos*, en los nombres que hay anotados en él y en las promesas que hicimos.

—Puede que vuelva a Texas en uno o dos años y viaje con el libro entonces. Ahora ya conozco el camino. —Miro a la señorita, es como un saco lleno hasta arriba atado a mi espalda. ¿Quién narices cuidará de ella?—. A pesar de todo lo que ha hecho, no puedo abandonarla en este estado. Y tampoco puedo dejar que Juneau Jane cargue con ella. Todavía es una niña, y está sufriendo por la pérdida de su padre. Y no quiero que se quede sin su herencia. Teníamos la esperanza de encontrar los documentos de su padre para demostrar que le correspondía una parte, pero el médico dijo que el señor Gossett llegó al fuerte sin nada.

—Escribiré a la cárcel de Mason para ver si puedo averiguar dónde están su silla y sus efectos personales y le pediré a alguien que os acompañe a Austin para tomar el tren hacia el este. Estamos a punto de atrapar a Marston y sus hombres, y ellos lo saben. Harán todo lo posible para mantener viva su causa y querrán deshacerse de todos aquellos que pudieran testificar en su contra, en caso de que los detengan. Las chicas podrían confirmar la identidad del teniente y tal vez de otros, al igual que tú. Es mejor que os marchéis de Texas.

—Te estaríamos muy agradecidas. —El viento sacude las hojas de los árboles y sus sombras, junto con el sol, hacen que su piel luzca clara y oscura y sus ojos, marrones y luego dorados de nuevo. El silencio se apodera de mi cabeza. Todo desaparece a mi alrededor—. Ten cuidado con esos hombres, Elam Salter. Ten mucho cuidado.

—Las balas no me alcanzan. Eso dicen por ahí. —Sonríe un poco y pone una mano en el brazo. Su caricia me atraviesa y se posa en lo profundo de mi vientre, en un lugar nuevo para mí. Me balanceo un poco, parpadeo y veo cómo las sombras se arremolinan. Abro la boca para decir algo, pero soy incapaz de mover la lengua. Ni siquiera sé qué decir.

¿Siente él también este viento que nos rodea bajo el calor veraniego?

—No tengas miedo —susurra, y entonces se da la vuelta y desaparece por la callejuela, dando las largas y uniformes zancadas de un hombre que ha encontrado su lugar en el mundo.

No tengas miedo, pienso.

Pero lo tengo.

AMIGOS PERDIDOS

Señor editor:

Deseo preguntar por mi familia paterna. Mi abuelo es Dick Rideout y mi abuela, Peggy Rideout. Pertenecían a Sam Shags, de Maryland, a 20 kilómetros de Washington. Tuvieron 16 hijos: Betty, James, Barbary, Tettee, Rachel, Mary, David, Henderson, Sophia, Amelia, Christian, Ann. Mi padre es Henderson Ripeout [*sic*]. Fue vendido, huyó, lo atraparon y volvieron a venderlo a un comerciante de esclavos en 1844, que lo llevó a Nueva Orleans y lo vendió en Misisipi. Vi a la tía Sophia en 1866; por aquel entonces vivía en Claiborne, Columbia, Misuri. Estoy en Columbia, Misuri.

David Rideout

—Columna de los «Amigos perdidos»
del *Southwestern*
25 de noviembre de 1880

Capítulo 26

Benny Silva – Augustine, Luisiana, 1987

Tuerzo en la entrada de Goswood Grove. El césped está recién cortado, lo que indica que Ben Rideout ha venido a trabajar más temprano de lo habitual. Aminoro la marcha para dirigir al Bicho a la puerta izquierda, que se queda abierta la mayor parte del camino, moviéndose un poco con la brisa. La derecha se ha cerrado, como si no supiera muy bien si quiere que entre o no. Los goznes chirrían mientras se agitan indecisos.

Debería salir del coche y abrirla, pero en cambio, aprieto el acelerador y paso disparada. Estoy demasiado histérica como para detenerme, y no puedo sacudirme la sensación de que, antes de que terminemos lo que hemos venido a hacer, aparecerá alguien e intentará echarlo todo al traste: los tíos de Nathan, una delegación de miembros de la junta escolar, el director Pevoto intentando meterme en cintura, o Redd Fontaine haciendo una ronda de vigilancia en su coche de policía. Este pueblo es como un perro viejo con mal carácter. Lo hemos acariciado en el lugar equivocado y le hemos tocado las narices. Si lo dejamos en paz para que vuelva a echarse la siesta, puede que deje que me quede, pero se ha asegurado de hacerme saber que, si no es así, no le importará darme un mordisco.

Las llamadas de teléfono no han disminuido. Fontaine ha seguido con sus paseos frente a mi casa. Esta mañana, cuatro hombres en un Suburban han aparecido por el cementerio para echar un vistazo; se han puesto a hablar, a asentir con la cabeza y a señalar los límites de propiedad, incluyendo los que rodean mi casa y el patio trasero.

Me da a mí que dentro de nada me van a mandar un bulldozer y una notificación de desahucio... pero la propiedad pertenece a Nathan, y él me aseguró que no piensa venderla. ¿Es posible que el acuerdo haya progresado hasta el punto de que ya no haya marcha atrás? No tengo forma de saberlo. Ha pasado más de 24 horas bregando con los retrasos de los vuelos y el cierre de los aeropuertos debido a la oleada de tornados en el centro del país. Al final, alquiló un coche para volver a casa y no ha tenido ni un minuto para parar frente a una cabina de teléfonos y ponerme al día.

Siento una oleada de alivio cuando veo su coche, un pequeño Honda azul, aparcado en la entrada; o por lo menos, sospecho que es el coche que ha alquilado. Paso de largo y aparco al Bicho detrás de la casa, donde es imposible verlo desde la carretera. Es mi tercer día de permiso involuntario del trabajo. Les han contado a mis alumnos que tengo la gripe. Lo sé porque Yaya T, las señoras del club del Nuevo Siglo y Sarge me han llamado para ver cómo estoy. He dejado que salte el contestador todas las veces, ya que no sé qué decir. Estoy enferma, pero lo que me duele es el alma.

Espero que sea cual sea la información que ha descubierto Nathan, tenga el poder de mover montañas, porque eso es precisamente lo que necesitamos: un milagro que le dé la vuelta al marcador en el tiempo de descuento. Mis alumnos se merecen ganar y comprobar que su esfuerzo y su ingenio han valido la pena.

—Pues ya hemos llegado —le digo al Bicho, y permanezco un momento sentada a solas. Ambos hemos recorrido un largo camino desde que dejamos los sagrados pasillos del Departamento de Literatura de la universidad. Ya no soy la misma persona. Pase lo que pase, este lugar, esta experiencia, me ha cambiado. Pero no puedo apoyar un sistema que les dice a los alumnos que son insignificantes, que nunca serán nada en la vida... un sistema que considera que el hecho de conseguir que los alumnos permanezcan sentados frente a sus pupitres es un logro monumental. Se merecen la misma oportunidad que me dieron a mí mis amigos y mentores, para que vean que la vida que uno se forja puede ser completamente diferente de la que partió. Tengo que encontrar la manera. No pienso darme por vencida. Los que se dan por vencidos no construyen cosas mejores. Los que se dan por vencidos no ganan este tipo de guerras. *No pierdes hasta que dejas de luchar*, me digo a mí misma.

Nathan está profundamente dormido en el asiento del conductor con las ventanas bajadas. Va vestido con lo que mentalmente he catalogado como el atuendo azul: vaqueros azules con camisa azul chambray. Lleva el pelo despeinado, aunque dormido, tiene el aspecto de un hombre que está en paz con todo. Sé que no es así. Le resulta increíblemente duro estar aquí. La última vez que pisó esta casa fue la última vez que vio a su hermana con vida. Pero ambos sabemos que esta visita no puede esperar.

—Hola —digo, y se da tal susto que golpea el volante con el codo y el claxon suena. Me pongo la mano en el cuello y miro alrededor de forma nerviosa, pero no hay nadie que pueda haberlo oído.

—Hola. —Me ofrece una sonrisa torcida llena de desazón al tiempo que se vuelve hacia mí—. Lo siento —me dice, y me sorprende lo mucho que he echado de menos su voz. Abre la puerta y sale del pequeño coche, y entonces me doy cuenta de lo mucho que lo he echado de menos a él.

—Has conseguido llegar. —Me cuesta mantener mis emociones bajo control, pero sé que es necesario—. Pareces cansado.

—Tomé el camino largo. —Y así sin más me acerca a él y me da un abrazo. No se limita a pasarme el brazo por los hombros, es un abrazo de verdad, de los que le das a alguien en quien has pensado mientras estabas fuera.

Al principio me pilla por sorpresa. No esperaba… en fin… *eso*. Sino más bien el incómodo tira y afloja que solemos llevar a cabo normalmente. ¿Somos amigos… o dos personas que quieren algo más? Nunca estamos del todo seguros. Pero esto parece distinto. Meto los brazos por debajo de los suyos y me aferro a él.

—¿Lo has pasado mal estos días? —susurro, y él apoya la barbilla en mi cabeza. Escucho los latidos de su corazón y siento el calor abrasador de dos pieles que se encuentran. Contemplo la maraña de glicinas y ramas de mirtos de crepé que recubren las antiguas construcciones de los una vez espectaculares jardines de Goswood Grove, y ocultan cualquier secreto que conozcan.

—Me parece que todos lo hemos pasado mal —dice Nathan finalmente—. Deberíamos entrar. —Pero permanece en la misma posición un poco más.

Nos separamos lentamente, pero la siguiente fase parece de repente desconocida. No sabría cómo catalogarla. Tan pronto nos encontramos totalmente cómodos en presencia del otro como nos colocamos a un metro de distancia y nos retiramos a nuestras zonas de seguridad.

Se detiene al llegar a la mitad del porche, se da la vuelta y ensancha los hombros, como si estuviera a punto de recoger algo que pesa mucho. Se cruza de brazos, ladea la cabeza y me mira, con un ojo casi cerrado.

—¿Qué somos el uno para el otro?

Me quedo ahí plantada un momento con la boca abierta antes de tartamudear:

—¿En... en... qué sentido?

Estoy aterrorizada, por eso no respondo directamente. Para embarcarse en una relación hay que contar la verdad, y eso siempre entraña riesgos. Una parte antigua e insegura de mí dice: *Eres una manzana podrida, Benny Silva. Alguien como Nathan nunca lo entendería. No volverá a mirarte de la misma manera.*

—Tal y como suena —dice—. Te he echado de menos, Benny, y me prometí a mí mismo que esta vez te lo preguntaría. Porque... bueno... cuesta entenderte.

—¿Que cuesta entenderme? —Nathan ha sido en gran parte un misterio que he ido resolviendo poco a poco—. ¿A mí?

Ignora mi intento por cambiar de tema.

—En fin, Benny Silva, ¿somos... amigos... o somos...? —La frase flota en el aire, inacabada. Una pregunta en la que hay que llenar el espacio en blanco. Esas son mucho más difíciles que las de opción múltiple.

—Amigos… —Busco la respuesta correcta, una que no sea muy presuntuosa, sino veraz—. ¿Que vamos camino de convertirnos en algo más… a nuestro propio ritmo? Eso espero.

Me siento desnuda frente a él. Asustada. Vulnerable. Y potencialmente indigna de su interés en mí. No puedo cometer los mismos errores que he cometido en el pasado. Hay cosas que tengo que contarle. Es lo justo, pero ahora no es el momento ni el lugar para ello.

Apoya las manos en las caderas, deja caer la cabeza hacia delante y deja escapar un suspiro que parece haber estado conteniendo.

—Vale —dice, conforme. Su mejilla se contrae, alza una de las comisuras de su boca—. Me conformo con eso.

—Yo también —convengo.

—Pues hay trato. —Nathan me guiña un ojo, se vuelve y se dispone a entrar en la casa, satisfecho—. Ya hablaremos de los detalles más tarde.

Floto tras él, invadida por un sentimiento de anticipación que nada tiene que ver con nuestros planes de hoy. Estamos adentrándonos en un mundo nuevo… en más de un sentido. Nunca he estado en la puerta delantera de Goswood Grove. De hecho, no he pisado otra parte de la casa que no sea la cocina, la antecocina, el comedor, el salón y la biblioteca. No es que no me haya sentido tentada durante mis visitas, pero me he propuesto respetar la fe que Nathan ha depositado en mí. En otras palabras, me he propuesto no fisgonear.

La entrada es suntuosa e impresionante. La he visto a través de las ventanas, pero al situarnos en las raídas alfombras persas, parecemos insignificantes en comparación con las colosales paredes forradas y los murales de los techos arqueados. Nathan levanta la mirada, con la espalda rígida y las manos apoyadas en la cintura.

—Casi nunca entraba por aquí —murmura. No sé si habla conmigo o si simplemente está llenando el silencio—. Pero te di la única llave que tenía de la puerta trasera.

—Ah.

—El juez tampoco solía entrar por aquí. —Se ríe un poco—. Qué curioso, es una de las cosas que recuerdo de él. Le gustaba usar la puerta de la cocina. Y pescar algo de comida de camino. Dicey siempre dejaba preparados bizcochos, pan o cosas así. Y el tarro lleno de galletas.

Pienso en las latas de cristal cuadradas de la cocina y me las imagino repleta de mazacotes.

—Pastas de té. —Nathan modifica mi imagen mental.

Las pastas de té parecen más apropiadas para un lugar como este. Cada centímetro de la casa refleja lo que fue durante su juventud. Un regalo para la vista. Grandiosa, opulenta y extravagante. La casa es ahora una anciana. Una cuya estructura ósea sigue mostrando lo encantadora que fue una vez.

No me imagino viviendo en un lugar como este. Y por la expresión de Nathan, diría que él tampoco. Se frota la nuca como siempre hace cuando piensa en Goswood Grove, como si cada ladrillo, viga, ménsula y piedra fuera una carga.

—Es que… todas estas cosas me dan igual, ¿sabes? —continúa hablando mientras nos acercamos al pie de las escaleras dobles que se enroscan en direcciones opuestas como hermanas gemelas—. Nunca tuve el mismo vínculo con la casa que Robin. El juez se revolvería en su tumba si supiera que fui yo quien terminó quedándosela.

—Lo dudo. —Reflexiono sobre las historias que he oído del abuelo de Nathan. Creo que, en cierto modo, le incomodaba la posición que tenía en el pueblo, le costaba lidiar con las desigualdades que había, con la naturaleza de las cosas, incluso con la historia de estas tierras y esta casa. Lo atormentaba, y aun así no estaba preparado para librar esa batalla a lo grande, así que lo compensó con pequeños gestos, haciendo cosas por la comunidad, por aquellos que se habían desviado del camino, comprando libros de subastas benéficas y enciclopedias a los críos que trabajaban para pagarse la universidad o un coche. Ocupándose de LaJuna cuando venía aquí con su tía abuela.

—Creo de veras que confiaría en las decisiones que tomaras, Nathan. Personalmente, creo que querría reconocer por fin la historia de Goswood Grove y la historia de este pueblo.

—Eres una luchadora, Benny Silva. —Me pone una mano en la mejilla y me sonríe—. Me recuerdas a Robin. Al juez no sé, pero a Robin le habría encantado tu proyecto. —Se emociona al pronunciar las palabras, aprieta los labios, traga saliva con fuerza y se sacude la pesadumbre de encima casi como disculpándose, mientras apoya la mano en la gastada barandilla—. Le habrías caído bien.

Siento como si Robin estuviera aquí con nosotros, la hermana a la que tanto quería y cuya pérdida tanto le duele. Siempre he querido tener una hermana.

—Ojalá la hubiera conocido.

Vuelve a tomar aire y luego hace un gesto hacia el descansillo, como invitándome a ir por delante.

—Mi madre me contó que, fuera lo que fuera lo que Robin tenía entre manos, se había documentado mucho; había estado investigando y recopilando documentos, aunque se los guardó para ella. Era algo relacionado con la casa y con algunas cosas que descubrió al leer los archivos y los diarios del juez. No encontraste ningún documento de ese tipo en la biblioteca, ¿no? De Robin o del juez.

—Nada que no te haya enseñado ya. Desde luego, nada reciente. —Una oleada de interés brota en mi interior. Daría lo que fuera por mantener una conversación con Robin.

Aunque probablemente una sola no habría sido suficiente.

Por fin veo una foto suya, en la planta de arriba, en su habitación. No es una foto de cuando era pequeña, como los retratos descoloridos del salón de abajo, sino una de adulta. El marco de madera reposa en el delicado escritorio de patas finas y presenta la imagen de una mujer sonriente con el pelo rubio. Tiene el rostro pequeño y estrecho. Sus ojos verde azulados parecen acaparar la fotografía. Son unos ojos cálidos y hermosos. Los ojos de su hermano.

Está en un barco camaronero con Nathan, que era entonces un adolescente y aparece al fondo. Ambos están riendo mientras ella sostiene una caña de pescar con el hilo totalmente enredado.

—El barco era de mi tío. —Nathan me mira por encima del hombro—. Por parte de madre. Su familia no tenía dinero, pero, madre de Dios, su padre y sus tíos sabían cómo divertirse. De vez en cuando, nos acoplábamos al barco e íbamos adonde iban ellos. Escribíamos alguna carta, si podíamos. Atracábamos en diferentes sitios y nos quedábamos un día o dos. El abuelo y sus hermanos conocían a todo el mundo y estaban emparentados con la mitad de la gente de por allí.

—Parece que os lo pasasteis muy bien. —Vuelvo a imaginármelo: el barco camaronero, la otra vida de Nathan. Sus vínculos con la costa.

—Pues sí. Aunque cuando volvíamos al pantano, mamá no aguantaba demasiado por allí. A veces las personas están acostumbradas a su lugar de origen y al modo en que fueron criados. Se casó con un hombre rico que era quince años mayor que ella, y siempre tuvo la impresión de que ambas partes la criticaban por ello, que la tomaban por una cazafortunas y cosas así. No supo cómo gestionar aquello y acabó marchándose. Asheville le proporcionó un escenario artístico, una especie de nueva identidad, ¿sabes?

—La verdad es que sí. —Más de lo que puedo expresar. Cuando me marché de casa, borré todo mi pasado, o al menos lo intenté. Augustine me ha enseñado que el pasado nunca te abandona. Lo que importa es cómo lidias con él: o huyes o aprendes.

—No me resulta tan difícil como creí que iba a ser..., volver aquí —dice Nathan, pero la rigidez de sus gestos parece decir lo contrario—. Aunque no sé qué es lo que estamos buscando. Y si te digo la verdad, sea lo que sea, puede que ya no esté aquí. Después de que Robin muriera, Will, Manford y sus esposas e hijos se colaron aquí y se llevaron casi todo lo que quisieron.

A pesar de que Robin lleva muerta dos años, el hecho de que estemos registrando su habitación me resulta tremendamente invasivo.

Sus cosas siguen estando aquí. Revisamos a conciencia los cajones, las estanterías, el armario, la caja del rincón y una vieja maleta de cuero. Da la impresión de que alguien ha husmeado entre sus cosas con anterioridad y lo ha vuelto a dejar todo sin orden ni concierto.

No encontramos nada importante. Extractos de sus tarjetas de crédito y medicamentos, cartas de amigos, notitas alegres, folios en blanco, un diario con un cerrojo pequeñito y dorado en la parte de delante. Está abierto, y la llave todavía descansa entre sus páginas, pero cuando Nathan lo hojea, lo único que encuentra es la lista de lecturas de Robin, junto con sus citas favoritas, un resumen de cada libro y las fechas en las que empezó y terminó los volúmenes. A veces, leía varios libros a la semana. Desde clásicos y wésterns hasta ejemplares de ensayo y las ediciones condensadas del *Reader's Digest* de las cajas de abajo.

—Tu hermana era una bibliófila de cuidado —comento, mirando por encima del hombro a Nathan.

—Lo heredó del juez —responde él. Dentro del diario, también hay una lista de las partidas de billar que se jugaron en la antigua mesa Brunswick de la biblioteca, una especie de torneo entre abuelo y nieta que se llevó a cabo durante el último año de vida del juez—. Se parecían mucho.

El cajón del escritorio se inclina hacia delante cuando Nathan lo abre para volver a guardarlo todo. Una bola blanca de billar rueda hasta la parte de delante, golpea el suelo y empieza a moverse, según parece, por propia voluntad. Nathan y yo la vemos zigzaguear sobre el irregular suelo de madera, primero en una dirección y luego en otra, captando el sol y reflejando unas lucecitas de colores antes de desaparecer finalmente por debajo de la cama.

Los hombros se me sacuden de forma involuntaria.

Nathan cruza la habitación, levanta el faldón de la cama y mira debajo.

—Solo hay unos cuantos libros. —Los saca dándoles golpecitos con los dedos.

El cajón del escritorio se niega a cerrarse. Me agacho para examinar el problema y volver a meter la caja en las guías. El triángulo y las demás bolas de billar están encajadas en la parte trasera, provocando que el cajón se desplace de forma desigual. Los años que he pasado rescatando reliquias de tiendas de segunda mano me han conferido una habilidad especial para manipular muebles antiguos, y tras hurgar un rato, todo vuelve a su debido sitio.

Al darme la vuelta, veo a Nathan sentado en el suelo junto a la cama con dosel de madera de cerezo. Está apoyado en el faldón y tiene las piernas abiertas y extendidas. Parece haberse desplomado allí mismo, perdido entre las páginas del libro infantil *Donde viven los monstruos*.

Abro la boca para preguntarle si era suyo, pero su expresión distante es respuesta suficiente. Ahora mismo, no soy yo la que está con él en la habitación. Hay un fantasma a su lado y ambos están leyendo el libro juntos. Como han hecho tantas otras veces en el pasado.

Me lo quedo mirando y durante un momento puedo verla a ella: a la mujer de la fotografía. Está hojeando el libro. Este se abre por la mitad, con las páginas totalmente planas. Nathan saca un sobre y un pequeño taco de fotos, y se apoya el libro en el regazo.

Me acerco silenciosamente mientras él deja las fotos, una a una, en el suelo.

Fotografías de cuando eran bebés. Del primer día de clase, de las vacaciones. De un viaje a la nieve en familia. La madre de Nathan, una rubia alta, lleva un mono térmico de color rosa. Es tan guapa como una supermodelo. Robin debe de tener unos diez años y Nathan es un niño pequeño. El padre de Nathan, ataviado con un caro atuendo para la nieve, tiene a Nathan agarrado del codo. Está sonriendo, y su rostro se halla desprovisto de las cejas caídas y las profundas líneas de expresión que tan evidentes resultan en Will y Manford, sus hermanos mayores. Él parece feliz. Tranquilo.

Nathan abre el sobre a continuación. Leo la carta que hay dentro sobre su hombro.

Nathan:

Sabía que no serías capaz de resistirte a este libro.

Mamá tenía estas fotos desperdigadas por sus cajas de material. Ya sabes lo sentimental que es. Pensé que lo mejor sería llevármelas y guardarlas para ti. De esa manera, al menos sabrías cómo eras de pequeño. Eras un renacuajo encantador, aunque un poco pesado a veces. Tenías la costumbre de acribillarnos a preguntas hasta que a mamá y a mí nos entraban ganas de taparte la boca con celo. Cuando te pregunté por qué hacías tantas preguntas, tú me dedicaste una mirada totalmente genuina y respondiste: «Para saberlo todo, igual que tú».

Pues bueno, hermanito, sorpresa, sorpresa: no lo sé todo, pero sí sé que te has convertido en un gran hombre. Todos los quebraderos de cabeza que nos diste valieron la pena. Tienes la cabeza bien amueblada. Si estás leyendo esta carta, lo más probable es que me haya marchado sin haber respondido a unas cuantas preguntas.

Todo este año, desde que el abuelo Gossett murió, he estado trabajando en un proyecto. Siempre me dio la sensación de que ocultaba un secreto, algo que quería contarnos, pero que era incapaz. Por si acaso no estoy y alguien registra la biblioteca antes que tú... ya sabes a quién me refiero... quiero asegurarme de que recibes la información. Cuando la veas, sabrás el motivo. Si no encuentras mis documentos en la biblioteca, ve al banco. He guardado una copia de casi todo en una de las cajas de seguridad. La puse a tu nombre y pagué la cuota de alquiler a largo plazo, de modo que estará esperándote solo a ti.

Ahora depende solo de ti, Nat. Lo siento. Tendrás que decidir qué hacer con ello. Odio dejarte esta carga, pero tomarás la decisión correcta, sea cual sea.

Igual que dijo el autor de este libro (que me obligaste a leerte una y otra vez hasta que acabé hasta el gorro) antes de

morir: «Ahora no puedo más que elogiar mi vida. El mundo
alberga cosas maravillosas que tendré que dejar atrás cuando
muera, pero estoy listo, estoy listo, estoy listo».

Busca esas cosas maravillosas, hermano. Cada vez que
llores mi pérdida, me encontraré muy lejos. Pero cuando
celebres mi vida, estaré justo a tu lado, bailando.

Cuida de mamá. Es una mujer peculiar, pero ya sabes cómo
somos los artistas. Marchamos con música propia.

Con amor,
Robin

Hay una llave pegada con celo en el interior de la contraportada del libro. Nathan la sostiene y la contempla.

—Típico de ella. Es tan típico de ella. —Sus palabras rebosan ternura; apoya el brazo sobre una rodilla y deja que la carta se quede colgando. Se pasa un rato mirando por la ventana, contemplando las nubes blancas que han llegado del sur. Finalmente, se seca las lágrimas, deja escapar una risa compungida y dice—: Me ha dicho que no llore.

Me siento en el borde del colchón y espero hasta que recupera la compostura y vuelve a meter las fotos en el libro; luego lo cierra y se pone en pie.

—¿Se te ocurre algún lugar de la biblioteca donde pudieran estar los documentos de mi hermana?

—La verdad es que no. He registrado la habitación a fondo estas últimas semanas.

—Pues entonces tenemos que pasarnos por el banco.

Se detiene en la puerta y le dedica a la biblioteca una última mirada. El aire silba entre la puerta y el marco al cerrarla. Acto seguido, se oye un leve retumbo: el inconfundible sonido de la bola blanca de billar mientras vuelve a rodar por el suelo. Golpea el otro lado de la puerta y yo doy un brinco.

—Es una casa muy vieja. —Una tabla del suelo chirría cuando Nathan retrocede. La bola blanca se aleja de la puerta.

Bajamos las escaleras y me sorprendo a mí misma mirando por encima del hombro y pensando: *¿Por qué metería Robín las bolas de billar en el cajón?* Es verdad que en la biblioteca no hacen falta. La mesa de billar estaba cubierta cuando llegué y apilada con libros.

La mesa de billar...

Capítulo 27

Rezo para que dondequiera que esté, Elam Salter sea tan duro como dicen los demás. Como dice él mismo.

Espero que no lo maten. Nunca.

Recopilo las historias que los soldados me cuentan sobre él y construyo un refugio igual que haría un gato entre la paja de un granero en una fría noche de invierno.

Le volaron dos veces el sombrero de la cabeza con un disparo.

Un caballo cayó sobre él tres veces.

Detuvo al forajido Dange Higgs él solo.

Localizó al mestizo Ben John Lester en territorio indio tras cruzarse Kansas. Elam Salter sigue mejor que nadie los rastros.

Las historias me consuelan cuando veo al señor abandonar este mundo, y durante los días posteriores de luto y llanto, cuando lo enterramos e intentamos averiguar si la señorita entiende lo que ha pasado. Durante el entierro, la señorita se recuesta sobre la tumba junto a Juneau Jane y deja escapar un lloriqueo.

Son días extraños y tristes, y ansiamos con todas nuestras fuerzas dejarlos atrás.

Cuando todo acaba finalmente, la señorita, Juneau Jane y yo nos marchamos por el camino que se extiende junto al río San Saba

en un carro tirado por mulas del ejército; nos acompañan el cochero y tres soldados a caballo. Tras dejarnos en Austin, recogerán un
cargamento de armas y lo llevarán al fuerte, o eso es lo que nos han
dicho.

Los tres soldados montan relajados, riendo y charlando, y con
las armas enfundadas. No muestran ningún signo de preocupación
ni interés. Escupen trozos de tabaco, bromean entre ellos y hacen
apuestas para ver quién escupe más lejos.

El cochero va también relajado, observando el paisaje, y no parece estar atento a los posibles peligros del camino.

Juneau Jane y yo intercambiamos miradas preocupadas. Tiene
los ojos hinchados y rojos de tanto frotárselos. Está llorando tanto,
que me pregunto si sobrevivirá a todo esto. No hace más que volverse hacia atrás para echar un último vistazo a la tierra donde
hemos enterrado a su padre. No descansará en paz en un lugar tan
alejado de Goswood Grove. Juneau Jane quería llevárselo a casa
para enterrarlo allí, pero no ha podido ser. Nosotras mismas hemos
tenido que recurrir a la bondad de unos desconocidos para poder
volver. Y también para enterrar al señor. En el pasado, era un hombre que poseía más de 1500 hectáreas de terreno y ahora, descansa
bajo una sencilla cruz de madera con su nombre escrito en ella.
Incluso tuvimos que hacer conjeturas sobre su fecha de nacimiento
exacta. Juneau Jane y yo no estamos seguras, y la señorita no puede
decírnosla.

Empieza a llover ligeramente, por lo que cerramos las cortinas
del carro, permanecemos sentadas y dejamos que las ruedas sigan
traqueteando kilómetro tras kilómetro. Al cabo de un rato, oigo
que los hombres saludan a alguien a lo lejos. Se me eriza el vello de
la nuca, me pongo de rodillas y levanto la lona. Juneau Jane se pone
a mi lado.

—Quédate ahí atrás y vigila a la señorita —le digo, y eso hace.
Estas últimas semanas nos han convertido en algo más que medio
primas. Ahora creo que soy su hermana.

El hombre vuelve a aparecer como un fantasma, como si formara parte de la tierra, igual que las hierbas marrones y doradas y

los cactus nopales. Va a lomos de un caballo bayo oscuro y guía a otro que lleva una montura mejicana con el asiento de cuero manchado de sangre reseca.

Se me acelera el corazón, abro las cortinas del carro y miro a Elam Salter de arriba abajo para asegurarme de que la sangre no es suya. Ve las dudas en mis ojos mientras se acerca al carro.

—He salido mejor parado que el otro hombre.

—Me quedo más tranquila. —Le sonrío ampliamente y apenas dedico un pensamiento al hombre que cayó muerto de la otra silla. Si fue Elam quien lo mató, eso significa que era un hombre que se dedicaba a hacer el mal.

—Esperaba poder llegar antes de que se marcharan. El trabajo se me complicó un poco. —Elam Salter apoya el codo en el borrén de su silla. Está empapado y salpicado de barro. Varios regueros de espuma seca recorren el cuello de los caballos. Elam afloja las riendas y el pobre y exhausto animal agacha la cabeza e inhala profundamente.

»Quería que supieran que hemos capturado al cabecilla —dice y alterna la mirada entre Juneau Jane y yo—. Marston está encarcelado en Hico, será juzgado por sus crímenes y colgado. Espero que eso alivie la carga de su pérdida de alguna manera. —Vuelve a mirar a Juneau Jane y a la señorita—. Iremos tras el resto de sus tenientes y oficiales superiores, pero sin Marston, muchos perderán la fe en su causa y se marcharán a la frontera o a México. Su líder no mostró una actitud demasiado valiente. Lo sacamos de un granero, donde estaba escondido como una rata. No hizo falta ni un disparo para capturarlo.

Juneau Jane sorbe por la nariz y asiente, se santigua y baja la mirada hacia sus manos, apoyadas en el regazo. Una lágrima corre por su mejilla y dibuja un circulito en la parte delantera de su vestido.

Ardo de ira. De una forma muy profana.

—Me alegro. Me alegro de que lo vaya a pagar. Y de que hayas vuelto sano y salvo.

Esboza una sonrisa y su grueso bigote se alza.

—Lo prometido es deuda, señorita Gossett. Lo prometido es deuda.

—Hannie —le digo—. Te dije que me llamaras por mi nombre, ¿te acuerdas?

—En efecto. —Inclina el sombrero y se marcha a hablar con los hombres.

Su sonrisa me acompaña durante el día y permanece conmigo hasta la noche. Lo veo alejarse del carro y desaparecer sobre las colinas. De vez en cuando, lo atisbo en el horizonte. Me siento más segura sabiendo que está ahí.

Sin embargo, cuando nos detenemos para acampar, la inquietud se apodera de mí otra vez. Los animales se agitan en sus piquetes, sacuden la cabeza y las orejas. Juneau Jane agarra el cabestro de uno de ellos y le acaricia la nariz.

—Están percibiendo algo —dice.

Pienso en los indios y las panteras y los coyotes y los lobos grises mexicanos que aúllan en las praderas por la noche. Me acerco la vieja bolsa de la señorita y noto el peso de la Derringer en el interior. Me reconforta, aunque no demasiado.

Elam Salter aparece en el campamento y eso me reconforta aún más.

—Permanezcan entre las rocas y el carro —nos dice, y se pone a hablar en voz baja con los hombres al otro lado del carro. Observo que mueven las manos y el cuerpo, señalando, mirando.

Uno de los soldados cuelga una manta entre dos cedros para que podamos hacer nuestras necesidades y otro prepara la cena con la estufita del carro.

Esa noche, Elam se guarda sus sonrisas y sus charlas amistosas.

Cuando nos acostamos, vuelve a desaparecer. No sé a dónde va o si duerme siquiera. La oscuridad simplemente lo devora. No vuelvo a oírlo o a verlo después de eso.

—¿Qué está buscando? —pregunta Juneau Jane mientras nos acomodamos en una tienda con la señorita entre nosotras. Me ato el tobillo al de la señorita, por si acaso le da por pasearse por ahí… o yo me pongo a deambular en sueños.

La señorita se queda dormida en cuanto se recuesta sobre la manta.

—No lo sé. —Me parece oler humo en el viento. Solo una pizca, pero luego ya no estoy tan segura. Nuestra estufa lleva horas apagada—. Pero no creo que nos pase nada. Hay cinco hombres cuidando de nosotras. Y tú y yo nos hemos visto en situaciones peores. —Pienso en el pantano, cuando no sabíamos si viviríamos hasta la mañana siguiente—. Al menos, no estamos solas.

Juneau Jane asiente, pero la luz del farol que se filtra a través de la tela ilumina sus lágrimas.

—He abandonado a mi padre. Está solo.

—Ha pasado al otro lado. Ya no está dentro de ese cuerpo —le digo—. Duérmete.

Me tapo con la manta, pero no encuentro reposo.

Finalmente, el sueño acude a mí como un río seco en verano, con un débil reguero que se separa alrededor de las rocas, las ramas caídas y las raíces de los árboles, y se divide más y más hasta que, por la mañana, es tan ligero como las gotas de rocío matutino que caen de forma perezosa sobre la tienda de los soldados.

Al levantarme, me parece oler humo otra vez, pero el fuego de la estufa apenas es suficiente como para calentar café, y el viento sopla en dirección contraria.

La mente te está jugando una mala pasada, Hannie, me digo a mí misma, pero me aseguro de que las tres nos levantamos y vamos a hacer nuestras necesidades juntas. La señorita quiere recoger unas grandifloras que hay por allí, pero yo no la dejo.

Elam Salter viene de donde sea que haya pasado la noche. Parece que no ha pegado ojo. Está pendiente de algo, pero no dice de qué.

Desayunamos galletas saladas, sumergiéndolas en nuestras tazas para ablandarlas. La señorita protesta y escupe la suya.

—Luego tendrás hambre —le digo—. Tienes que comer por...
—Me interrumpo antes de decir: *Por el bebé*, y me trago las palabras.

Juneau Jane me mira a los ojos. La barriga no tardará en empezar a notársele. La señorita debería visitar a un médico, pero si no vuelve en sí pronto, cualquier médico al que la llevemos querrá enviarla al manicomio.

Cuando nos ponemos en marcha, Elam orienta su caballo colina arriba. Lo veo con su catalejo mientras en el cielo despunta un amanecer del color de las brasas. Rosa rojizo y anaranjado, bordeado con un dorado tan intenso que sigues viéndolo incluso al parpadear. El cielo se extiende desde una punta de la tierra a la otra. Elam y el caballo parecen encontrarse como en casa plantados frente a ese fuego, en medio de esa amplitud. Nuestro carro rodea la colina, se tambalea a través de una zona irregular y Elam desaparece poco a poco.

Miro por ambos lados del carro para intentar no perderlo de vista, pero no tarda en escabullirse y no volvemos a verlo en toda la mañana.

A mediodía, saco la Derringer de la bolsa de la señorita, la reviso y me la pongo al lado. Aún no sé si disparará, pero me siento mejor teniéndola ahí.

Juneau Jane le echa un vistazo al arma y luego a mí.

—Solo estaba mirándola —le digo—. Nada más.

De vez en cuando, adelantamos a un carro o dos por el camino. Granjeros y cargueros. Una diligencia de correo. Jinetes a caballo y, al aproximarnos a los pueblos, gente a pie que va y viene de sus granjas. A veces, los jinetes nos adelantan dejando bastante distancia entre nosotros y ellos. Me pregunto qué clase de personas no quieren que los soldados los vean de cerca.

Por la noche acampamos, los hombres nos dicen que no nos alejemos, así que permanecemos junto a ellos. Por la mañana, recogemos el campamento y volvemos a ponernos en marcha. Hacemos lo mismo al día siguiente, y al otro y al otro. Algunas veces Elam se pasa por el campamento o cabalga junto al carro, pero la mayor parte del tiempo, va de aquí para allá. Cuando se une a nosotros, está atento y callado. Sé que ha encontrado algo sospechoso por el camino.

Los días transcurren mientras marchamos desde el alba hasta el anochecer, aprovechando que el tiempo nos lo permite.

Finalmente, se desata una tormenta, por lo que cerramos bien las cortinas del carro. Los caballos y las mulas avanzan a través de la lluvia y el barro hasta que conseguimos abrirnos camino, y entonces la lluvia cesa tan rápido como ha comenzado. Busco a Elam, pero no lo veo. No lo he visto en toda la mañana y eso me fastidia.

Nos encontramos con un hombre en el camino que no se dirige a los soldados, pero aparta un poco a su caballo. En cuanto pasamos, se acerca de forma furtiva para echar un vistazo por el hueco del capó del vagón, para ver si hay algo que le llama la atención. Su atrevimiento me pone nerviosa y vuelvo a mirar la Derringer. La luz resplandece en sus rosas de plata talladas, la señorita alarga la mano hacia el arma y yo se la aparto de un manotazo.

—Nada de tocarla —la regaño—. La pistola no es para ti.

Lanza un chillido, se aparta de mí y me mira con los ojos entornados.

Casi a mediodía, llegamos a un cruce de agua.

El cielo ha empezado de nuevo a retumbar, así que decidimos atravesarlo en vez de detenernos para que los caballos y las mulas descansen primero. La corriente es rápida pero no profunda.

—¡Aseguraos de que sigan adelante! —grita el sargento, apretando el puño por encima de la cabeza—. Nos detendremos al otro lado para que los animales beban y descansen.

El sargento abre la marcha, el cochero azuza a las mulas y los soldados se aproximan por ambos lados para asegurarse de que las mulas no se detienen y dejan el carro a la deriva. El arroyo es rocoso, por lo que la caja del carro rebota y da bandazos de un lado a otro. Cae con fuerza en los huecos más profundos. La señorita se golpea la cabeza y grita.

Las llevo a la parte trasera del carro, por donde podremos salir si se inunda. Se supone que no deberíamos tener demasiadas dificultades para cruzar, pero las tenemos. Me asomo por el hueco del portón posterior y veo a Elam. Se mantiene alejado, pero está ahí.

Las mulas se hunden hasta la barriga y el agua se filtra en el carro.

Es entonces cuando oigo un fuerte chasquido, como si se hubiera roto una rueda o un eje.

La lona se sacude sobre nosotras. Me vuelvo para mirar por encima del hombro y veo un agujero y la luz del sol. Se oye otro chasquido. Aparece otro agujero en la lona.

—¡Una emboscada! —grita uno de los soldados. Las mulas tiran hacia delante. El cochero agarra el látigo.

Los dedos se me resbalan en el portón posterior, caigo hacia delante y se me queda medio cuerpo colgado por fuera del carro. Me quedo sin aliento al golpearme contra el portón; el agua me llega casi a la barbilla. Una mano me agarra del vestido. Es grande y fuerte y sé que se trata de la señorita. Juneau Jane se apresura a agarrarme también, ambas me meten de nuevo en el carro y las tres nos caemos al suelo. Es entonces cuando veo a Elam Salter y su enorme caballo bayo caer hacia atrás. No los veo aterrizar. Oigo un relincho, el zumbido de una bala, y luego el grito de un soldado y un chapoteo en el agua. Los cascos de los caballos se alejan hacia la orilla. Los soldados responden a los disparos de quienesquiera que se nos hayan echado encima.

Lo único que podemos hacer es seguir avanzando sobre las rocas; las mulas se abren paso a trompicones, y el carro se balancea como el juguete de un niño cuando subimos la orilla y llegamos a tierra firme. Agarro a Juneau Jane y a la señorita, las sostengo contra el suelo y coloco la cabeza entre ambas. Llueven astillas de madera, polvo y lona.

Me pongo a rezar y encuentro la paz. Puede que después de tanto trajín, así acabe todo. No en el pantano, devorada por una pantera, ni en el fondo de un río ni en un carro de carga en medio de la nada, sino en este arroyo, víctima de una emboscada cuyo motivo desconozco.

Levanto la cabeza lo suficiente como para buscar la pistola del señor.

Si son indios o salteadores de caminos, no puedo permitir que nos atrapen con vida, eso es lo único que pienso. He oído demasiadas historias desde que estamos en Texas, historias de lo que les hacen a las mujeres. Y también lo he visto con la señorita y Juneau Jane. *Señor, dame valor para hacer lo que tengo que hacer*, rezo. Aunque la pistola solo tiene dos balas, y nosotras somos tres.

Dame valor y los medios para hacerlo.

Todo está patas arriba y no veo la pistola por ninguna parte.

De pronto, todo se queda en silencio. Los disparos y los gritos cesan igual que empezaron. El humo de la pólvora flota espeso, silencioso y acre. Lo único que se oye es el lento gemido de un caballo y el terrible y moribundo gorjeo de su respiración ahogada por la sangre.

—*Shhh* —les susurro a la señorita y Juneau Jane. *Tal vez crean que el carro está vacío.* Descarto la idea tan pronto como se me ocurre. Sé que no es así.

—¡Salid! —ordena una voz—. Puede que algunos de estos soldaditos vivan para contarlo si salís sin armar jaleo.

—Lo que prefiráis —dice otra voz. Es grave e inexpresiva, y al oírla me quedo helada, aunque no puedo ubicarla del todo. ¿Dónde he oído esa voz antes?—. ¿Queréis que la muerte de cuatro soldados y un ayudante adjunto de los Marshal pese en vuestra conciencia? Allá vosotras, la cosa acabará de la misma manera.

—¡No...! —aúlla un soldado. Se oye un chasquido parecido al de una calabaza al romperse y él se queda en silencio.

Juneau Jane y yo nos miramos la una a la otra. Tiene los ojos abiertos como platos. Le tiembla la boca, pero asiente. A mi lado, la señorita se pone de pie, supongo que porque ha oído al hombre. No entiende lo que ocurre.

Intento buscar a tientas la pistola. Busco por todas partes.

—¡Ya salimos! —grito—. Creo que nos habéis dado. —Barro el suelo con las manos. *La pistola...*

La pistola...

—¡Salid de una vez! —chilla el hombre. Se oye un disparo y la bala atraviesa la lona a menos de un palmo de nuestra cabeza. El carro se mueve hacia delante y luego se detiene. O alguien está sujetando a las mulas o una de ellas está muerta.

La señorita repta hacia la puerta.

—Espera —digo, pero no hay forma de detenerla. Tampoco he encontrado la Derringer. No sé qué pasará ahora. ¿Qué clase de hombres son estos? ¿Qué quieren de nosotras?

La señorita se ha puesto de pie y se aleja del carro cuando Juneau Jane y yo salimos. Mi mente se ralentiza y presta atención a todos los detalles: los soldados están boca abajo, uno de ellos sangrando por la pierna. La sangre gotea de la cabeza del cochero. Abre los ojos y los cierra, y luego los vuelve a abrir. Intenta espabilarse, para salvarnos a nosotras o a él mismo, pero ¿qué puede hacer?

El sargento levanta la cabeza.

—Están obstaculizando a un destacamento de la Caballería de los Estados Unidos… —La culata de una pistola lo golpea con fuerza.

La señorita gime como si la hubieran golpeado a ella.

Miro al que tiene la pistola. No es más que un muchacho, puede que tenga 13 o 14 años.

Es entonces cuando aparto la mirada del chico y veo al hombre que sale de los arbustos. Un rifle descansa cómodamente sobre su hombro. Se mueve con paso lento y despreocupado, tan satisfecho como un gato que tiene a su víctima acorralada. Una sonrisa se extiende bajo el ala de su sombrero. Se lo levanta y veo el parche del ojo y las cicatrices de la cara, y entonces comprendo por qué me sonaba su voz. Puede que hoy termine lo que empezó en el embarcadero.

La señorita gruñe como un animal, rechina los dientes y lanza dentelladas al aire.

El hombre echa la cabeza hacia atrás y se ríe.

—Veo que no has perdido la costumbre de morder. Creía que habíamos resuelto el asunto antes de separarnos.

Esa voz. Tamizo mis recuerdos como si fueran harina, pero estos se marchan volando con los vientos de la tormenta. ¿Lo habíamos visto antes? ¿Era algún conocido del señor?

La señorita gruñe más fuerte. Alargo la mano y la tomo del brazo, pero se aleja de mí. Intento ubicar de nuevo al hombre. Si lo llamo por su nombre, tal vez lo pille por sorpresa y lo desconcierte lo suficiente como para que los soldados puedan agarrar la pistola del chico que está más cerca.

Oigo a unos caballos chapotear en el agua y trepar por la orilla a nuestra espalda. Pero mantengo la mirada clavada en el hombre del rifle. Es con él con quien tenemos que llevar cuidado. El chico que lo acompaña parece estar loco y sediento de sangre, pero este es el hombre que está a cargo de todo.

—Y tú. —Se vuelve hacia Juneau Jane—. Es una pena tener que deshacerse de una mestiza en perfecto estado. Sobre todo, de una tan guapa que posee… cierto valor. Puede que, después de todo, el hecho de que hayas logrado sobrevivir sea un giro de los acontecimientos de lo más fortuito. Tal vez me quede contigo. Una recompensa por todas las pérdidas que he sufrido a manos de tu padre.

—Levanta el guante izquierdo, que se hunde en los dedos que le faltan, y pasa la mano por el ojo que ya no tiene.

Este hombre… ¿Este hombre cree que el señor tiene la culpa de que esté desfigurado? ¿Por qué?

Suelto a la señorita y coloco a Juneau Jane detrás de mí.

—Deja a esta niña en paz —le digo—. No te ha hecho nada.

Ladea la cabeza para verme mejor, y se me queda mirando durante un rato con el ojo bueno.

—Pero ¿a quién tenemos aquí? ¿El cochero con el que supuestamente había acabado Moses? Pero ninguno de nosotros es lo que parece ser, ¿verdad? —Se ríe, y el sonido me resulta familiar.

Se acerca a mí.

—Puede que también me quede contigo. En cuanto te ponga unas buenas cadenas, no me darás ningún problema. Los tuyos siempre acaban sometiéndose. El negro infernal. No sois mejores que las mulas. Ni tampoco más inteligentes. Se os puede domar a todos para que trabajéis… y para otros menesteres. —Me examina con una mirada llena de crueldad, y eso también me resulta familiar—. Creo que conocí a tu mami —dice, y sonríe—. Y bastante bien, además.

Desvía la mirada hacia los hombres que se acercan desde el río. Mi mente retrocede más y más y más.

Dejo de lado las cicatrices y el parche del ojo, y me fijo en la forma de su nariz, en su marcado y puntiagudo mentón. Me sumerjo en el recuerdo, lo veo agachado junto al carro en el que estamos acurrucadas con mamá. La agarra y la arrastra hasta sacarla, mamá todavía tiene el brazo encadenado a los radios de la rueda. Los ecos de su sufrimiento se filtran en la oscuridad, pero yo no veo nada.

«Quedaos bajo la manta, tesoros», consigue decir ella. «No salgáis».

Me aprieto la manta con fuerza contra las orejas. Intento no oír nada.

Noche tras noche, me aferro a mis ocho hermanos y hermanas, luego a siete, a seis... a tres, a dos, a una, y finalmente solo a mi prima, la pequeña Mary Angel. Y un día solo estoy yo, acurrucada bajo esa manta andrajosa, tratando de esconderme.

De este hombre, Jep Loach. Más mayor y lleno de cicatrices que me han impedido reconocerlo hasta ahora. Aquí está el hombre que me arrebató a mi familia. El hombre al que el señor localizó hace tantos años y envió al ejército confederado. No murió en el campo de batalla. Está justo en frente de mí.

En cuanto soy consciente, sé que esta vez lo detendré o moriré en el intento. Jep Loach no me arrebatará nada más. No lo permitiré. No viviré con ello.

—Llévame a mí en vez de a ella —le digo. Seré más fuerte si no tengo que cuidar de la señorita y de Juneau Jane—. Solo a mí. —Encontraré la forma de acabar con este hombre—. Tómame a mí y deja en paz a estas chicas y a los soldados. Soy una buena mujer. Tan buena como lo era mi madre. —Las palabras trepan por mi garganta y me abrasan. Noto el sabor de las galletas y del café, ahora amargo. Trago con fuerza y añado—: E igual de fuerte.

—Ninguno de vosotros está en condiciones de negociar —dice Jep Loach, y se echa a reír.

Los otros hombres, los dos que están detrás de nosotras, ríen también y nos rodean. Reconozco al que aparece por la izquierda en cuanto lo veo, pero me parece imposible, incluso después de todas las historias que he oído de él frecuentando malas compañías.

Lyle Gossett. Vivito y coleando. No fue entregado, tal y como Elam Salter pensaba, sino que se ha unido a su tío. Dos hombres cortados por el mismo patrón. El perverso patrón de la familia de la señora.

Lyle y el otro jinete, un chico delgado que va montado en un caballo moteado, se sitúan detrás de Jep Loach y se vuelven hacia nosotras.

La señorita gruñe más fuerte, lanza dentelladas mientras mueve la barbilla y bufa como un gato.

—Cerradle... Cerradle la boca —dice el chico a lomos del caballo moteado—. Me pone de los nervios. Tiene un demonio dentro. Intenta... embrujarnos o algo así. Matémoslas y vámonos.

Lyle levanta el rifle y apunta a su propia hermana. Se ha vuelto en contra de su familia.

—Ha perdido la chaveta. —Pronuncia las palabras en tono frío e inexpresivo, pero su rostro refleja satisfacción cuando apoya el dedo gordo en el martillo y lo echa hacia atrás—. Es el mejor momento para acabar con su sufrimiento.

La señorita baja la barbilla, y su papada se mece frente al cuello de su vestido. Clava la mirada en Lyle; tiene los ojos, de un azul intenso, casi en blanco.

—¡Está embarazada! —grito, e intento poner a la señorita a mi espalda, pero ella se zafa de mí—. ¡Lleva un bebé en el vientre!

—¡Hazlo! —exclama el otro chico—. Nos está embrujando, ¡mátala!

—Retírate, cabo —chilla Jep Loach. Alterna la mirada de un chico a otro—. ¿Quién está al mando?

—Usted, teniente —responde Lyle, como si fueran soldados. Los soldados de Marston. Tal y como dijo Elam.

—¿Servís a la causa?

—Sí, teniente —dicen los tres chicos.

—Pues obedeced a vuestros superiores. Soy yo quien da las órdenes aquí.

—Marston ha sido capturado por los ayudantes adjuntos de los Marshal. —Uno de los soldados de caballería que está tumbado en el suelo intenta hablar—. Capturado y encarcelado...

Jep Loach le dispara en la mano, luego da tres pasos y le pisotea la cabeza, aplastándosela contra el barro. El soldado no puede respirar. Intenta resistirse, pero es inútil.

Lyle se echa a reír.

—Ahora ya no volverá a abrir el pico, ¿eh?

—¿Señor? —dice el chico del caballo moteado, aflojando la mandíbula. Hace que el animal retroceda un paso; niega con la cabeza, y se ha puesto pálido—. ¿Qué... qué ha dicho del general Marston? ¿Lo... Lo han atrapado?

—¡Es mentira! —Jep Loach se vuelve y hunde la cabeza del soldado en el barro—. ¡La causa! La causa es más importante que cualquier hombre. La insubordinación se castiga con la muerte. —Saca la pistola y se da la vuelta, pero el chico ya es una mancha borrosa; se mete en la maleza de un salto y luego desaparece, con las balas zumbando tras él.

El soldado que está en el barro gime, alza la cabeza y toma una bocanada de aire mientras Jep Loach va y viene, meneando la pistola y cargando el rifle. La piel se le enciende en la masa de cicatrices de su rostro. Habla consigo mismo, yendo de aquí para allá.

—Me viene que ni pintado. Ya lo creo que sí. Todos los herederos de mi tío reunidos en un mismo sitio. Mi pobre tía necesitará mi ayuda para ocuparse de Goswood Grove, desde luego. Hasta que la pena y su mala salud acaben con ella, cosa que no tardará demasiado en ocurrir...

—¿Tío Jep? —Lyle ya no se ríe. Su voz suena estrangulada. Agarra las riendas y mira hacia la maleza, pero apenas le ha clavado las espuelas al caballo antes de que Jep Loach levante el rifle, la bala alcance a su objetivo y Lyle caiga con fuerza al suelo.

El aire estalla, y las balas pasan zumbando, levantan la tierra y golpean las ramas de los árboles. Juneau Jane me tira al suelo, y se oyen gritos y gemidos. Los soldados se incorporan. Las balas se hunden en la carne. Un grito. Un gemido. Un aullido como el de un animal. El humo de la pólvora impregna el ambiente.

Entonces todo se queda en calma. Igual que cuando amanece, durante un instante o dos. Toso por el azufre y presto atención, pero sigo inmóvil.

—No te muevas —le susurro a Juneau Jane en el pelo.

Nos quedamos allí hasta que los soldados se acercan a nosotras. Jep Loach está tirado en el suelo con un disparo en el pecho, y Lyle yace en el mismo lugar que antes. La señorita está envuelta en un revoltijo de algodón azul. Inmóvil. La sangre se filtra en la tela como una rosa que florece con el cielo de fondo. El cochero se arrastra hacia nosotras y le da la vuelta para comprobar su estado, pero está muerta.

La vieja Derringer le cuelga de la mano. Un soldado se la quita con cuidado.

—Señorita —susurro, y Juneau Jane y yo nos acercamos a ella. Le sujeto la cabeza y le aparto el pelo embarrado de los ojos azules. Pienso en cuando era pequeña. Intento pensar en cosas buenas—. Señorita, ¿qué has hecho?

Me digo a mí misma que fue su disparo el que mató a Jep Loach. Que ella acabó con él. No les pregunto a los soldados si la Derringer ha sido disparada o no. No quiero saberlo. Necesito creer que fue la señorita quien lo hizo, y que lo hizo por nosotras.

Le cierro los ojos, me quito el pañuelo del pelo y le cubro la cara.

Juneau Jane se santigua y reza en francés al tiempo que le agarra la mano a su hermana. Los últimos vestigios del señor William Gossett yacen muertos aquí, desangrándose sobre la tierra de Texas.

Todos menos Juneau Jane.

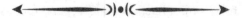

Permanezco frente al café de Austin un buen rato. No puedo entrar, ni siquiera al pequeño patio, donde están situadas las mesas, a la sombra de unos extensos robles. Las ramas se enroscan sobre sí mismas por encima, como un tejado hecho de madera. Estos robledales comparten raíces. Son todos un mismo árbol bajo tierra. Como los miembros de una familia, que están hechos para estar juntos, alimentándose y protegiéndose los unos a los otros.

Veo a gente de color que va y viene de las mesas: sirven la comida, llenan las tazas y los vasos con agua, limonada y té, y recogen los platos sucios. Estudio a cada uno de los trabajadores desde mi posición, a la sombra de un árbol, e intento determinar si alguno de ellos se parece a mí o si los conozco.

He esperado tres días antes de venir. Tres días desde que llegamos a Austin cojeando, con cuatro soldados heridos y Elam Salter recostado en el carro. Todavía no hay bala que sea capaz de darle, pero el caballo lo aplastó al caer y lo dejó en bastante mal estado. No me he separado del lado de su cama en todo este tiempo. Hoy lo he dejado un rato a cargo de Juneau Jane para acercarme aquí. Ahora solo nos queda esperar. Es un hombre fuerte, pero la muerte ya le ha abierto la puerta, es él quien debe tomar la decisión de atravesarla o dejarlo estar para otro momento en el futuro, dentro de mucho.

Algunos días, me digo a mí misma que debería dejarlo marchar y descansar en paz. Si se aferra a este mundo, le espera una vida llena de sufrimiento y lucha. Pero espero que quiera quedarse. Le he tomado la mano y derramado lágrimas sobre su piel, y se lo he dicho una y otra vez.

¿Hago bien en rogarle que se quede por mí? Podría volver a Goswood Grove. Con Tati, John y Jason. Volver a los campos de cultivo. Enterrar *El libro de los amigos perdidos* y olvidar todo lo que ha pasado. Olvidar que Elam yace destrozado. El doctor ha dicho que, si sobrevive, no volverá a ser el mismo. No volverá a caminar. Ni a cabalgar.

Texas es un lugar brutal. Cruel.

Pero aquí estoy, respirando su aire un día más. Observando un café tras atravesar medio pueblo para encontrarlo; pensando: ¿Será este el hotel que mencionó el irlandés? Si es así, ¿habrá merecido la pena recorrer todo este camino? ¿Habrán merecido la pena todo el sufrimiento y la sangre derramada? ¿La posible muerte de un hombre valiente?

Estudio a una chica con la tez del color de las nueces que lleva limonada en una jarra de cristal y se la sirve a dos señoras blancas con sendos gorros de verano. Veo a un hombre de color con la piel bastante clara que lleva una bandeja, y a un adolescente sacar un trapo para limpiar algo que se ha derramado en el suelo. ¿Se parecen a mí? ¿Reconocería a mi familia después de todos estos años?

Me acuerdo de sus nombres, de dónde los dejaron a cada uno y quién se los llevó. Pero ¿he olvidado sus caras? ¿Sus ojos? ¿La forma de su nariz? ¿Sus voces?

Me quedo observando un rato más.

Serás tonta, me digo a mí misma, pues sé que es bastante probable que el ladrón de caballos irlandés se inventara la historia.

«Las vi en un hotel y restaurante de Austin, junto al arroyo de Waller. Tres cuentas azules en un cordel. Las llevaba colgadas al cuello una niñita blanca».

Seguro que era mentira.

Me alejo, pero entonces veo un arroyo cerca de allí. Contemplo el agua y pienso: *Bueno, ¿y ahora qué?* Le pregunto a un anciano que pasa con una niña tomada de la mano:

—¿Este es el arroyo de Waller?

—Eso creo —responde, y sigue su camino.

Vuelvo al café y rodeo el enorme edificio de yeso; tiene forma de casa estrecha y alta y dispone de habitaciones para que los viajeros pasen allí la noche. Me pongo de puntillas, me asomo por las ventanas abiertas y veo que hay más gente de color trabajando. Hasta donde sé, nadie que yo conozca.

Es entonces cuando veo a una niña blanca en el pozo de atrás. Es delgada y menuda. De ocho años, tal vez diez, con más pelo que otra cosa. Su cabello asoma desde un pañuelo que lleva atado a la cabeza y unos rizos rojizos le caen por la espalda. Aunque es fuerte, pues carga con ambas manos un pesado cubo de agua que le salpica la pierna y le moja el delantal que recubre su vestido gris.

Quiero preguntarle: *¿Hay alguien por aquí que se apellide Gossett? ¿O había, antes de la Emancipación? ¿Has visto alguna vez a alguien* *con estas tres cuentas azules? ¿A una mujer de color? ¿A una niña? ¿Un niño?*

Tomo el cordel que llevo al cuello y me dirijo a la niña, mientras pienso en cómo decirle aquello sin asustarla. Pero cuando se detiene y alza su dulce carita de muñeca hacia mí, y me mira con unos ojos grises llenos de sorpresa, me quedo sin habla. En su cuello, atadas a una cinta roja, cuelgan tres cuentas azules.

El irlandés, pienso. *Me dijo la verdad.*

Me desplomo en el suelo. Caigo con fuerza, ya que las piernas no me responden, pero apenas noto el golpe. No siento ni oigo nada. Alzo las cuentas, intento hablar, pero sigo sin poder mover la lengua. No puedo pronunciar las palabras: *Niña, ¿de dónde has sacado esas cuentas?*

Permanecemos quietas durante lo que parece una eternidad, mirándonos la una a la otra e intentando encontrarle sentido a aquello.

Un gorrión vuela desde un árbol. Solo uno, pequeñito y marrón. Aterriza en el suelo para beber del agua que gotea del cubo. La niña suelta el balde y el agua fluye en abundancia, empapando la tierra seca.

La niña se da la vuelta y echa a correr, recorre el camino de piedra a toda prisa y atraviesa la puerta trasera del edificio.

—¡Mamá! —la oigo gritar—. ¡Mamááá!

Me pongo en pie y me pregunto si debería marcharme pitando. Después de todo, la niña es blanca y acabo de darle un susto. ¿Debería tratar de explicar la cuestión? *No pretendía hacerle daño, solo quería preguntarle de dónde ha sacado esas cuentas.*

Entonces veo en la puerta a una chica alta con la piel de color cobre; lleva una cuchara de madera en la mano. Al principio, la tomo por la tía Jenny Angel, pero es demasiado joven. Tiene la edad de Juneau Jane, no es una niña, pero tampoco una mujer. Le dice a la niña blanca que vaya adentro. Entorna los ojos para protegerse del sol mientras baja las escaleras. Lleva alrededor del cuello un cordel con tres cuentas azules.

Recuerdo el aspecto que tenía cuando mi madre le ató las cuentas al cuello, fue la última vez que la vi, en el patio de subastas, cundo solo tenía tres años. Recuerdo mirarla a la cara antes de que el hombre la tomara en brazos y se la llevara.

—Mary… —susurro, y entonces lanzo un grito que se extiende por el espacio que nos separa, que de pronto parece ser demasiado corto y demasiado largo a la vez. Noto una oleada de debilidad—. ¿Mary Angel?

Una sombra aparece entonces por la puerta, y el sol la ilumina mientras sale. Ahí está el rostro que ha permanecido en mi memoria todos estos años. La reconozco, a pesar de que el pelo se le ha vuelto gris y va un poco encorvada.

La niña pelirroja se agarra a su falda, y veo lo mucho que se parecen. Esta niña es hija de mi madre. Una hija que tuvo con un hombre blanco y que nació en algún momento posterior a que nos separaran, hace tantos años. Se le ve en los ojos, que se le curvan hacia arriba, como los de Juneau Jane.

Como los míos.

—¡Soy Hannie! —grito a través del patio y alzo las cuentas azules de la abuela—. ¡Soy Hannie, soy Hannie, soy Hannie!

Al principio ni siquiera me doy cuenta, pero he echado a correr. Corro a pesar de no notar las piernas, de no ver el suelo. Corro, o más bien vuelo, como el gorrión.

Y no me detengo hasta llegar a los brazos de mi familia.

AMIGOS PERDIDOS

Ocean Springs, Misisipi.
Dr. A. E. P. Albert:

Estimado hermano: Gracias al *Southwestern* he recuperado a mi hermana, la señora Polly Woodfork, y a mis ocho hijos. Les debo mi dicha a Dios y al *Southwestern*, y espero que el editor consiga 1000 suscriptores a lo largo de los próximos 30 días. Haré todo lo que esté en mi mano para lograr que la gente se suscriba. Dios bendiga al doctor Albert y le conceda todo el éxito del mundo.

Señora Tempy Burton
—Columna de los «Amigos perdidos»
del *Southwestern*
13 de agosto de 1891

Capítulo 28

Bajo las escaleras a pasos agigantados, agarro el extremo de la barandilla y corro frenéticamente por el pasillo.

—Benny, ¿qué…? —Nathan se apresura a seguirme. Nos chocamos en la puerta de la biblioteca—. ¿Qué pasa? —pregunta.

—La mesa de billar, Nathan —jadeo—. Tenía una cubierta protectora la primera vez que entré en la casa, y había un montón de libros apilados encima. Desde entonces, hemos estado amontonando ahí los libros para la biblioteca municipal y el instituto. Nunca he mirado qué hay debajo. ¿Y si Robin no quería que nadie tuviera una *razón* para destapar la mesa y por eso escondió las bolas y los tacos, y puso encima un montón de libros viejos? ¿Y si guardó ahí su proyecto? Sabía que nadie podría colarse aquí y llevarse una mesa de billar. Haría falta todo un equipo de mudanza para mover ese mostrenco.

Llegamos corriendo a la antigua mesa Brunswick, agarramos las pilas de libros de suspense y de vaqueros y los dejamos de cualquier manera —algo inusual en mí— alrededor de las ornamentadas patas con incrustaciones de madera de arce.

Oímos el ruido de los papeles al levantar la cubierta de vinilo. La dejamos a un lado, alzando remolinos de polvo que flotan en el aire antes de posarse sobre el acolchado y las placas de vinilo que han sido colocadas dentro del hueco de la mesa, nivelando la superficie.

Debajo, meticulosamente dispuesto sobre una tela blanca y limpia, encontramos el proyecto de Robin, que es una especie de colcha, un enorme roble de Virginia creado a partir de diferentes materiales: telas de seda, hilo de bordar, hojas de fieltro, pinturas o tintes y fotografías metidas en marcos de tela acolchada con cubiertas de plástico transparente. Al principio parece simplemente una obra de arte, pero también es un minucioso registro de un fragmento de la historia. La historia de Goswood Grove y de muchas de las personas que han vivido en estas tierras desde principios de 1800. Defunciones y nacimientos, incluyendo aquellos que tuvieron lugar dentro de los vínculos del matrimonio y fuera de estos. Un árbol genealógico de la familia Gossett que abarca nueve generaciones. Una historia tanto blanca como negra.

Un trozo de fieltro beige en forma de casa muestra el modo en que la titularidad de las tierras ha pasado de generación en generación. Las personas están representadas con hojas, y sobre cada una de ellas están indicados el nombre, el año de nacimiento, el año de defunción y una letra cuyo significado se encuentra en la leyenda de la esquina inferior derecha de la tela.

C= ciudadano
E= esclavo
S= en servidumbre
L= libre
A= affranchi

Conozco el último término por las investigaciones que hemos llevado a cabo en clase para el proyecto. Es una palabra francesa que designa a los esclavos que fueron liberados por sus dueños, en contraste con aquellos que están identificados como «libres», personas de color que nacieron en libertad. Tanto unos como otros fueron comerciantes y terratenientes, muchos de ellos muy prósperos, y algunos, con esclavos en propiedad. A mis alumnos les costó entender cómo unas personas que fueron víctimas de la injusticia pudieron perpetrarla en otros y sacar provecho, y sin embargo así fue. Es parte de nuestra realidad histórica.

Encontramos copias de artículos de periódico, fotografías antiguas y documentos prendidos a la tela aquí y allá, a la espera de que se añadan más retales, supongo. Robin fue muy minuciosa en su investigación.

—Mi hermana... —murmura Nathan—. Esto es...

—La historia de tu familia. Al completo. La verdad. —Reconozco muchos nombres que aparecen en los trabajos de mis alumnos. Trazo las líneas hacia arriba, dejo atrás ramas que se reducen y desaparecen, desvaneciéndose como estuarios en el océano del tiempo. Muerte. Enfermedad. Guerra. Infertilidad. Algunas líneas familiares llegan a su fin.

Otras ramas persisten y se retuercen a lo largo de las décadas. Veo a Yaya T y a tía Dicey. Su linaje se remonta tanto a los Gossett blancos como negros. A la abuela que ambas comparten, Hannie, nacida en 1857, esclava.

—Las damas del Nuevo Siglo —digo y señalo la hoja de Hannie—. Esta es la abuela a la que Yaya T se refirió en clase, la que montó el restaurante. Hannie nació en Goswood Grove, era esclava. También es la abuela de la mujer que vivía antes en la casa junto al cementerio, la señorita Retta.

Estoy fascinada y asombrada. Dejo que mi mano se dirija hacia afuera, a las partes en blanco de la colcha de Robin.

—Algunos de mis alumnos estarían por aquí, en algún lugar. LaJuna, Tobias... y también Sarge. Todos estarían en esta rama.

Siento el cosquilleo de la historia cobrando vida mientras vuelvo a recorrer las ramas, esta vez hacia atrás.

—La madre de Hannie es birracial, medio hermana de los Gossett que vivían en la Casa durante aquella época. Esta generación de aquí, Lyle, Lavinia, Juneau Jane y Hannie son hermano, hermana, hermanastra y una especie de prima. Lyle y Lavinia murieron siendo bastante jóvenes y... eso deja a la hija de la segunda esposa como... caray...

Nathan levanta la vista del árbol genealógico y me mira con curiosidad; acto seguido se pone a mi lado para ver qué es lo que me ha llamado la atención.

Señalo una hoja con el dedo, y luego otra.

—Esta mujer, la madre de Juneau Jane, no es la segunda esposa de William Gossett, sino su amante, una mujer libre de color. Su hija, Juneau Jane LaPlanche, nació mientras William Gossett estaba casado con Maude Loach-Gossett. Era el dueño de la plantación. Tuvo un hijo con Maude y luego dos hijas que se llevaban menos de dos años de diferencia, una con su mujer y otra con su amante. Lavinia y Juneau Jane.

Sé que esas cosas sucedían, que en Nueva Orleans y otros lugares, existía todo un sistema social en el que los hombres ricos mantenían a sus amantes y formaban lo que se denominaba informalmente como «segunda familia», enviaban a sus hijos e hijas mestizos a estudiar al extranjero, los metían en internados o les proporcionaban formación para que aprendieran algún oficio. Aun así, imagino los conflictos que debieron de haber surgido bajo la superficie de tales arreglos. Celos. Resentimiento. Amargura. Competitividad.

Nathan echa un vistazo, pero guarda silencio. Está trazando una línea desde las raíces del árbol hacia las ramas; la punta de su dedo conecta los simbolitos con forma de casa que siguen el rastro de la titularidad de Goswood Grove.

—Esta es la cuestión —dice, y detiene el dedo sobre la hoja que representa a la hija pequeña de William Gossett, la que tuvo con la amante—. No entiendo cómo es que la casa sigue perteneciendo hoy en día a los Gossett. Porque aquí vemos que cuando el último hijo de Gossett, Lyle, muere, la Casa y las tierras pasan a pertenecer a Juneau Jane LaPlanche, quien, según el árbol de Robin, no tuvo hijos. Y aunque los hubiera tenido, no habrían llevado el apellido Gossett.

—Puede que la investigación terminara aquí. Tal vez Robin no pudo llegar más lejos. Es evidente que seguía trabajando en el proyecto. Parece casi como… una obsesión. —Me imagino a la hermana de Nathan estudiando estos documentos, esta colcha que estaba creando de la historia de su familia. ¿Qué pensaba hacer con ella?

Nathan parece igualmente perplejo.

—El hecho de que haya dos linajes en la familia es una especie de secreto a voces, la verdad. —Se endereza frunciendo el ceño—.

Estoy seguro de que es algo que el resto de mi familia y, probablemente, muchas personas del pueblo preferirían que no volviera a salir a colación, pero a nadie le sorprendería... salvo, quizá, esta parte. —Le da un golpecito a la casita de fieltro que indica el paso de la propiedad a Juneau Jane. Alarga la mano y desprende un sobre que está junto a la casita. Tiene escrito «Hannie» con la letra pulcra de Robin.

Una figurita de fieltro de Goswood Grove cae de debajo del alfiler y aterriza junto a la hoja de Hannie.

La nota de prensa fotocopiada de 1887 que está en el interior del sobre de Hannie, nos desvela el misterio.

¡FALSA HEREDERA DERROTADA!

La propiedad Goswood ha sido devuelta a sus legítimos dueños

Tras más de una década de arduas batallas legales para conservar su linaje y patrimonio, la corte suprema de Luisiana les ha dado la razón a los defensores de la antigua plantación de Goswood Grove, una decisión que no se podrá apelar ni impugnar en el futuro. A la supuesta heredera, una mujer mestiza de dudoso linaje que en los documentos judiciales se refirió audazmente a sí misma como Juneau Jane Gossett, se la ha despojado a la fuerza de la propiedad.

Los herederos legítimos, parientes directos del difunto William P. Gossett y portadores legales del apellido, se apresuran ahora a ocupar la casa y las tierras, y a protegerlas y hacerlas prosperar. «Nuestra intención es, por supuesto, devolverle a este grandioso lugar su antiguo esplendor; agradecemos a los tribunales que hayan impartido justicia de forma inequívoca», afirmó Carlisle Gossett, vecino de Richmond, Virginia, primo hermano del difunto William P. Gossett y, en adelante, propietario del antiguo terreno de Goswood.

El artículo describe a continuación los doce años de batallas legales para arrebatarle a Juneau Jane su herencia, primero por parte de la viuda de William Gossett, Maude Loach-Gossett, que se negó a aceptar la pequeña dote que le dejó William en su testamento, y luego por parientes más lejanos que llevaban el apellido Gossett. Varios exesclavos y aparceros testificaron a favor de Juneau Jane y verificaron su parentesco. Un abogado de Nueva Orleans la defendió de forma incansable, pero al final, poco se pudo hacer. Los primos de William Gossett le robaron la herencia y Juneau Jane acabó con un terreno de 16 hectáreas contiguo al cementerio de Augustine.

El terreno en el que yo vivo ahora.

Su decisión final sobre el terreno se expone con sus propias palabras en una copia del testamento escrito a mano en 1912. Robin lo grapó al final del artículo. Juneau Jane le dejó la casa y el terreno a Hannie, «quien ha sido como una hermana para mí y la persona que me ha enseñado siempre a ser valiente». Fue su deseo que toda herencia adicional que pudiera ser recuperada posteriormente en su nombre se empleara para ayudar a los niños de la comunidad, «a quienes espero haber servido fielmente como maestra y amiga».

La última hoja de la investigación adjunta de Robin es un artículo de periódico que habla sobre la inauguración en 1901 de la Biblioteca Carnegie de Augustine para gente de color. Reconozco la foto de las mujeres del Club del Nuevo Siglo. Van ataviadas con sus mejores sombreros y vestidos —ropa de domingo de principios de siglo, cuando se tomó la foto— y están posando en los escalones del nuevo y magnífico edificio para el corte de cinta inaugural. Yaya T llevó la foto original a clase cuando vino a contarnos la historia. La había desenterrado de las cajas de almacenamiento donde se guardaron los recuerdos de la biblioteca cuando la segregación llegó a su fin y las bibliotecas dejaron de estar limitadas por motivos de raza.

Robin ha identificado a dos de las miembros del club, escribió *Hannie* y *Juneau Jane* sobre sus imágenes. Al observar una foto más pequeña situada en el interior del texto, reconozco a las dos mujeres junto a una estatua de bronce de un santo, que aguarda a ser colocada sobre su pedestal.

También reconozco al santo.

El primer libro de la biblioteca, reza el pie de foto en letra negrita.

Apoyo la barbilla en el hombro de Nathan y sigo leyendo:

En el interior de este elegante pedestal de mármol, las miembros del comité de constitución de la biblioteca han guardado el Cofre Centenario, que fue trasladado desde la biblioteca original para gente de color que estaba tras la iglesia al nuevo y elegante edificio Carnegie. Los objetos del cofre, que aportaron las fundadoras de la biblioteca en 1888, no deben ser vistos hasta pasados 100 años. La señora Hannie Gossett Salter, recién llegada de Texas, se encarga de colocar una estatua donada en memoria de su difunto marido, el respetado ayudante adjunto de los U. S. Marshal, Elam Salter, con quien recorrió el país mientras él hablaba de la vida de los representantes de la ley en la frontera después de que una lesión lo obligara a retirarse del servicio activo. La estatua ha sido donada amablemente por el ganadero de Texas y Luisiana, Augustus McKlatchy, amigo de toda la vida de la familia Salter y mecenas de este nuevo edificio y de muchos otros.

En el interior del Cofre Centenario, la señora Salter coloca El libro de los amigos perdidos, *que sirvió para dar a conocer la columna de los Amigos perdidos del periódico* Southwestern Christian Advocate *en comunidades lejanas. Gracias al periódico y las anotaciones en el libro de la señora Salter, innumerables familias y amigos se reencontraron tras la larga separación ocasionada por el azote de la esclavitud y la guerra. «Tras haber encontrado a muchos miembros de mi familia», comentó la señora Salter, «este fue el devoto servicio que pude prestar a otros. El peor tormento de todos es preguntarse una y otra vez qué ha sido de los tuyos».*

Tras las ceremonias de hoy, el pedestal de mármol será sellado con el Cofre Centenario en su interior, y así permanecerá hasta el año 1988, para que las generaciones que aún no han nacido recuerden la importancia de esta biblioteca y las historias de su gente.

Esperando que la coloquen sobre el pedestal, la estatua donada permanece benévola y siempre vigilante.

San Antonio de Padua, el santo patrón de las cosas perdidas.

Epílogo

Una mariquita aterriza con delicadeza en mi dedo y se aferra a él como una piedra preciosa viviente. Un rubí con lunares y patas. Antes de que una ligera brisa aleje a mi visitante, una canción infantil aflora en mi mente.

> *Doña mariquita, ve volando al nido,*
> *las llamas crecen y tus hijos se han ido.*

Las palabras dejan un rastro amargo en mi interior al tiempo que poso la mano sobre el hombro de LaJuna. Está sudando bajo el vestido azul y dorado de calicó. El aula al aire libre que hemos montado hoy como parte de un festival que se celebra en el Capitolio del Estado de Luisiana es, hasta ahora, la idea más ambiciosa que hemos puesto en práctica durante el año de vida de nuestro proyecto de historia. La inauguración de la cápsula del tiempo nos ha proporcionado oportunidades con las que nunca hubiéramos podido soñar de otra manera. Aunque nuestras funciones todavía no nos han abierto las puertas del cementerio de Augustine —y tal vez nunca lo hagan—, hemos representado *Cuentos desde la clandestinidad* en museos y en campus universitarios, en ferias literarias y en los colegios de tres estados.

El cuello cosido a mano del atuendo de LaJuna cuelga torcido sobre su piel marrón ambarina, pues la prenda resulta demasiado grande para ella. Una cicatriz abultada se asoma por uno de los holgados puños del vestido. Reflexiono un instante acerca de su origen, pero me resisto a que mi mente comience a divagar.

¿De qué serviría?, me pregunto a mí misma.

Todos tenemos cicatrices.

Y solo cuando dejes que los demás las vean, encontrarás a esas personas que te amarán a pesar de tus grietas y abolladuras. Puede que, incluso, te amen por ellas.

¿Y aquellos que te dan la espalda? No son las personas adecuadas.

Hago una pausa y echo un vistazo a nuestro lugar de reunión bajo los árboles, contemplo a las señoras de Carnegie, así como a los hermanos pequeños de mis alumnos, a tía Sarge y a varios padres voluntarios; todos van vestidos con trajes de época para añadirle autenticidad al proyecto, para mostrar respeto y solidaridad con aquellos que sobrevivieron hace tanto tiempo y que hoy no están aquí para contar su historia. Aunque hemos representado nuestros *Cuentos desde la clandestinidad* muchas veces, esta es la primera vez que vamos a recitar los anuncios de los Amigos perdidos. Hemos llevado a cabo nuestra propia versión de cómo podrían haberse escrito hace más de un siglo en las iglesias, en los porches, en las mesas de la cocina y en las aulas improvisadas a las que acudían para aprender todas esas personas a las que se les había negado una educación. En los pueblos y las ciudades de todo el país, la gente redactaba cartas para que fueran publicadas en periódicos como el *Southwestern*; las mandaban con la esperanza de poder encontrar a los seres queridos que les habían arrebatado años, décadas, e incluso toda una vida antes.

Debemos agradecerles al Cofre Centenario y a *El libro de los amigos perdidos* que nos hayan otorgado el estatus de las estrellas de rock en el capitolio del estado. Es un acontecimiento lo bastante notable como para haber atraído la atención de las cámaras de televisión. Han venido a cubrir unas elecciones extraordinarias bastante polémicas, pero también quieren grabarnos a nosotros. La atención de los medios ha provocado una congregación de dignatarios y políticos que quieren ser vistos apoyando nuestro proyecto.

Y ese ha sido el desencadenante para que los críos pierdan los papeles. Están aterrorizados; incluso LaJuna, que normalmente se muestra impasible.

Mientras los demás manosean las plumas y los tinteros, fingiendo escribir las cartas para la columna de los Amigos perdidos, o se encorvan sobre sus trabajos, articulando las palabras sin emitir sonido alguno de los anuncios que están a punto de recitar en voz alta, LaJuna se limita a contemplar los árboles.

—¿Estás lista? —pregunto, e inclino la cabeza hacia su trabajo, porque me da la impresión de que no lo está—. ¿Has ensayado leyéndolo en voz alta?

Junto a nosotras, Lil' Ray está inclinado sobre su pupitre, jugueteando con una pluma con mango de nácar de la colección que he ido amasando con los años en mercadillos y tiendas de segunda mano. Ha dejado de fingir que está escribiendo la carta de los Amigos perdidos, la cual no tardará en recitar para el público.

Tengo la horrible sensación de que, si LaJuna se echa atrás, la cosa será un fiasco. Debería estar tranquila, ya que se sabe el anuncio que va a recitar de memoria. Lo descubrimos cuidadosamente recortado y pegado en la parte interior de la cubierta de *El libro de los amigos perdidos*, junto con la fecha en la que fue publicado en el *Southwestern*. A ambos lados del anuncio, están escritos con mucho esmero los nombres de los ocho hermanos que Hannie perdió, los de su madre, su tía y sus tres primas, y el año en el que los encontró.

Mittie, mi amada madre, cocinera de un restaurante, 1875

Hardy

Het, mi querida hermana mayor, con sus hijos y su marido, 1887

Pratt, el bueno de mi hermano mayor, trabajador del ferrocarril, con su mujer y su hijo, 1889

Epheme, mi adorada hermana y mi favorita, profesora, 1895

Addie

Easter

Ike, mi hermano pequeño, un diestro y educado joven
comerciante, 1877

La pequeña Rose

Tía Jenny, mi querida tía, con su segundo marido, un pastor, 1877

Azelle, mi prima y la hija de tía Jenny, una lavandera, con sus
hijas, 1881

Louisa

Martha

Mary, estimada prima, cocinera de un restaurante, 1875

Es una historia sobre la dicha de los reencuentros y el sufrimiento de la pérdida, sobre la perseverancia y la valentía.

Veo la misma valentía en LaJuna, la valentía de su pentabuela,
Hannie, transmitida de generación en generación; aunque, a veces,
LaJuna duda de que esté ahí.

—No puedo. —Deja caer los hombros, dándose por vencida—.
No... no delante de toda esta gente.

Con una expresión abatida, vuelve su rostro juvenil hacia los
curiosos que se han congregado alrededor: hombres adinerados con
trajes hechos a medida y mujeres ataviadas con vestidos carísimos,
que se abanican de forma petulante con los folletos impresos y los
abanicos de papel sobrantes de los apasionados discursos políticos
que han tenido lugar por la mañana. Justo detrás de ellos, hay un
cámara subido a una mesa de pícnic. Otro miembro del equipo se
ha situado cerca de la parte frontal de la clase con un micrófono
unido a un poste.

—No lo sabrás hasta que lo intentes. —Le doy una palmadita en
el brazo y un apretón, intentando darle ánimos. Me gustaría decirle
muchas cosas: *No te subestimes. Todo saldrá bien. Eres lo bastante buena
para salir ahí. Más que buena, eres asombrosa. ¿Es que no lo ves?*

Tal vez le cueste llegar a esa conclusión, lo sé. Yo era igual. Pero es posible superar tus inseguridades y convertirte en alguien mejor, más fuerte. Tarde o temprano tienes que dejar de consentir que la gente te defina y empezar a definirte tú misma.

Es una lección que no solo estoy enseñando, sino también aprendiendo. *Defínete. Reclama tu identidad.* Artículo doce de la Constitución de la clase.

—No puedo —gime ella, agarrándose el estómago.

Tras recogerme las faldas y las engorrosas enaguas para que no se llenen de polvo, me agacho y miro a la chica a los ojos.

—¿Cómo conocerán la historia si no se la cuentas tú? La historia de la chica a la que separaron de su familia; que tuvo que escribir un anuncio con la esperanza de hallar algún rastro de sus seres queridos, que tuvo que ahorrar 50 centavos para poder publicarlo en el periódico *Southwestern* y así llegar a todos los estados y territorios cercanos. ¿Cómo entenderán la imperiosa necesidad de saber, por fin, si su familia sigue ahí fuera, en algún lugar?

Alza sus delgados hombros, pero se desanima de inmediato.

—A esta gente le trae sin cuidado lo que yo tenga que decir. Nada cambiará.

—Puede que sí.

A veces me pregunto si les estoy prometiendo más cosas de las que el mundo estará dispuesto a brindarles alguna vez, si mi madre tenía razón acerca de mi actitud optimista. ¿Y si estoy condenando a estos chicos, en especial a LaJuna, a que se den un tortazo de proporciones épicas a la larga? Esta chica y yo nos hemos pasado horas y horas clasificando libros, trasladándolos, vendiendo ejemplares antiguos que resultaron ser de gran valor, planteándonos qué clase de material compraremos para la Biblioteca Carnegie de Augustine con el dinero que estamos recibiendo. Con el tiempo, proporcionará a los niños de la zona los mismos recursos de última generación que tienen los alumnos del Instituto Lakeland. Y cuando el nuevo letrero de la biblioteca esté colocado, devolveremos su santo patrón original a su pedestal para que vele por el edificio durante los próximos cien años y más. A esa vieja biblioteca le espera una larga vida de ahora en adelante. La intención de Nathan es que los bienes de Robin se donen a una fundación que no solo preste asistencia a la biblioteca, sino también que apoye la conservación de Goswood Grove y su transformación en un centro de genealogía e historia.

Pero ¿puede todo eso, puede *algo* de eso, cambiar el mundo al que estas cámaras de televisión, estos políticos, todos estos espectadores volverán cuando abandonen este lugar bajo los árboles? ¿Pueden una biblioteca y un centro de historia lograr un avance de verdad?

—Las tareas más importantes siempre conllevan riesgos —le digo. Ese es el hecho que más cuesta aceptar. Adentrarse en lo desconocido resulta aterrador, pero si no emprendemos el viaje, nunca sabremos a dónde puede llevarnos.

La idea se apodera momentáneamente de mi garganta, me deja sin habla y hace que me pregunte si alguna vez tendré el valor de enfrentarme a lo desconocido, a correr el riesgo. Me enderezo y me aliso las faldas, miro a lo lejos y veo a Nathan en un extremo de la multitud con la nueva videocámara de la biblioteca sobre el hombro. Levanta el pulgar y me dedica una sonrisa que expresa: *Te conozco, Benny Silva. Conozco todas tus verdades y creo que eres capaz de cualquier cosa.*

Tengo que intentar ser para estos niños lo que Nathan ha sido para mí. Alguien que cree en mí más de lo que a veces creo yo en mí misma. Lo importante hoy son mis alumnos. Y los Amigos perdidos.

—Por lo menos, debemos contar nuestras historias, ¿no te parece? Y dar a conocer los nombres. —Pongo voz de profesora de 1800 porque de repente hay un micrófono flotando peligrosamente cerca—. Hay un antiguo proverbio que dice: *Morimos por primera vez cuando exhalamos nuestro último suspiro. Y volvemos a morir cuando se pronuncia nuestro nombre por última vez.* Somos incapaces de controlar la primera muerte, pero podemos intentar evitar la segunda.

—Si usted lo dice —conviene LaJuna, y yo deseo que me trague la tierra y espero que el micrófono no haya captado las palabras—.

Pero prefiero hacerlo enseguida, antes de que me dé por echarme atrás. ¿Puedo ser la primera en leer?

Menos mal.

—Si empiezas tú, estoy segura de que los demás sabrán seguir el ejemplo.

Eso espero.

Aprieto los dientes, cruzo los dedos en los bolsillos de mi vestido de lunares de institutriz suiza y espero que todo salga tal y como lo hemos planeado, y que estas historias logren cambiar las mentes y los corazones de las personas que las escuchen. A poca distancia, *El libro de los amigos perdidos* se encuentra guardado en un expositor junto a las notas, los bordados y otros recuerdos del Cofre Centenario. Pienso en los amigos perdidos, en todas esas personas que tuvieron el coraje de preguntar, de esperar, de buscar a los seres queridos que habían perdido. Que tuvieron el coraje de arriesgarse a escribir cartas, conscientes de que sus peores miedos podrían hacerse realidad. De que tal vez las cartas nunca obtuvieran respuesta.

Cuando llegue el momento, yo también correré ese riesgo. Buscaré a la niña que sostuve durante menos de media hora antes de que una enfermera me la quitase de los brazos y me entregara en su lugar un cuadrado de plástico frío y duro. Un sujetapapeles, con unos documentos que debía firmar.

Cada fibra de mi ser quería apartar los documentos, romperlos en pedazos, hacerlos desaparecer. Quise llamar a la enfermera, que se alejaba con el chirrido de sus zapatos blancos y limpios. *¡Devuélvamela! Quiero verla otra vez, más rato, y memorizar su rostro, su olor, sus ojos.*

Quiero quedármela.

Pero hice lo que se esperaba de mí. Lo único que estaba permitido. La única opción que me dieron. Firmé los documentos, los dejé sobre la mesilla y lloré contra mi almohada, a solas.

Es lo mejor, me dije a mí misma, repitiendo las palabras de mi madre, del terapeuta, de las enfermeras. Incluso de mi padre, cuando acudí a él en busca de ayuda.

Son las mismas palabras que todavía me repito, envolviéndome con ellas a modo de consuelo durante cada cumpleaños, cada Navidad, cada ocasión especial de cada año que transcurre. Ya han pasado doce. Tendrá doce años.

Quiero creer que le ahorré el sentimiento de culpa y el rechazo público al que se vio sometida una niña de quince años que se quedó embarazada de un hombre mayor, un vecino que ya tenía familia. Un hombre que se aprovechó de la ingenua necesidad de una niña sin padre de sentirse apreciada y querida. Quiero creer que le ahorré la vergüenza que llevaba conmigo a todas partes, las miradas de desprecio que me lanzaban otras personas, los horribles insultos que me dirigía mi madre.

Espero haber entregado a mi hija a unos padres maravillosos que no la dejen sentirse poco querida ni por un momento. Si vuelvo a verla, le diré que nunca la rechacé, ni por un momento. Que la quise desde el primer aliento que exhaló, que la eché en falta, que pensé en ella y que tenía la esperanza de volver a verla.

Me acuerdo de ti. Nunca te he olvidado.

El día que por fin nos reencontremos, esas serán las primeras palabras que le diré a mi Amiga perdida personal.

Nota de la autora

Parece que, cada vez que una nueva historia se asoma al mundo, la pregunta más repetida es: *¿Cómo nació esta historia? ¿Qué la inspiró?* No sé muy bien cómo es este proceso para otros escritores, pero para mí siempre hay una chispa, y siempre es inesperada. Si fuera en busca de esa chispa, probablemente no la encontraría.

Nunca sé cuándo aparecerá ante mí o qué forma adoptará, pero cuando ocurre soy consciente de inmediato. Me sobreviene algo que me consume y, un día que era normal y corriente... de repente ya no lo es. Me veo arrastrada a un viaje, me guste o no. Sé que ese viaje será largo y no sé a dónde me llevará, pero sé que debo rendirme ante él.

La chispa que se convirtió en la historia de Hannie y de Benny llegó a mí de la forma más moderna posible: a través de un e-mail de una amante de los libros que acababa de pasar un tiempo con la familia Foss mientras leía *Antes de que llegaras*. Esta lectora pensó que había otro fragmento de la historia, parecido, que yo debía conocer. Su trabajo como voluntaria de la Colección histórica de Nueva Orleans consistía en introducir en una base de datos información obtenida de anuncios de más de un siglo de antigüedad. El objetivo del proyecto era preservar la historia de la columna de los *Amigos perdidos* y hacerla accesible a investigadores genealógicos e historiadores a través de Internet. Pero esta voluntaria vio algo más que un simple material de investigación. «Hay una historia tras cada uno de estos anuncios», escribió en el mensaje que me envió. «El constante amor de los autores por su familia y la búsqueda continuada de sus seres queridos, a algunos de los cuales no habían visto en más de cuarenta años».

Citó una frase que la había impactado al terminar la lectura de *Antes de que llegaras*:

«En tus últimas páginas: *Por los centenares que desaparecieron y los miles que no lo hicieron. Ojalá vuestras historias no sean olvidadas*».

Me dirigió a la base de datos de los Amigos perdidos, en la que desaparecí durante horas, entrando en un mundo de vidas pasadas, de historias, emociones y añoranza contenidas en las letras borrosas de imprentas anticuadas. Había nombres que tal vez no sobrevivieron en ningún otro lugar más allá de esas súplicas desesperadas escritas en aulas improvisadas, en mesas de cocina, en iglesias... Y que después se enviaron en trenes de vapor y diligencias de correo, en barcos y en las alforjas de los carteros rurales, rumbo a los remotos confines de un país en crecimiento. Las cartas viajaron por todo el territorio, alentadas por la esperanza.

En su apogeo, los anuncios de los Amigos perdidos, publicados en el *Southwestern Christian Advocate*, un periódico metodista, llegaban a casi quinientos predicadores, ochocientas oficinas de correos y más de cuatro mil suscriptores. El encabezado de la columna pedía a los predicadores que leyeran los anuncios desde sus púlpitos, a fin de extender la palabra de aquellos que buscaban a los desaparecidos. También imploraba a aquellos cuyas búsquedas habían sido fructíferas, que se lo hicieran saber al periódico, para que las noticias pudieran animar a otros. Los anuncios de los Amigos perdidos eran el equivalente a una ingeniosa red social decimonónica, una forma de alcanzar los confines de un país dividido, turbado y displicente, que todavía luchaba por encontrarse a sí mismo tras las secuelas de una guerra.

Ese mismo día, mientras leía decenas de anuncios de Amigos perdidos, y conocía a todas esas familias, supe que tenía que escribir la historia de una familia desgarrada por la codicia, el caos y la crueldad, desesperada por volver a verse. Sabía que los anuncios de los Amigos perdidos proporcionarían esperanza allí donde la esperanza había desaparecido hacía tiempo.

Hannie empezó a hablarme después de leer este anuncio:

AMIGOS PERDIDOS

La publicación de estas cartas no tendrá coste alguno para nuestros suscriptores. Todos los demás deberán abonar 50 centavos. Rogamos que los pastores lean desde los púlpitos las peticiones publicadas a continuación e informen de todos los reencuentros de amigos y familiares que se produzcan gracias a las cartas difundidas a través del *Southwestern*.

Señor editor: Deseo preguntar por mi familia. Mi padrastro se llamaba George, y mi madre, Chania. Soy la mayor de diez hijos, y me llamo Caroline. Los otros eran Ann, Mary, Lucinda, George Washington, Right Wesley, Martha, Louisa, Samuel Houston, Prince Albert, en orden de edad, y eran todos los que tenía cuando nos separaron. Nuestro primer dueño fue Jeptha Wooten, que nos llevó a todos desde Misisipi hasta Texas, donde murió. En Texas nos raptó Green Wooten, un sobrino de Jeptha, que nos llevó de vuelta a Misisipi, en el río Pearl, donde nos vendió a un abogado llamado Bakers Baken, que parece que no pagó por nosotros. Este hombre se llevó a mi padrastro y a mi hermano mayor a Natchez, Misisipi, y allí los vendió. A los demás nos recuperaron y nos metieron, para tenernos a salvo, en la cárcel de Holmesville, en el condado de Pike, Misisipi, tras lo cual nos pusieron en manos de otro abogado, John Lambkins, que nos vendió a todos. Mi madre y tres de mis hermanos fueron vendidos a Bill Files, en el condado de Pike, Misisipi; mi hermana Ann, a un tal Coleman, en el mismo condado; era tonta y boba. Mi hermana Mary, a un hombre llamado Amacker, que vivía en los alrededores de Gainesville, Misisipi. Lucinda fue vendida en Luisiana. Right Wesley fue vendido al mismo tiempo, pero a quién o dónde, no lo sé. A Martha también la vendieron en algún lugar del asentamiento cercano a mi madre, pero no sé a quién. A mí me vendieron a Bill Flowers, siendo una mujer bastante joven. Ahora tengo 60 años y un hijo, Orange Henry Flowers, predicador de la Conferencia de Misisipi, ubicado en Pearlington, condado de Hancock, Misisipi, en la Bahía de San Luis. Agradeceré cualquier información recibida. Escriban a la atención de Caroline Flowers, a cargo del Rev. O. H. Flowers, Pearlington, condado de Hancock, Misisipi.

Sabía que la vida de Caroline Flowers, autora de este anuncio, marcaría en cierto modo la situación de Hannie, pero que la búsqueda de esta última la llevaría a embarcarse en una misión. Su viaje sería una especie de odisea que cambiaría su vida. Transformaría a Hannie para siempre, redirigiendo su futuro. En cuanto a la edad de Hannie y la época de posguerra en Texas, particularmente anárquica y peligrosa, reinventé un poco la historia, situando el relato en 1875, diez años después del final de la guerra. Aunque las familias separadas habían publicado anuncios en varios periódicos desde el final de la contienda, la distribución de la columna de los «Amigos perdidos» cobró vida en 1877 y continuó hasta principios del siglo XX.

Espero que hayáis disfrutado al conocer a Hannie y a su homóloga moderna, Benny, y al compartir su viaje, tanto como yo he disfrutado escribiendo sobre ellas. En mi opinión, son el tipo de mujeres extraordinarias que construyeron el legado del que hoy disfrutamos. Maestras, madres, empresarias, activistas, granjeras pioneras, líderes de la comunidad que creyeron, en mayor o menor medida, que podían mejorar el mundo para las generaciones presentes y futuras. Y que asumieron los riesgos necesarios para hacerlo realidad.

Ojalá todos hagamos lo mismo en la medida de nuestras posibilidades, allá donde nos encontremos.

Y ojalá este libro desempeñe un papel en ello, sea el que sea.

Agradecimientos

Ninguna historia es una obra individual: las escenas se esbozan, los colores se añaden, los reflejos y las sombras se aplican en soledad. Estas creaciones literarias comienzan como garabatos casuales, e invariablemente crecen a partir de ahí. Se convierten en una especie de proyecto comunitario, un mural con muchos y diversos colaboradores que solo tienen una cosa en común: han tenido la amabilidad de pasarse por allí y rellenar uno o dos huecos en blanco. *El libro de los amigos perdidos* no es una excepción, y sería negligente si, antes de marcharme, no escribiera los nombres de algunas almas caritativas en este mural.

Para empezar, quiero enviar mi agradecimiento a los infatigables responsables de la Colección Histórica de Nueva Orleans por haber creado la inestimable base de datos de Amigos perdidos. Habéis conseguido que la historia de un lugar, de una época y de miles de familias no solo se conserve, sino que esté a disposición del público, de los investigadores y de innumerables descendientes que buscan sus raíces familiares. En particular, quiero dar las gracias a Jessica Dorman, Erin Greenwald, Melissa Carrier y Andy Forester por su dedicación a la CHNO, a los Amigos perdidos y a la propia Historia. A Diane Plauché, ¿qué puedo decir? Si no me hubieras llevado hasta los Amigos perdidos, nunca los habría conocido, y Hannie y Benny no existirían. Gracias por presentármelos, por compartir tu trabajo como voluntaria digitalizando los anuncios para la base de datos, y por contarme la historia de tu familia.

Siempre os estaré agradecida a ti y a Andy por haber pasado un día maravilloso en la casa familiar, escuchando los testimonios, empapándome de su historia, examinando documentos antiguos, hablando con Jess y su familia, y paseando por los tranquilos terrenos del cementerio, leyendo las lápidas desgastadas por el tiempo y preguntándome qué cosas podría haber sin marcar. Lo más sorprendente de estos viajes literarios es que traen consigo nuevas amistades en el mundo real. Me siento honrada de incluiros entre ellos.

A las muchas otras personas que me ofrecieron su tiempo y conocimientos durante mis visitas a Luisiana, gracias por compartir tan generosamente vuestro estado natal. ¿Cómo podría una escritora errante esperar menos de un lugar tan conocido por su hospitalidad? En particular, quiero enviar mi agradecimiento a los anfitriones, guías turísticos y conservadores de la Plantación Whitney y al amable personal del Parque Histórico Nacional Cane River Creole. Gracias, guardabosques Matt Housch, por acogerme, ofrecerme una fantástica visita personalizada, responder a todas mis preguntas e incluso confirmar la existencia de trampillas de acceso ocultas en el suelo de la casa de la plantación.

Como siempre, esta historia y yo le debemos mucho a un increíble grupo de familiares, primeros lectores y viejos amigos que ayudaron a que *El libro de los amigos perdidos* viera la luz. A mi amiga y autora, Judy Christie, gracias por sentarte en el columpio del porche conmigo durante las fases iniciales de esbozo de este libro, dando vueltas a las ideas, y también por leer generosamente un borrador tras otro, a los que añadiste no solo tus conocimientos sobre Luisiana, sino también las dosis necesarias de ánimo y amor, y un ocasional almuerzo de sopa de pollo o chili del intrépido Paul Christie.

A mi madre, a la tía Sandy, a Duane Davis, a Mary Davis, a Allan Lazarus, a Janice Rowley y a mi increíble ayudante Kim Floyd, gracias por ser el mejor equipo de lectura beta de la historia, por ayudar a perfeccionar este libro y por animar a Hannie y Benny en la línea de meta. Sin vosotros, no sé dónde estarían.

En cuanto al apartado de papel y tinta, no puedo agradecer lo suficiente a mi brillante agente, Elisabeth Weed, que creyó en esta historia desde la primera mención de la idea y me animó a escribirla.

¡Eres la mejor! A la editora Susanna Porter, gracias por apoyar siempre este libro y por revisar sus muchas iteraciones. ¿Qué libro estaría completo sin el equipo editorial perfecto? Gracias a Kara Welsh, Kim Hovey, Jennifer Hershey, Scott Shannon, Susan Corcoran, Melanie DeNardo, Rachel Parker, Debbie Aroff, Colleen Nuccio y Emily Hartley por ser el motor de este libro, por alegrarse conmigo de cada nuevo hito editorial y por ser personas tan divertidas con las que trabajar. No puedo imaginar viajes más alegres que los que hemos compartido. También estoy agradecida a los equipos de producción, marketing, publicidad y ventas, y a Andrea Lau por el diseño de las páginas interiores, así como a Scott Biel y Paolo Pepe por el magnífico concepto de la cubierta del libro. Si no fuera por vosotros, estas historias nunca llegarían a las estanterías, a las mesillas de noche ni a las manos de los lectores.

Hablando de lectores, estoy eternamente agradecida a todos los libreros, a los bibliotecarios y a las comunidades que han acogido charlas y firmas de libros, que han enviado notas, que han recomendado mis libros, que han acogido clubes de lectura y que me han dado la bienvenida a sus tiendas y ciudades.

Y he dejado para el final lo más importante: quiero enviar un enorme agradecimiento a un innumerable número de amigos lectores, ya sea a la vuelta de la esquina o al otro lado del mundo. Gracias por dar a mis libros unos hogares llenos de amor. Gracias por compartirlos con amigos y familiares, por recomendárselos a desconocidos en los aeropuertos y por sugerirlos a los clubes de lectura. Vosotros sois quienes convierten una historia en una comunidad, y por eso estoy en deuda con vosotros.

Hoy, mañana y siempre.

Lisa

Bibliografía

Fuentes digitales y en directo

"Lost Friends Exhibition". En: «https://www.hnoc.org/database/lost-friends/». Historic New Orleans Collection. Web. 2019.

"Piecing Together Stories of Families Lost in Slavery". En: «https://www.npr.org/2012/07/16/156843097/piecing-together-stories-of-families-lost-in-slavery». National Public Radio. Web. 16 de julio de 2012.

"Purchased Lives Panel Exhibition". En: «https://www.hnoc.org/exhibitions/purchased-lives-panel-exhibition». Historic New Orleans Collection. Web. Sin fecha.

Fuentes impresas

Federal Writers' Project. *North Carolina Slave Narratives: Slave Narratives from the Federal Writers' Project, 1936-1938.* Bedford, Mass.: Applewood Books, 2006.

Federal Writers' Project. *Texas Slave Narratives and Photographs: A Folk History of Slavery in the United States from Interviews with Former Slaves, Illustrated with Photographs.* San Antonio: Historic Publishing, 2017.

Howell, Kenneth W. *Still the Arena of Civil War: Violence and Turmoil in Reconstruction Texas, 1865–1874.* Denton: University of North Texas Press, 2012.

Jacobs, Harriet. *Incidents in the Life of a Slave Girl: Written by Herself.* Editado por Marie Child. Cambridge, Mass.: Harvard University Press, 2000. Primera edición: 1861.

Katz, William Loren. *The Black West: A Documentary and Pictorial History of the African American Role in the Westward Expansion of the United States.* Nueva York: Broadway, 2005.

Minges, Patrick, editor. *Black Indian Slave Narratives.* Real Voices, Real History. Winston-Salem, C.N.: Blair, 2004.

Mitchell, Joe, y Federal Writers' Project. *Former Female Slave Narratives & Interviews: From Ex-Slaves in the States of Arkansas, Florida, Louisiana, Tennessee, Texas, and Virginia.* San Antonio: Historic Publishing, 2017.

Northup, Solomon. *Twelve Years a Slave.* Nueva York: Penguin, 2016. Primera edición: 1853.

Smallwood, James M., Barry A. Crouch, y Larry Peacock. *Murder and Mayhem: The War of Reconstruction in Texas.* Sam Rayburn Series on Rural Life. College Station: Texas A&M University Press, 2003

Sullivan, Jerry M. *Fort McKavett: A Texas Frontier Post.* Learn About Texas. Austin: Texas Parks and Wildlife Department, 1993.

Washington, Booker T. *Up from Slavery.* Editado por William L. Andrews. Oxford: Oxford University Press, 1995. Primera edición: 1901.

Williams, Heather Andrea. *Help Me to Find My People: The African American Search for Family Lost in Slavery.* The John Hope Franklin Series in African American History and Culture. Chapel Hill: University of North Carolina Press, 2012.

Acerca de la autora

Lisa Wingate es la autora superventas del *New York Times* de *Antes de que llegaras*. Ha escrito más de treinta novelas y un libro de no ficción, *Before and After*; este último en colaboración con Judy Christie. Sus obras premiadas han sido seleccionadas para programas de lectura por todo el país, se han publicado en más de cuarenta idiomas y han aparecido en las listas de superventas de todo el mundo. El grupo Americans for More Civility, una organización dedicada a evaluar actividades benéficas, concedió a Wingate y a otras seis personas el National Civics Award, un premio que rinde homenaje a aquellas figuras públicas que trabajan para fomentar la amabilidad y el civismo en la sociedad estadounidense. Lisa vive en el norte de Texas junto a su marido. Puedes encontrar más información en lisawingate.com, donde también puedes suscribirte a su boletín de noticias electrónico y seguirla en redes sociales:

Facebook.com/LisaWingateAuthorPage
Twitter: @LisaWingate
Instagram: @author_lisa_wingate

Acerca de la tipografía

La tipografía de este libro es la Caslon, que fue diseñada por primera vez por William Caslon (1692-1766) en 1722. Su uso se extendió por la mayoría de las imprentas inglesas a principios del siglo XVIII y no tardó en suplantar a las tipografías holandesas que habían predominado anteriormente. La redonda está considerada una tipografía «de trabajo» debido a su aspecto agradable y abierto, mientras que la cursiva es excesivamente decorativa.